LA SOMBRA
DE OTRO

LA SOMBRA
DE OTRO

Luis García Jambrina

GRUPO ZETA

Barcelona • Madrid • Bogotá • Buenos Aires • Caracas • México D.F. • Miami • Montevideo • Santiago de Chile

1.ª edición: marzo 2015

© Luis García Jambrina, 2014
© Ediciones B, S. A., 2014
   Consell de Cent, 425-427 - 08009 Barcelona (España)
   www.edicionesb.com
   www.edicionesb.com.mx

Guardas: Pedro de Texeira. Topografía de la Villa de Madrid.
© Ayuntamiento de Madrid. Museo de Historia

ISBN: 978-607-480-806-3
DL B 16205-2014

Impreso por Programas Educativos, S. A. de C. V.

*Para aquellos que tienen la suerte
de no ser envidiosos ni envidiados,
porque de ellos será la felicidad*

*Para mi madre,
para mi hija*

Prefacio imprescindible
del editor literario

Paseando yo un día por la plaza de Zocodover, en Toledo, descubrí una librería anticuaria en la que nunca hasta entonces había reparado, y eso que iba por allí con relativa frecuencia y que la tienda tenía aspecto de ser antigua, más desde luego que muchos de los libros que se veían en el escaparate, que en su mayor parte eran ejemplares de segunda mano o descatalogados. Sin pensármelo mucho, me aventuré a cruzar su umbral, atraído no solo por la extraña atmósfera que en su interior se percibía, sino también por la muchacha que había tras el mostrador, si bien es cierto que, una vez dentro, esta resultó no ser tan joven como yo pensaba, ni la tienda, por cierto, tan vetusta como parecía. El caso es que, como ya había entrado, decidí examinar el género, aunque fuera solo por encima, pues me resultaba algo embarazoso marcharme de allí sin echar un vistazo. Y en esas estaba cuando divisé, en uno de los estantes, un libro sobre El Greco que llevaba ya algún tiempo buscando. Sorprendido por el hallazgo, alcé la mano hasta el ejemplar en cuestión, lo así por el lomo y tiré del mismo con tanta fuerza que tras él se me vino encima una especie de cartapacio que había en el hueco de arriba y que a punto estuvo de golpearme en la cabeza y dejarme en el sitio.

Cuando iba a ponerlo de nuevo en su lugar, no pude evitar hojearlo. El cuaderno era bastante grueso y tenía las cubiertas de pergamino. Tanto la encuadernación como el papel no eran de mucha calidad; sin embargo, se encontraban en buen estado. Pero lo que me atrajo fue el contenido. Se trataba de un manuscrito en lengua árabe, encabezado por un epígrafe —en español y añadido tal vez por otra persona— que decía: «Confesión de Antonio de Segura (1617).» Por la fecha, enseguida pensé que podía tratarse del mismo Antonio de Segura o Sigura, pues de ambas formas solía escribirse, que yo conocía. Este era un oscuro personaje del Siglo de Oro que tan solo aparece mencionado, muy de pasada, en las biografías de Cervantes y en algún que otro libro o artículo sobre la arquitectura española de esa época. De modo que no lo dudé; con el libro sobre El Greco y el cartapacio me dirigí a la dependienta y le pregunté cuánto costaban, intentando disimular mi interés. La mujer me indicó para el ejemplar un precio a todas luces desorbitado, pero añadió, con una leve sonrisa, que los papeles antiguos me los regalaba, ya que habían estado a punto de costarme la vida. Agradecido por el obsequio, le pagué la cantidad señalada sin protestar y luego me despedí deseándole una buena tarde.

Al día siguiente, se lo mostré a mi colega el doctor Pedro Buendía, que es un reconocido profesor de lengua árabe en la Universidad de Salamanca, donde yo trabajo. Tras analizarlo atentamente, me dijo que se trataba, en realidad, de un texto escrito en castellano con caracteres arábigos o, lo que es lo mismo, en castellano aljamiado, es decir, transcrito al alifato o alfabeto árabe, y que, a juzgar por la grafía, el tipo de papel y otros aspectos del manuscrito, cabría datarlo, en efecto, en las primeras décadas del siglo XVII. En cuanto a la caligrafía, cabe decir que era enérgica, de trazos rápidos, con abundantes tachaduras y correcciones y, en ocasiones, algo borrosa, a causa de la corrosión de la tinta, lo que dificultaba su lectura.

Como Pedro me debía varios favores de índole académica, le pedí que me lo retranscribiera, por así decirlo, a su lengua original, el castellano de comienzos del siglo XVII, cosa que hizo en menos de un mes. Cuando me lo entregó, me confirmó que, en efecto, se trataba de la confesión del mismo Segura o Sigura que, en su juventud, había tenido un serio encontronazo con Cervantes. Es fácil, pues, imaginar la emoción y la expectación con la que lo leí, prácticamente de una sentada, salvo las dos veces que me levanté para ir a orinar —la próstata, ya se sabe—, y para servirme una copa de mi mejor vino, pues la ocasión lo merecía. El caso es que, conforme avanzaba, más convencido estaba de que se trataba de una auténtica bomba, un acontecimiento único, algo que muy contadas veces sucede en el mundo literario. Por ahora, no quiero adelantar nada más, para no estropearle la lectura y para que sea usted el que juzgue por sí mismo, una vez que lo haya acabado.

Como se podrá comprobar, he corregido y modernizado la ortografía y la sintaxis de la versión castellana y he suprimido algunas repeticiones e incoherencias, pues el resultado de la transliteración no resultaba muy legible, que digamos. Asimismo, me he permitido sustituir o aclarar las expresiones y palabras demasiado extrañas, arcaicas o, incluso, crípticas por otras más inteligibles, actuales y familiares, sin temor a incurrir con ello en todo tipo de anacronismos lingüísticos, dado que el objetivo principal de esta edición ha sido facilitar la lectura y la comprensión del texto, así como evitar posibles equívocos. No obstante, debo advertir que he mantenido algunos errores y contradicciones, por considerarlos muy elocuentes o significativos. Por otra parte, he descifrado algunos pasajes oscuros del texto y he completado las numerosas lagunas existentes en el mismo con la ayuda de otras fuentes, tanto académicas como literarias, sobre Cervantes, su vida, sus obras, su tiempo y sus coetáneos. De modo que es muy posible que muchos de mis colegas, sobre todo los más puristas y puntillosos, me critiquen y cuestionen el trabajo, arguyendo que se trata más bien de una adaptación con fines divulgativos, y no de una transcripción fiel del original, con su correspondiente estudio introductorio y un gran aparato de notas. En mi defensa, diré que lo hice así porque confiaba en que, en un futuro no muy lejano, se haría una edición crítica rigurosa para estudiosos y especialistas. Pero ahora lo que urgía era difundirlo de forma eficaz y respetuosa entre el público lector.

En cuanto al contenido del manuscrito, he comprobado y cotejado los datos y referencias relativos a la vida de Cervantes que aparecen en el texto, salvo aquellos, naturalmente, sobre los que no existe ninguna otra documentación, que, como es lógico, he dejado tal cual, pues, a falta de alguna prueba en contra, hemos de concederle a Segura la presunción de veracidad. En este sentido, hay un documento que me parece muy revelador; me refiero a las dos entradas que se reproducen al comienzo y al final de esta edición, y que han sido halladas en los libros de registro de entradas de la Cárcel Real de Madrid, conservados en el Archivo Histórico de esta ciudad; por ellas queda demostrado que, en efecto, Antonio de Segura estuvo en esa prisión durante nueve largos meses y que, durante ese tiempo, escribió la confesión que hoy presentamos. Por lo demás, cabe asegurar con total certeza que estamos ante un texto extraordinariamente valioso, dado que en él se aclaran, por fin, algunos misterios y se dan a conocer nuevos detalles de la biografía cervantina, al tiempo que adquiere cierta relevancia una figura oscura y olvidada hasta ahora.

Por último, es posible que alguno piense que he censurado o maquillado algún pasaje incómodo o escabroso de esta confesión o, por el contario, que yo mismo he inventado o exagerado algún aspecto más o menos turbio, con el fin de ensombrecer la vida del más ilustre y preclaro de nuestros escritores. A este respecto, debo decir que, aunque no tienen razón, tampoco puedo hacerles ningún reproche por pensar así, pues lo cierto es que, en este momento, no estoy en condiciones de aportar ni una sola prueba de lo que aquí digo, y menos aún de la existencia del manuscrito. De hecho, ni siquiera mis editores acaban de creerse esta historia, no ya la que cuenta Antonio de Segura en su confesión, sino la que se refiere al hallazgo del texto autógrafo. El motivo es que no he podido mostrárselo, dado que me lo robaron justo después de preparar la edición.

Yo estaba de viaje, y, cuando volví a casa, el cartapacio y mi ordenador portátil habían desaparecido. Por fortuna, guardaba una transcripción de la misma en un *pendrive* que siempre llevo encima. Gracias a ella, se ha podido publicar el libro que ahora tiene usted en sus manos y que le ruego lea con la atención y la confianza que este merece, si bien debo advertir que, para curarse en salud y evitar posibles problemas legales, los editores me han obligado a publicarlo bajo mi propio nombre y con un título más o menos sugerente, como si se tratara de una novela, pues así ellos se quedan más tranquilos y contraen menos responsabilidades con los lectores. Todo sea para la mayor gloria de Miguel de Cervantes y, por supuesto, del propio Antonio de Segura.

Anotación del libro de registro
de la Cárcel Real de Madrid

*Bien pasadas las doce del mediodía de hoy sábado 23
de abril de 1616, ha ingresado en esta Cárcel Real de Madrid el sospechoso Antonio de Segura, de sesenta y ocho
años de edad y sin domicilio conocido en esta Villa y Corte. Según parece, este fue hallado por dos alguaciles en la
calle de los Francos, enajenado y gritando a todo aquel
que lo quisiera oír que él era el responsable de la muerte
de un tal Miguel de Cervantes, con residencia en esta ciudad, por lo que fue llevado de inmediato ante el juez para
que se le tomara declaración. Interrogado por Su Señoría
sobre dicho particular, el detenido se limitó a contestar
que la cuestión era demasiado ardua y compleja como para ser despachada en pocas palabras, pero que, si tenía la
bondad de suministrarle tinta, pluma y varias resmas de
papel, pondría por escrito todo lo relativo a este caso, sin
omitir detalle alguno, para que el juez pudiera conocer la
verdad de su propia boca, a lo que este accedió de buen
grado, pues ya era muy tarde. A este propósito, ordenó al
alguacil que le entregara al detenido aquello que había
solicitado, y, en su nombre, lo mandara luego encerrar,*

como medida de precaución, en esta Cárcel Real, donde quedará a la espera de futuras averiguaciones, de lo que aquí dejo constancia, como escribano de las entradas que soy de esta institución, en Madrid, a 23 de abril de 1616.

El Licenciado Tomé Rodríguez.

CONFESIÓN DE ANTONIO DE SEGURA

Puesto ya el pie en el estribo,
con las ansias de la muerte,
gran señor, esta te escribo.

I

Sepa Vuestra Merced que yo me llamo Antonio de Segura, que algunos, para perjudicarme o por negligencia o error, escriben Sigura, con i, en lugar de e. Seguramente, mi nombre no le diga nada, y más teniendo en cuenta que, a estas alturas, yo ya estoy muerto. Sí, Vuestra Merced ha leído bien, pero de eso hablaré luego. Lo cierto es que, en su día, pude llegar a adquirir cierto renombre; ahora, sin embargo, tengo que contentarme con ser parásito y pregonero de la fama ajena. De hecho, la única forma que me queda de conseguir la redención y alcanzar una cierta celebridad, ya que no la gloria terrenal ni menos aún la eterna, es poniendo por escrito todo lo que yo sé de Miguel de Cervantes Saavedra, pues no hay manera de contar su historia sin contar, al mismo tiempo, la mía, y viceversa. No en vano ambas están entrelazadas y, al mismo tiempo, se oponen, como si fueran vidas paralelas, como enseguida comprobará quien prosiga la lectura de esta confesión, que espero que Dios me permita llevar hasta el final, aunque para ello tenga que contar algunas cosas muy deprisa y sin entrar en muchos detalles. ¡Y es que no se imagina Vuestra Merced las cosas que yo he visto y he vivido, sobre todo a partir del día en que mi destino y el de Cervantes se cruzaron! Y, si es verdad que, como ya dije, yo soy el responsable de su muerte, no lo es menos que él estuvo a punto de matarme a mí hace casi cincuenta años.

Cuando Cervantes y yo tuvimos la suerte o la desgracia de conocernos, yo llevaba ya algún tiempo afincado en Madrid, adonde había acudido con toda mi familia en busca de fortuna y oportunidades, aprovechando que la Corte acababa de instalarse, con carácter más o menos estable, en esta ciudad, después de haber estado dieciséis meses en Toledo y, circunstancialmente, en Aranjuez. Con esta medida, se pretendía acabar con ese continuo deambular de un lado para otro, lo que dificultaba mucho las tareas de gobierno y obligaba a miles de personas a desplazarse tras ella. Se pensaba también que una sede fija mejoraría mucho la administración de la Corona y facilitaría la concentración del poder. Por otro lado, estaba el hecho de que a la reina no le había gustado nada Toledo y hasta le había tomado cierta ojeriza. Pero había otra razón de mucho peso, y era que el rey nuestro señor Felipe II quería estar cerca del emplazamiento del gran monasterio que proyectaba construir en El Escorial, que era, realmente, el lugar en el que el monarca quería instalarse, para desde allí dirigir sus reinos con la mirada puesta en lo eterno. El motivo inicial de esa magna obra era conmemorar la victoria contra los franceses en la batalla de San Quintín, pero, con el tiempo, la cosa fue adquiriendo más importancia. Y si le cuento todo esto a Vuestra Merced es porque me pareció muy joven y, según me dijo, acaba de llegar a esta ciudad.

De todas formas, la decisión de trasladar la Corte a Madrid no fue nada fácil, debido a las muchas presiones e intereses enfrentados que siempre genera un hecho como este. De entrada, había otras ciudades que estaban muy por encima de ella en cuanto a prestigio e importancia. La principal ventaja de esta consistía en que se trataba de un lugar estratégico para dirigir los destinos del Estado, por ser equidistante entre los diferentes territorios de la Península y, por lo tanto, ideal para los intercambios comerciales. Sus aires, además, eran benignos y agradables, y sus cielos, casi siempre luminosos; encima, estaba rodeada de grandes bosques —que muy pronto, por cierto, serían esquilmados—, y era pródiga en agua, con tierras bastante fértiles y abundante caza. ¿Qué más se podía pedir?

Los primeros en mudarse habían sido el rey y la reina, que lo hicieron en mayo de 1561; después, vinieron numerosos cortesanos y funcionarios con toda su parentela y servidumbre; y, tras ellos, una multitud deseosa de medrar y obtener empleos y favores, así como toda la morralla de mendigos, pícaros, rufianes, prostitutas y delincuentes. Esto hizo que muy pronto escaseara la vivienda y hubiera que empezar a construir muchas casas, palacios y edificios públicos. También el viejo Alcázar se había quedado pequeño, por lo que hubo que emprender diversas obras de ampliación y reforma para dar cabida a tanto palaciego. De modo que las calles de Madrid eran un ir y venir de canteros, carpinteros, artesanos, comerciantes, esportilleros, mozos de cuerda..., todos con una misión que cumplir dentro de esa gran colmena.

Y aquí es donde entro yo, quiero decir mi familia, ya que mi padre era maestro albañil en San Millán de la Cogolla, como lo había sido antes mi abuelo, lo eran entonces también mis tíos y lo serían muy pronto todos mis primos y mis hermanos y hasta yo mismo, si Dios no lo remediaba. Aunque en aquel tiempo las obras en San Millán no escaseaban, mi padre llevaba tiempo con ganas de abandonar el pueblo, a causa de unos crecientes rumores que afirmaban que por nuestras venas corría sangre morisca, cosa que, por supuesto, nadie había probado ni podría acreditar. Y es que mis parientes eran tan cristianos y honrados como los que más, pero bastaba que el río sonara para que el agua de la calumnia fuera socavando poco a poco nuestra honra y poniendo nuestro honor en entredicho, pues ya se sabe que nadie es enteramente dueño de este, sino que depende en buena medida de los demás. Ya sabe Vuestra Merced cómo son las cosas.

El caso es que cuando mi padre tuvo noticia de que la Corte se iba a instalar en Madrid y que, por tanto, hacían falta maestros albañiles y oficiales examinados, no se lo pensó dos veces. Cargó un carro con los enseres esenciales, alquiló unas mulas para el viaje y nos condujo hacia la tierra prometida, donde nadie nos conocería y donde, desde luego, no iban a faltarnos oportunidades de medrar, sobre todo a mí, que acababa de cumplir catorce años y parecía un muchacho despierto y ambicioso. Cerca de San Millán de la Cogolla, por cierto, a orillas del río Cárdenas, junto al pueblo de Berceo, había una aldea llamada Madriz. De modo que, en un principio, mis hermanos y yo creímos que era allí adonde nos trasladábamos, hasta que, pasados unos días, nos dimos cuenta del error. Después mi padre no paró de hacer bromas sobre ello durante el resto del camino. «Para que veáis la importancia que puede tener una simple letra», recuerdo que nos decía, entre grandes risotadas. «Y si no que se lo pregunten a los canteros», añadía luego, enigmáticamente.

Cuando llegamos por fin a la Villa y Corte, reinaba tal bullicio y ajetreo que, a los ojos de ese niño inocente que todavía era yo, aquello parecía la viva imagen de la construcción de la torre de Babel, símbolo y emblema de la soberbia humana, como aprendería luego. No se veían más que andamios de una parte a otra, grúas y poleas que subían y bajaban, gentes que daban órdenes, albañiles que enlucían muros, canteros que cincelaban, carretas que iban y venían cargadas de sillares, vigas, cantos, arena, argamasa... Según nos dijeron, hasta hacía dos días aquello había sido un pueblo lleno de casuchas de adobe de una sola planta, situadas, además, en calles que habían sido trazadas sin orden ni concierto en torno a varias iglesias y que, en su mayor parte, no tenían albañales y estaban sin empedrar. Y ahora todo eran palacios y casas a medio hacer, muchas de ellas de varias plantas, levantadas deprisa y corriendo y de forma azarosa para dar cobijo a una población que, en apenas unos meses, había pasado de cuatro mil a cuarenta mil vecinos, de los que más de la mitad eran cortesanos con sus respectivos criados, venidos de todas partes, incluso de lugares muy lejanos y apartados, como los numerosos esclavos negros que acompañan a algunos grandes señores y que tanto llamaron mi atención en aquel momento.

Entre los nuevos edificios, se encontraban las llamadas «casas a la malicia» o «de difícil partición», construidas de forma engañosa y utilizando toda clase de artificios y ardides, para no tener que cumplir con la carga o regalía de aposento, que obligaba a alojar en la mitad de la propia vivienda a alguno de los innumerables funcionarios que seguían llegando a la Corte. De ahí que, en muchas ocasiones, los tejados se hicieran demasiado inclinados —como si estuviéramos en el norte—, con el fin de ocultar uno de los pisos, visible desde el interior del patio, pero no desde la calle, como una especie de trampantojo, solo que al revés, pues se trataba de que no se viera lo que allí había.

No obstante, aún quedaba mucho por construir en una ciudad que parecía dispuesta a extenderse varias leguas a la redonda, todo lo que fuera necesario. A mi familia, desde luego, el trabajo y las ocasiones no iban a faltarle. Mi padre se ganó enseguida la confianza y el respeto de los compañeros de gremio y de muchos maestros de obras, pues no solo tenía experiencia sobrada y estaba muy versado en el oficio, sino que, además, era un trabajador serio y solícito, por lo que lo reclamaban de aquí y de allá, incluso de la Corte para algunos trabajos difíciles o complicados. En tales casos, me llevaba siempre a su lado con la idea de que conociera el oficio desde dentro, hasta hacerme maestro albañil, y luego ya se vería, según mis capacidades.

En realidad, su verdadero deseo era que yo aprendiera a hacer las trazas de los edificios y me convirtiera en arquitecto o aparejador, una profesión que hasta ese momento no había existido como tal, pero que pronto adquiriría una gran importancia y prestigio, gracias, sobre todo, a Juan de Herrera y otros arquitectos reales, ocupados en las continuas ampliaciones de los Reales Alcázares y, claro está, en llevar a buen puerto el proyecto más ambicioso de los últimos siglos, las obras del ya mencionado monasterio de San Lorenzo de El Escorial. Estas comenzaron en 1563, coincidiendo con la finalización del Concilio de Trento, y no concluirían hasta veinte años después, siempre bajo la vigilancia del propio rey. Durante ese tiempo, la *fábrica* de El Escorial llegó a ser una especie de escuela para los futuros arquitectos de la Corte, debido a que en ese momento no había ningún lugar donde pudiera estudiarse ese oficio; de ahí que mi padre no descansara hasta que me incorporé a ella como uno de los ayudantes de Herrera.

Yo, sin embargo, soñaba entonces con obtener enseguida fama y gloria como poeta, a imitación de mi admirado Garcilaso de la Vega. Y es que, siendo muy niño, tuve la suerte de aprender a leer y a escribir con un monje del monasterio de San Millán de Yuso, en cuyas obras de reconstrucción solía trabajar mi padre. Después de enseñarme algo de gramática y de retórica, este buen hombre me franqueó las puertas de la biblioteca del convento, en la que no solo había libros en latín, sino también en romance; de hecho, los monjes de San Millán presumían de ser los primeros en haber puesto por escrito la lengua del pueblo, en las glosas que aparecen en los márgenes de un antiguo códice, y de haber criado en su seno al primer autor conocido en castellano, nada menos que Gonzalo de Berceo, que se preciaba de escribir «en román paladino», el mismo que hablaba el pueblo con su vecino. Y se ve que todo esto despertó en mi tierna infancia mi vocación de poeta.

Una vez en Madrid, seguí leyendo todo lo que caía en mis manos, hasta que un buen día alguien me regaló un ejemplar de *Las obras de Boscán y algunas de Garcilaso de la Vega*. Los versos de este último me impresionaron de tal forma que pronto se convirtió en mi Biblia, dicho sea con todos los respetos, y en mi libro de cabecera. Algo más tarde tuve ocasión de leer *El cortesano*, del humanista italiano Baltasar de Castiglione, traducido por el propio Boscán a instancias de su amigo Garcilaso, que me brindó, en el momento oportuno, los consejos y las enseñanzas que necesitaba para intentar llegar a ser un perfecto cortesano, a la manera de mi poeta favorito, que se había distinguido, precisamente, por haber cultivado por igual las armas y las letras en la Corte del emperador Carlos.

Por supuesto, era muy consciente de los muchos obstáculos y dificultades con los que iba a encontrarme a causa de mis pobres y oscuros orígenes, pero ¿acaso el mismo Castiglione no afirmaba en su bendito libro que, en algunos hombres de baja condición, podían verse a menudo grandes dotes naturales que facilitaban el ascenso en la escala social hasta convertirse en modelos de cortesanía? Y, por si ello no fuera suficiente, el gran Maquiavelo venía a recordarnos, en cierto pasaje de su más famosa obra, que algunos príncipes ascendieron desde su origen humilde al gobierno de un reino por sus propios méritos y con mayores logros que si lo hubieran heredado. ¡Y quién soy yo para contradecir a esos dos ilustres genios!

Por desgracia, yo no era el único con esas pretensiones, las de ser poeta cortesano; de hecho, se contaban por decenas los jóvenes de entonces que participaban de esos mismos ideales o que aspiraban a ser el nuevo Garcilaso en la Corte de Felipe II, un rey, por cierto, muy poco dado a las aventuras y las heroicidades, lo que explicaba que algunos —muy prudentemente— lo llamaran el Prudente y otros —mucho más osados— lo consideraran un pusilánime. También tenía fama de distante, tímido, solitario y poco accesible; de ahí que muchos quisiéramos volver a aquella Edad de Oro en la que su padre logró llevar la nave del imperio a las más altas cotas, mientras Garcilaso hacía lo propio con la poesía castellana. *¡O tempora, o mores!*

En tales circunstancias, era muy importante, para mí, hablar con todo el mundo, dejarme ver aquí y allá, perdonar deudas y ofensas, hacer algún favor o merced y, sobre todo, buscarme buenos amigos y protectores entre lo más granado de la nobleza. Por lo demás, cualquier acontecimiento público era bueno para escribir un poema conmemorativo, ya fuera un natalicio, una boda, un hecho de armas o un fallecimiento. De modo que, seis años después de mi llegada a Madrid, podía ufanarme no solo de haber trabajado, como maestro de albañilería, en la construcción del monasterio de San Jerónimo a las órdenes de Gaspar de la Vega y, por fin, como ayudante de trazador, en la *fábrica* de El Escorial al servicio de Juan de Herrera o en las obras del Real Alcázar de Madrid, sino también de haberme hecho un hueco como poeta en varios círculos cortesanos. Un logro más que notable para alguien tan humilde como yo.

Y fue justamente entonces cuando Miguel de Cervantes se cruzó en mi camino; el 11 de octubre de 1567, para ser exactos. Lo recuerdo porque ese día los madrileños estuvimos festejando en la calle el nacimiento de la infanta Catalina Micaela, segunda hija del rey e Isabel de Valois. Era ya de noche cuando me dejé caer por una bodega que había cerca del Alcázar. La jornada había sido larga y necesitaba beber una jarra de vino antes de retirarme a mis aposentos, ya que esa noche quería dormirme enseguida y no tener que pensar. La verdad es que podía haber elegido cualquier otra de las muchas que me había ido encontrando por el camino; si algo no falta en Madrid son lugares donde emborracharse y saciar la sed. Pero, no sé por qué, elegí aquella, que no era más agradable ni estaba mejor iluminada que las demás. La taberna del Pez, se llamaba; y, en efecto, podía verse uno pintado en la fachada, como los que hacían los primeros cristianos para reconocerse entre ellos. Vuestra Merced no la conocerá, porque, al igual que muchas de las personas y lugares que voy a mencionar en esta confesión, ya no existe.

A esas horas, la bodega estaba todavía muy concurrida. En uno de los apartados, había un grupo de jóvenes —más o menos de mi misma edad— que no paraba de entonar canciones y de trasegar vino. El tabernero, que resultó ser muy locuaz, me comentó, mientras me servía, que eran poetas. Luego, me explicó que estaban tan contentos porque uno de ellos había logrado que un poema suyo fuera elegido para adornar uno de los arcos triunfales levantados con motivo del feliz alumbramiento de la reina.

—¿Y quién ha sido el afortunado? —pregunté yo con interés.

—Ese de ahí —me dijo, señalando al que parecía más animado.

El aludido era de estatura mediana, complexión recia, con el rostro aguileño, el cabello castaño, tirando a rubio, la tez blanca, la cara ovalada, la frente lisa y desembarazada, los ojos vivos y alegres, la nariz corva, los bigotes grandes, la perilla discreta y de color más claro que el pelo y la boca más bien pequeña. Al igual que los otros, vestía como un estudiante, con el consabido manteo, loba corta y bonete de cuatro picos. En ese momento, se subió sobre el banco e intentó decirles algo a sus compañeros, sin conseguirlo, pues la lengua se le trababa.

—Menuda borrachera lleva encima —comenté yo.

—Al parecer, es tartamudo —aclaró mi informante.

—¡Lo que le faltaba: poeta y tartamudo! —exclamé yo—. ¡Seguro que a sus versos les sobran sílabas o les faltan rimas! No creo haberlo visto nunca. Y a vos, ¿os resulta conocido?

—Por lo que sé, no debe de llevar mucho tiempo en Madrid. Sus amigos lo llaman Cervantes.

—Cer... cer... cervantes, querréis decir —bromeé yo.

—Así es como lo diría él —puntualizó el hombre, entre risas.

El tabernero añadió luego, en voz baja, que el hecho de que hubieran elegido su poema se debía, según había oído, a los tejemanejes de un amigo del padre, un tal Alonso Getino de Guzmán, alguacil encargado de organizar los festejos y espectáculos de ese día y antiguo músico y bailarín de la compañía de Lope de Rueda. Asimismo, me comentó —guiñándome un ojo—, que el poema ni siquiera lo había escrito nuestro hombre, pues, al parecer, estaba inspirado en unos versos que había compuesto uno de los amigos allí presentes, llamado Pedro Laínez, que, según decían, era ayuda de cámara del príncipe don Carlos, al que estaba dedicado su poema.

—Ahora se entiende todo —afirmé yo, divertido.

Si he de ser sincero, la cosa no tenía mucha gracia, al menos para mí, que llevaba ya más de un lustro viviendo en Madrid, escribiendo como un condenado en los ratos libres que me dejaban mis otras ocupaciones y luchando a brazo partido por abrirme paso en la Corte, y, de repente, acababa de descubrir que un poeta recién llegado, sin gracia ni mérito ni talento, y, además, tardo de pico se había llevado la palma en mi propio terreno y sin ningún esfuerzo, como si fuera un niño mimado por la buena fortuna. ¿Qué tenía él que no tuviera yo para que, de buenas a primeras, me hubiera arrebatado lo que tenía que haber sido mío? ¿Por qué, en fin, lucía su poema en el arco triunfal, en lugar de uno de los míos? ¿Por qué él sí? ¿Por qué no yo?

En esas oscuras meditaciones estaba, cuando uno de los jóvenes se acercó a mí para pedirme, con todos los respetos, que cambiara el semblante, pues no estábamos en un funeral, sino en un natalicio, y me sumara a la fiesta, cosa que hice sin apenas rechistar, con el fin de no desairarlos. «Si no los puedes vencer, únete a ellos», debí de pensar en ese momento. Por otra parte, no me faltaban motivos para emborracharme yo también, aunque fueran muy distintos. El otro me dijo, entonces, que se llamaba Luis Gálvez de Montalvo, y, a continuación, me presentó a sus amigos: Gabriel López Maldonado, el mencionado Pedro Laínez y, claro está, el protagonista de la velada, Miguel de Cervantes. Todos ellos aspirantes a poetas de la Corte y fieles devotos, como yo, de Garcilaso de la Vega.

—¿Queréis escuchar el poema de nuestro amigo? —me preguntó Gálvez de Montalvo.

Aún yo no había dicho que sí, cuando Cervantes se puso en pie y comenzó a recitarlo sin que, en ningún momento, se le oyera tartajear, de lo que colegí que se trataba de una tartamudez ocasional, no causada, por tanto, por un defecto físico, sino por algo relacionado con su carácter o con una determinada circunstancia. En cuanto al poema, se trataba de un soneto dirigido a la propia reina, la madre de la recién nacida Catalina Micaela, que decía más o menos así:

> *Serenísima Reina, en quien se halla*
> *lo que Dios pudo dar a un ser humano,*
> *amparo universal del ser cristiano,*
> *de quien la santa fama nunca calla;*

> *arma feliz, de cuya fina malla*
> *se viste el gran Felipe soberano,*
> *ínclito Rey del ancho suelo Hispano,*
> *a quien Fortuna y Mundo se avasalla.*

¿Cuál ingenio podría aventurarse
a pregonar el bien que estás mostrando,
si ya en divino viese convertirse?

Que, en ser mortal, habrá de acobardarse,
y así le va mejor sentir callando
aquello que es difícil de decirse.

Si aún lo recuerdo no es, desde luego, porque me gustara, sino porque le di muchas vueltas en la cabeza durante varios días. Lo cierto es que me pareció bastante desmañado y muy poco original, si bien me guardé mucho de decírselo, no fuera a entender lo que no era y a tomarme ojeriza por ello. Sin embargo, debo confesar que, en los tres últimos versos, creí entrever algo más que la constatación de un tópico sobre la incapacidad del lenguaje para expresar lo inefable. Para mí, resultaba evidente que todas esas reticencias tenían que ver más bien con un sentimiento que la prudencia obligaba a mantener oculto. Pero no era ese el momento ni el lugar más adecuado para tratar de averiguarlo. Ahora lo que tocaba era ganarme su confianza, aunque para ello tuviera que emborracharme hasta perder la conciencia.

La noche debió de terminar en un prostíbulo, o al menos allí fue donde yo amanecí, completamente desnudo y desorientado. Mi compañera de lecho me dijo de mala gana que mis amigos habían tenido que dejarme allí, una vez satisfecho el correspondiente pago, pues no sabían dónde vivía, ni, desde luego, yo estaba, entonces, en condiciones de comunicárselo. Intenté recordar lo que había pasado esa noche y lo único que me venía a la cabeza era la imagen de Cervantes recitando su poema entre grandes risotadas, lo que acabó de revolverme el estómago y me hizo revesar todo lo que tenía dentro. Así es que me despedí como pude de la moza del partido y me fui a mis aposentos a terminar de dormir la borrachera.

II

Por la tarde, volví a la taberna de marras para ver si el dueño podía darme noticia de ellos, y me llevé la sorpresa de encontrármelos allí, como si me estuvieran esperando. En principio, yo solo había ido a darles las gracias por lo que habían hecho por mí la noche anterior, pero, al final, volví a unirme a la fiesta y esa noche acabé convirtiéndome en un miembro más del grupo. De modo que comenzamos a frecuentarnos, a leernos poemas y a compartir confidencias. Durante unos días traté de acercarme a Miguel, que resultó ser el más reservado, al menos conmigo, por lo que no me quedó más remedio que preguntarle a los otros.

Poco a poco, fui sabiendo, a través de Luis Gálvez de Montalvo, que había nacido en Alcalá de Henares en 1547, el mismo año que yo. Al parecer, mi nuevo amigo vino al mundo en la calle de la Imagen de esa ciudad el 29 de septiembre, día de san Miguel, lo que explicaba su nombre. Su padre, Rodrigo de Cervantes, era cirujano barbero, aunque a decir verdad ejercía más de lo último que de lo primero, si bien estaba también capacitado para hacer sangrías, purgas y otros apaños por apenas unos reales. En cualquier caso, era un oficio muy despreciado y más bien modesto, propio de judíos y cristianos nuevos; de ahí que los que lo practicaban estuvieran siempre bajo sospecha. De todas formas, la clientela era escasa, pues había mucha competencia, lo que hacía que siempre anduviera metido en negocios poco claros, que en alguna ocasión lo habían llevado a la cárcel, a causa de las deudas. No obstante, él presumía de hidalgo, aunque nunca logró demostrarlo de manera patente. Con el tiempo, además, se había hecho muy reservado, taciturno y algo hosco, sobre todo a causa de sus continuos fracasos y de su creciente sordera, que lo mantenía cada vez más aislado del mundo.

La madre, Leonor de Cortinas, pertenecía, sin embargo, a una familia hidalga de origen castellano y, a diferencia de la mayor parte de las mujeres, sabía leer y escribir. Según parece, era una persona enérgica, trabajadora y con mucho carácter, rasgos que, de una manera u otra, habían heredado sus hijas; de ahí que no tardaran en convertirse en el verdadero sostén de la familia, algo que, por otra parte, no debería sorprendernos, pues, como afirma Castiglione en *El cortesano,* todo lo que entienden los hombres pueden captarlo también las mujeres, pues su capacidad de comprensión es la misma, como lo son sus facultades y, sin duda, también sus amores y odios.

Debido a los constantes reveses de fortuna del padre, la familia se había visto obligada a llevar una vida itinerante durante más de quince años, siempre con la casa a cuestas, huyendo de los fracasos y de las deudas, y, a veces, también de la justicia. Primero estuvieron en Valladolid, donde Rodrigo fue encarcelado; luego en Córdoba, de donde procedía la rama paterna; en Cabra, donde vivía su próspero tío Andrés; y en Sevilla, donde su hermana Andrea tuvo un desliz y él pudo ampliar su educación. Por último, hacía cosa de un año, se habían trasladado a Madrid con el fin de hacerse cargo de una pequeña herencia y la esperanza de prosperar en la Villa y Corte, ahora que el oscuro poblachón se había convertido en el centro de un imperio en el que, según el rey, nunca se ponía el sol; si bien hay que decir que este no lucía de igual forma para todos.

Al poco de su llegada, los Cervantes se instalaron en una casa situada en el arrabal, muy humilde, pero bastante amplia y muy bien aparejada por dentro. Por lo visto, el padre tenía alquiladas algunas habitaciones, mientras que en otras se dedicaba a hacer negocios de naturaleza poco clara, lo que explica que por allí pasaran muchos hombres a lo largo del día. Sin embargo, en los mentideros del vecindario, se decía que aquello, más que una posada, era una casa pública o de lenocinio. A este respecto, era bien conocida la ligereza de la hermana mayor, llamada Andrea, que decía ser viuda y trabajar de costurera, cuando en realidad tenía una hija sin haber estado casada y se dedicaba a otras labores menos honestas y más provechosas que las de la aguja y el hilo.

Y todo ello con el consentimiento del padre y del hermano, conocedores y hasta beneficiarios de esa vida tan deshonrosa y desordenada, lo cual, al parecer, venía de atrás, pues ya una tía de Miguel había vivido amancebada con un tal don Martín de Mendoza, con el consentimiento de su abuelo paterno, Juan de Cervantes. Según me contaron, los huéspedes más asiduos eran unos italianos llamados Pirro Bocchi, Francesco Musacchi y Giovanni Francesco Locadello. Con este último llegó a tener Andrea largo trato, lo que, al final, le reportó una donación consistente en trescientos ducados y un ajuar de ropas, enseres, alhajas y regalos varios. Se trataba, en fin, de una especie de dote, en pago de los muchos servicios y mercedes que de ella había recibido, como el haberle curado algunas enfermedades y otras cosas por las que se creía en la obligación de remunerarla y gratificarla como era debido.

Gracias a todo eso, su hermano Miguel, que tenía tres años menos, podía dedicarse, con cierta tranquilidad, a sus estudios y aficiones. La verdad es que, en aquel momento, era un alumno bastante rezagado a causa de la vida itinerante que había llevado su familia. Sin embargo, había tenido la oportunidad de aprender algo de gramática y de retórica con los jesuitas tanto en Córdoba como en Sevilla, donde, al parecer, había hecho muy buenos amigos. Por diversos testimonios, me consta que hasta el final de su vida recordó con afecto a aquellos benditos padres y maestros que allí enseñaban, y que, por lo general, reñían con suavidad, castigaban con misericordia, animaban con ejemplos e incitaban con premios, enderezando así las tiernas varas de la juventud. Él mismo solía contar, además, que, desde muy niño, se había aficionado a leer, aunque fueran los papeles rotos de las calles. Al poco de llegar a Madrid, había comenzado a asistir al Estudio de la Compañía de Jesús, con la idea de prepararse para entrar en la Universidad de Alcalá, de gran prestigio en aquella época —aunque no tan antigua ni tan reputada como la de Salamanca—, debido a que el rey quería darle un fuerte impulso por su cercanía a la Corte.

Aparte de eso, Miguel dedicaba la mayor parte de su tiempo a estar con sus amigos, cortejar damas, escribir poemas y releer a Garcilaso de la Vega, por el que, claro está, también sentía una gran admiración, que en su caso rayaba en la idolatría. Según su amigo, a Miguel no se le daban mal las mujeres. Pero la dama de sus sueños y, por lo tanto, la musa inspiradora de casi todos sus versos, no era otra que Isabel de Valois. En esto tampoco era demasiado original, pues, quien más quien menos, todos los que habíamos tenido la suerte de verla alguna vez, aunque fuera desde lejos, habíamos sucumbido a los encantos de la joven reina y estábamos completamente fascinados por ella, si bien muy pocos tenían el valor de confesarlo, ni siquiera a sí mismos; de ahí que el embajador francés llegara a decir, en cierta ocasión, que Isabel de Valois era tan hermosa y agraciada que los españoles no se atrevían a mirarla por miedo a enamorarse de ella y exponerse así a las iras y represalias del rey. Y la verdad es que no era para menos.

Nuestra querida Isabel de Valois o Isabel de la Paz, como también se la llamaba, era la hija mayor de Catalina de Médicis y el rey Enrique II de Francia, y se había casado con Felipe II cuando contaba solo trece años, esto es, diecinueve menos que su marido. En un principio, había sido destinada al príncipe don Carlos, pero, al quedar viudo el rey, este se la quedó para sí y acabó convirtiéndola en su esposa. Por lo visto, esto provocó un gran escándalo entre algunos cortesanos y la indignación del propio príncipe, a pesar de que su padre, para compensarlo, lo nombró sucesor a la Corona unos días después y negoció su matrimonio con la reina María Estuardo de Escocia. Y es que en esto, como en tantas otras cosas, el rey Felipe II demostró ser muy inferior a su padre, el emperador Carlos, que, en una situación similar, decidió renunciar a la princesa inglesa María Tudor, con la que tenía previsto casarse, para cedérsela a su hijo, del mismo modo que, años después, le traspasó el trono y la corona cuando, sin que nadie se lo obligara ni se lo pidiera, abdicó generosamente en él.

Tras la boda, que se había celebrado por poderes en el palacio de El Louvre, Isabel fue recibida en España con gran expectación. Los que asistieron a su presentación en público comentaban que parecía una figurita de porcelana, con toda la gracia y la galanura propias de la Corte francesa, lo que hizo que todos —desde el propio rey hasta el súbdito más grosero, sin olvidarnos, claro está, del príncipe don Carlos— cayeran rendidos de inmediato a sus pies. Con el paso del tiempo, su belleza y su atractivo no hicieron más que aumentar, puedo dar fe de ello. Era alta, esbelta, morena y con la nariz algo respingona, y tenía un carácter afable, bondadoso, tierno y abierto; parecía, además, siempre dispuesta a sonreír y hablaba con gran corrección y mucho donaire el castellano, salvo algún pequeño problema con las erres, lo que le daba aún más encanto. Al contrario que la antigua reina Isabel de Castilla, que llevó a gala el no mudarse de camisa durante el sitio de Granada, ella presumía de no ponerse la misma saya dos veces. De todos era conocida, por otra parte, su pasión por las fiestas al aire libre, la danza, los naipes y los juegos de azar, en los que le gustaba apostar grandes sumas, pero también por las artes y la poesía, hasta el punto de que, gracias a ella, los creadores, incluidos también los arquitectos, comenzamos a ver reconocido nuestro trabajo.

Todo esto explica, en fin, que muchos jóvenes aspirantes a poeta perdiéramos la cabeza por la reina, con gran riesgo, además, de perderla literalmente, y la convirtiéramos en inspiradora de nuestros poemas, aunque, eso sí, bajo otro nombre y siempre en secreto, salvo que algún acontecimiento en el que ella estuviera implicada permitiera hacerlo público, como había ocurrido con aquel soneto de Cervantes, que en un principio podía parecer de circunstancias, pero que, si se leía bien o entre líneas, uno acababa descubriendo que era mucho más interesante por lo que callaba u ocultaba que por aquello que decía de forma explícita.

El caso es que, desde que se lo había oído recitar la noche de marras, yo estaba plenamente convencido de que ahí había algo más y que, por lo tanto, la reina y él se conocían de alguna manera. Desde luego, se trataba tan solo de una intuición, pues fuera de los versos no había ningún otro indicio que apuntara a ello. Pero lo cierto es que a mí eso me provocaba unos celos espantosos y, por qué no decirlo, una creciente envidia. Naturalmente, yo podía haber luchado contra esos sentimientos hasta lograr extirparlos. En lugar de eso, me dediqué a buscar, de forma obsesiva, cualquier cosa que confirmara mis sospechas y acabara dándome la razón. Con este fin, me fui ganando poco a poco la confianza de Luis Gálvez de Montalvo, quien, después de muchos ruegos y circunloquios, me hizo una importante revelación, no sin antes jurarle por mi madre que yo no se lo contaría nunca a nadie, promesa que, hasta la fecha, he cumplido. Y bien sabe Dios que, si me dispongo a romperla ahora con Vuestra Merced, es, como quien dice, *in articulo mortis* y forzado por las circunstancias.

Al parecer, Isabel y Miguel se habían encontrado, de forma casual, unos pocos meses antes de que nosotros coincidiéramos en la bodega, cuando la reina estaba embarazada de Catalina Micaela. Ese día los cuatro amigos habían decidido poner en práctica una estratagema ideada por el propio Gálvez de Montalvo para intentar conquistar el corazón de una de las damas del séquito de la reina, doña Magdalena Girón y de la Cueva, de la que se había enamorado, tal vez por contagio o extensión del amor que, como los demás, sentía por Isabel de Valois. Gracias a Pedro Laínez, sabían que, cuando el tiempo era bueno y Su Majestad no tenía ningún otro compromiso, esta solía ir con algunas de sus acompañantes más jóvenes a la huerta de Vargas, que era el lugar preferido para sus paseos y juegos al aire libre, cuando estaba en Madrid.

La idea era que, cuando la reina se retirara a descansar, a causa de su avanzado estado de gestación, a un pequeño pabellón que había en medio de la huerta, escoltada por su guardia personal, ellos se acercarían con gran sigilo a sus acompañantes, fingiendo ser un grupo de músicos enviados desde el Alcázar para solaz de la reina. Y allí que se presentaron, en cuanto vieron que esta ya se había ido, con sus laúdes y vihuelas de mano, para sorpresa y alegría de las damas, que, a la sazón, se encontraban jugando a las cartas en un lugar umbrío y ameno a orillas de un estanque. Al verlos de esa guisa, estas los recibieron con chanzas, pues enseguida reconocieron a Pedro Laínez, que, lejos de acobardarse, comenzó a decir:

—Nos envían de palacio para daros contento en esta aburrida hora del día.

—¿Y a qué esperáis para tocarnos algo? —dejó caer, con malicia, una de las damas, lo que provocó las carcajadas de las otras.

—Permitidnos —pidió él— que hoy sean nuestras bocas las que hagan música con las palabras.

—¿Acaso sois poetas?

—Y de los mejores del reino —replicó Laínez.

—Un reino muy pequeño debe de ser ese —repuso la dama con tono burlón.

—Apenas una pequeña ínsula del tamaño de una nuez, diría yo —añadió otra.

—Reíd, reíd cuanto queráis —les advirtió Gálvez de Montalvo, herido en su orgullo—, pero luego no os quejéis cuando caigáis bajo el hechizo de nuestros versos.

—¡Huy, qué miedo! —exclamó una de ellas, entre risas.

Esto provocó que ellos se picaran y comenzaran a cantar y recitar con tanto afán y sentimiento que a las escépticas damas no les quedó más remedio que guardar silencio y dejarse acariciar por la suave brisa de las palabras, hasta que uno de los amigos, viendo que estas ya habían surtido su efecto, propuso a los demás que jugaran a la gallina ciega, ya que eso propiciaría un mayor acercamiento y facilitaría los avances en el galanteo, pues es sabido que el hecho de cortejar a las damas de la reina no está mal visto en la Corte si se hace con arte y gracia, como era el caso. Y en eso estaban, cuando apareció la reina de improviso y sin ninguna compañía, lo que hizo que todos se pararan y dejaran de gritar, salvo el que tenía en ese momento los ojos vendados, claro está, que no era otro que Cervantes.

—¡¿Por qué os calláis?! —protestó este, al percibir que algo raro sucedía—. Tenéis que seguir hablando para que pueda saber dónde estáis.

La reina, por su parte, les pidió con gestos harto elocuentes que continuaran con el juego y no la delataran, pues quería sumarse a ellos. Y así lo hicieron. El pobre Cervantes, mientras tanto, no dejaba de manotear y de correr de acá para allá, con tan mala fortuna que, en una de sus carreras, acabó atrapando a la reina.

Esta, al principio, intentó zafarse. Pero él, ignorante de quién se trataba, la agarró con fuerza, al tiempo que con la mano libre comenzó a palparle tímidamente las manos, los brazos, el pelo, la cara..., para intentar reconocerla. Y a la reina le divertía tanto la situación que a duras penas podía contener la risa y menos aún oponer resistencia. De modo que Cervantes prosiguió su recorrido cauteloso por la boca, el cuello, los senos, hasta llegar al vientre de la desconocida, que debió de notar bastante abultado, lo que hizo que diera un respingo y se quitara el pañuelo, pues por fin se había dado cuenta de quién era.

—No, no, no es po... po... posible —exclamó avergonzado y con la cabeza gacha.

Luego se puso de hinojos ante ella y comenzó a decir:

—Pe... pe... per... donadme por haber osa... sado tocar a Vuestra Majestad.

Al verlo tan azorado, la reina no pudo evitar que se le escapara la risa, una risa cantarina y candorosa como la de una niña. Él, entonces, se avergonzó más todavía y hasta se puso colorado. Ella, enternecida por esa reacción, le rogó que se tranquilizara, que en realidad no había sucedido nada. Esto hizo que él dejara de tartamudear, quiero decir que se quedó mudo y paralizado, incapaz de articular palabra, por muy corta que esta fuera. La reina les explicó, a continuación, que sentía mucho haberles estropeado el juego y que la razón de que se hubiera presentado tan de improviso era que, al oír su alegre jolgorio, había decidido escaparse por una ventana, burlando la guardia, para ver cómo se divertían.

—La culpa ha sido toda nuestra —señaló Gálvez de Montalvo—. Sin embargo, debo decir, en nuestro favor, que la intención era totalmente honesta, ya que tan solo queríamos compartir nuestras canciones y poemas con personas que, sin duda, los sabrían apreciar.

—Eso es verdad —corroboró una de las damas—. Vuestra Majestad tenía que haberlos escuchado.

—¡¿Ah, sí?! —exclamó la reina, gratamente sorprendida—. Entonces, ¿es verdad que sois poetas?

—Al menos eso es lo que pretendemos —admitió Gálvez de Montalvo—. ¿Y a Vuestra Majestad le gusta la poesía?

—Es casi lo único que leo —confesó ella con naturalidad—. ¿Conocéis los poemas de Pierre Ronsard? Es un autor de mi país que vive en la Corte parisina, muy querido y admirado por mi madre y mis hermanas. En muchos de sus versos aconseja a su dama que recoja las rosas de la vida, antes de que estas se marchiten.

—Un buen consejo es ese —señaló Gálvez de Montalvo.

—¿Y Vuestra Majestad conoce a Garcilaso de la Vega? —inquirió de pronto Cervantes, que, al parecer, ya había recobrado el habla y la confianza.

—Creo que he oído hablar de él, aquí en la Corte.

—Para nosotros —proclamó Miguel—, es el más sublime de los poetas en lengua castellana. Por desgracia, murió muy joven, en un asedio, no muy lejos de Niza, pues era también soldado y criado continuo del padre de vuestro esposo, el emperador Carlos, que Dios lo tenga en su gloria.

—¿Y no tendréis algún libro de él por ahí? —preguntó la reina con curiosidad.

—Yo no lo necesito —se jactó él—; la verdad es que me sé casi todos sus poemas de memoria.

—¿Y a qué esperáis para recitármelos?

—¡¿Yo?! ¡¿Aquí?! ¡¿Ahora?! —exclamó él con creciente nerviosismo.

—¿Se os ocurre un lugar y un momento más apropiado? —repuso ella.

—Está bien —cedió por fin—; si ese es el deseo de Vuestra Majestad.

Tras algunos titubeos, Cervantes comenzó a recitar aquel que dice:

> *En tanto que de rosa y de azucena*
> *se muestra la color en vuestro gesto,*
> *y que vuestro mirar ardiente, honesto,*
> *con clara luz la tempestad serena;*
>
> *y en tanto que el cabello, que en la vena*
> *del oro se escogió, con vuelo presto*
> *por el hermoso cuello, blanco, enhiesto,*
> *el viento mueve, esparce y desordena:*
>
> *coged de vuestra alegre primavera*
> *el dulce fruto antes que el tiempo airado*
> *cubra de nieve la hermosa cumbre.*
>
> *Marchitará la rosa el viento helado,*
> *todo lo mudará la edad ligera*
> *por no hacer mudanza en su costumbre.*

Como le ocurría siempre que declamaba, Cervantes no tartamudeó ni vaciló ni una sola vez, muy al contrario: lo recitó con tanto sentimiento y convicción que, aunque los versos fueran de Garcilaso, parecía que era su corazón el que hablaba a través de ellos y que la destinataria era la propia reina.

—Tenéis razón —concedió esta, cuando él terminó—; debo reconocer que nunca un poema me había conmovido tanto, ni siquiera los de mi admirado Ronsard. Por supuesto, su concepto no es nuevo para mí —añadió, algo turbada—, pero sí la belleza y la armonía con la que está expresado.

—Ya veo que conocéis bien la materia —comentó él, complacido.

—Y vos, ¿sois también poeta? —quiso saber ella.

—Tan solo he hecho algunos ejercicios a imitación de Garcilaso —confesó él.

—Pues deberíais animaros a volar por vuestra cuenta —le aconsejó—. Decidme: ¿cómo os llamáis? Por si algún día llegara a mis manos un libro con alguna composición vuestra.

—Miguel de Cervantes, para servir a Vuestra Majestad —contestó él con timidez.

—No lo olvidaré —aseguró ella—. En fin, espero volver a veros a todos —añadió, dirigiéndose también a los demás—. Después del parto, tengo pensado reunir en la Corte una especie de academia literaria para hablar y disfrutar de la poesía. ¿Querréis asistir a ella?

—Sería un privilegio —señaló Pedro Laínez, en nombre de todos.

—Hasta entonces, pues —los emplazó la reina—. Y ahora debéis iros. Me temo que, a estas alturas, mis guardias ya se habrán dado cuenta de que me he escapado y estarán empezando a buscarme.

De camino a casa, Gálvez de Montalvo y sus amigos convinieron en que Isabel de Valois era el ser más maravilloso y perfecto de la Creación y, desde luego, la mujer más hermosa, risueña, cortés e inteligente que cabía imaginar, por lo que todos le juraron amor y fidelidad eter-

na, como buenos caballeros que eran o, al menos, querían ser. Miguel, por su parte, les hizo prometer que no
le contarían nunca a nadie lo que esa tarde había sucedido, que ese sería su gran secreto, a lo que los demás no
pusieron ninguna objeción.

—Y, en lo que a mí respecta —señaló Gálvez de
Montalvo, tras concluir su relato—, puedo asegurar que,
hasta la fecha, así ha sido, ya que vos sois el primero al
que se lo he referido, y bien sabe Dios que, si lo he hecho, es porque ahora sois uno más del grupo y una persona honesta, honrada y leal.

Al oír tales palabras, debo confesar que me emocioné
tanto que a punto estuve de darle un abrazo. Pero antes
tenía que intentar averiguar si la reina y Miguel se habían vuelto a encontrar, en público o a solas, después de
aquello.

—Por supuesto que no —me aseguró él—; en los últimos meses, Su Majestad apenas ha tenido vida social a
causa del embarazo y el parto, ya sabéis cómo es el rey
para estas cosas. Y, si se hubiera dado el caso, yo estaría
informado, no lo dudéis.

—¿Y tampoco se han escrito o han intercambiado algún regalo?

—Por lo que sé, Miguel se limitó a enviarle, a través
de Pedro Laínez y una de sus damas, un libro con las
obras de Garcilaso de la Vega, para que la acompañara en
las últimas semanas del embarazo, y, a cambio, Su Majestad le hizo llegar, por la misma vía, unos poemas de
Pierre Ronsard vertidos al castellano, eso es todo.

—¡¿Y os parece poco?! —exclamé yo, sorprendido.

—Lo que quiero decir es que ese hecho no tiene la
mayor trascendencia —puntualizó él—. Tan solo nos
muestra algo que ya sabíamos, y es que la reina es una

gran amante de la poesía. ¿Pensáis acaso que se trata de otra cosa?

—De ningún modo —me apresuré a contestar yo, plegando velas.

—Lo que está claro es que Miguel está enamorado platónicamente de ella, como lo estamos, por lo demás, todos nosotros, solo que él con mayor motivo, pues ha creído ver en ella la encarnación del ideal supremo: la suma de todos los dones, virtudes y perfecciones, aquello que, por definición, la convierte en un bien inalcanzable para cualquier mortal, salvo que este sea, claro está, un rey —añadió Gálvez de Montalvo con ironía.

Yo le dije que estaba totalmente de acuerdo, pues no quería remover más ese asunto, por miedo a que, al final, Gálvez de Montalvo descubriera cuáles eran mis verdaderos sentimientos e intenciones. Por supuesto, le agradecí mucho la confianza que me había demostrado al contarme todo aquello y volví a asegurarle que nunca se lo revelaría a nadie. Después, continuamos hablando de cosas más alegres y placenteras. Pero, en mi interior, yo sufría cada vez más a causa de los celos y de la envidia. Era como una mordedura que me producía una gran tristeza y un continuo dolor, como una carcoma que me corroía y me consumía por dentro.

III

Y lo peor es que así seguí durante los días y semanas posteriores, pues no podía soportar la idea de que un tipejo como aquel, un estudiante de medio pelo, apocado, torpe y tartamudo y, para más inri, sospechoso de converso, hubiera podido despertar el interés de la reina Isabel de Valois, mientras que yo, que había estado tantas veces cerca de ella en palacio, no había logrado suscitar en Su Majestad ni la más mínima atención. Es más, ni siquiera se había dignado mirarme el día en que vino al gabinete de las trazas —lugar en el que yo trabajaba habitualmente— a interesarse por las obras de reforma del Alcázar, y no cesaba de preguntarle a los arquitectos que allí estaban para qué servía esto o qué era lo otro o qué significaban unos dibujos que por casualidad había trazado yo y que representaban su nueva cámara privada, más cómoda, más luminosa y mejor situada que la que entonces disfrutaba, aquella en la que la había imaginado tantas veces, tumbada sobre el lecho, bañada en perfumes y preparada para recibirme como amante, y que, ironías de la vida, ahora que ella ya no estaba embarazada, iba a servir para sus futuros encuentros, o al menos eso era lo que pensaba mi mente calenturienta. Y es que lo que más me reconcomía y desgarraba por dentro no era lo que aquella tarde había averiguado gracias a Gálvez de Montalvo —que bien mirado, ya lo sé, no tenía demasiada importancia—, sino lo que yo, movido por la envidia y por los celos, era capaz de figurarme por mi cuenta y riesgo y sin necesidad de ninguna prueba.

Me bastaba, por ejemplo, con ver a Cervantes aparecer contento por una de nuestras reuniones literarias, para suponer que acababa de recibir una carta en la que la reina le confesaba su amor y le deslizaba la promesa de reunirse con él fuera del Alcázar, algo realmente difícil de llevar a cabo, pues yo sabía de sobra que el rey, celoso como era, la tenía sometida a una estrecha vigilancia, y más en un momento como ese, en el que lo que más le preocupaba era asegurarse una descendencia legítima. Y no digamos si me lo cruzaba por las inmediaciones del Alcázar, haciéndose el distraído; en tal caso, daba por sentado que venía de encontrarse con ella en su cámara privada o en la de alguna de sus damas, cosa que, a todas luces, resultaba improbable, por no decir imposible. Pero eso poco importaba, ya que el odio y la envidia y los celos, como el amor, no se atienen nunca a razones ni verosimilitudes, sino a delirios y sinrazones. Y, para aquellos que nunca los hayan experimentado, añadiré que son una tortura que nunca cesa ni se aplaca; un dolor, pues, con el que es preciso aprender a convivir, dado que solo desaparece con la muerte o la bendita inconsciencia. Ya lo dijo Garcilaso, aunque fuera a otro propósito y con muy distintas intenciones:

no me podrán quitar el dolorido
sentir si ya del todo
primero no me quitan el sentido.

Es cierto que podía haberme apartado de la causa de mis males y haberme consagrado de lleno a mis otras ocupaciones o a cultivar nuevas amistades que nada tuvieran que ver con la poesía ni con la reina ni, desde luego, con Miguel, pero el mero hecho de pensarlo ya me hacía enfermar. Y es que, a pesar de todos mis pesares, prefería tenerlo cerca, quería saber lo que hacía en cada momento, adónde iba, con quién se veía, a qué se dedicaba; de hecho, a partir de entonces, Cervantes y yo nos hicimos más asiduos. Al fin y al cabo teníamos muchas cosas en común, o más bien él las tenía y yo las deseaba, o al menos yo creía que él las poseía, simplemente porque esas eran las que mi alma anhelaba, o tal vez fuera al revés, no lo sabía, y ¡qué más daba! Todo aquello no era más que un desatino y una locura, y, aunque era muy consciente de ello, no era capaz de evitarlo. De modo que, cada vez que nos veíamos, tenía que hacer de tripas corazón, y mostrar delante de él justo lo contrario de lo que en realidad sentía, y ocultar todo aquello que fuera inadecuado, lo cual me suponía un esfuerzo enorme y agotador, que me obligaba a estar siempre alerta y vigilante, para no equivocarme y ponerme en evidencia. Por otra parte, enseguida me di cuenta de que Cervantes no me soportaba, no sabría decir muy bien por qué, pues yo lo trataba con mucha cortesía, pero algo debía de ver en mí que no le gustaba y que le hacía mostrarse receloso y desconfiado.

Por si todo eso fuera poco, en los meses siguientes, ocurrieron hechos en la Corte que no solo nos tocaron de manera muy directa, sino que también contribuyeron a unir más nuestras vidas, hasta convertirnos en cómplices inesperados, y, al mismo tiempo, a acrecentar nuestra rivalidad, lo que a mí me llevó a la traición. Todo empezó con el intento de rebeldía del príncipe don Carlos, que, tras el nacimiento de la infanta Catalina Micaela, había vuelto a ver amenazados sus derechos sucesorios. Es verdad que su padre lo había proclamado heredero y que sus dos hermanas, además de ser mujeres, eran menores que él, pero hay que reconocer también que su salud se había deteriorado mucho, y eso podía invalidarlo para acceder al trono. Por otra parte, estaban sus sentimientos con respecto a la reina, su madrastra, de la que se había visto cruelmente privado por el egoísmo de su padre y de la que cada vez parecía estar más enamorado, lo que acrecentaba aún más sus desdichas. Y eso despertó las simpatías de nuestro grupo, sobre todo las de Cervantes, que, desde un principio, tomó partido por él; no en vano era el más temerario e impulsivo de todos nosotros.

Por lo visto, la vida del príncipe don Carlos estuvo siempre marcada por la desgracia. Era hijo del rey y de su primera esposa, María Manuela de Portugal, con la que se había casado cuando ambos tenían tan solo dieciséis años, y de la que era primo carnal en doble grado, esto es, por parte de padre y madre. La reina falleció cuatro días después de dar a luz a don Carlos, como consecuencia del parto, lo cual a él le llegó a afectar mucho. Tenía, además, el cráneo abultado y los labios enormes, y su salud era débil y quebradiza, agravada, además, por una caída sufrida cuando todavía era niño, que le dejó graves secuelas; de hecho, daba mucha pena verlo andar a trompicones, con la cara muy pálida y el hablar algo balbuceante, pues resulta que también era tartamudo. Desde entonces, el príncipe creyó estar maldito, pues, por un lado, se sentía culpable de la muerte de su madre, a la que tanto echaba de menos, y, por otro, se consideraba víctima de un padre sin corazón que no le demostraba ningún afecto ni se ocupaba nunca de él.

Pero lo peor vino cuando su progenitor contrajo matrimonio con Isabel de Valois. Por entonces, comenzó a hacer toda clase de disparates y extravagancias y a soltar todo tipo de ocurrencias y despropósitos, con el objeto de intentar deslumbrar a su querida madrastra y llamar la atención de su odiado padre, más preocupado, en ese momento, por frenar el avance del luteranismo en Europa o impulsar las obras de El Escorial que por la salud y el bienestar de su hijo. Y, como veía que ellos seguían sin prestarle la debida atención, la cosa fue a mayores. De él se decía, en la Corte, que era perezoso, caprichoso, voluble, violento, agresivo, ambicioso e incapaz de controlarse. Y, a este respecto, se contaban numerosas anécdotas y excesos, como que, en una ocasión, mandó hacer picadillo unas botas para que se las comiera el zapatero, pues le estaban pequeñas, y él creía que se las había elaborado así aposta para martirizarlo. O que llamaba Isabel a todas las prostitutas con las que se acostaba y a las sirvientas a las que azotaba por cualquier cosa.

Asimismo, se rumoreaba que quería proclamarse rey de España con la ayuda de los rebeldes flamencos, a los que ya había empezado a prestar oídos, e, incluso, que proyectaba deshacerse de su propio padre y de sus más fieles colaboradores; de hecho, llegó a blandir un puñal contra el cardenal Espinosa, brazo derecho del monarca, y a punto estuvo de tirar por la ventana al tesorero del reino porque no quiso financiarle la publicación de un libro que había escrito contra el rey. Todo esto lo convirtió, en fin, en un serio peligro y en un gran motivo de escándalo para la Corte y para el monarca, que temía verse destronado o defenestrado en cualquier momento.

A buen seguro, se estará preguntando Vuestra Merced ahora que para qué le cuento todo esto y qué tiene que ver con mi confesión. Si es así, le diré que no lo hago para demostrar mis conocimientos sobre el asunto o para dar variedad a mi relato con historias que no vienen al caso, sino para que se entienda mejor lo que aconteció después. De modo que, con su permiso, continúo.

Loco de atar para algunos, monstruo cruel y vengativo para otros, víctima inocente de todos los males para unos pocos, traidor e hijo desnaturalizado para su progenitor, ciertamente era muy difícil saber qué había de verdad en lo que cada uno sostenía o negaba sobre el príncipe. Por fortuna, nosotros teníamos la suerte de contar con Pedro Laínez, que, como ya dije, era uno de sus ayudas de cámara y, por lo tanto, persona de confianza; concretamente, tenía a su cargo el dinero de sus aposentos y solía distribuir sus mercedes, siguiendo sus órdenes. Él, desde luego, nos aseguraba que la mayor parte eran calumnias y exageraciones. Lo único cierto era que el príncipe despreciaba a su padre en la misma medida en que admiraba a su abuelo, lo que explica que fuera tan crítico con las decisiones políticas y militares del rey, sobre todo en lo relativo a los Países Bajos, donde por entonces habían comenzado a producirse algunos disturbios.

Y, ciertamente, hay que reconocer que el monarca no era un hombre de acción, como lo había sido el emperador Carlos o lo era su hermano bastardo, don Juan de Austria, del que tanto recelaba, sino más bien de papeles. Su vida consistía en levantar actas, firmar acuerdos, redactar tratados y mover legajos de un lado para otro; de tal modo que el famoso debate entre las armas y las letras lo estaban empezando a ganar estas últimas. Pero eso no significaba que el príncipe quisiera arrebatarle la corona. Lo que, en verdad, deseaba era seguir los pasos de su abuelo y, como cualquier joven, no podía esperar, tenía prisa por vivir, por mandar ejércitos y por conquistar naciones, y no quería enmohecerse en el palacio. Sin embargo, su padre no le dejaba hacer nada, pues no se fiaba de él, debido, entre otras cosas, a su carácter imprevisible y antojadizo. De hecho, el rey se comportaba como si recelara de su ambición o, incluso, le tuviera miedo; de ahí que de continuo lo amenazara con privarlo de sus legítimos derechos sucesorios o tratara de minar su voluntad y de desacreditarlo ante todo el mundo.

El único camino, pues, que le quedaba al pobre príncipe era intentar rebelarse contra su padre, que a la sazón era el hombre más poderoso de la Tierra; y, para ello, claro está, necesitaba ayuda. Con este fin, llegó a elaborar una lista de sus odiados enemigos, encabezada, como es lógico, por el rey y continuada por Ruy Gómez y su esposa, la princesa de Éboli, el duque de Alba y muchos otros; y otra, mucho más breve, de sus pocos amigos verdaderos, en cuyo inicio estaba, por supuesto, la reina, su madrastra, y en la que también figuraba Pedro Laínez. Y debo confesar que fue este amable y sencillo gesto por su parte el que a nosotros nos impulsó a inclinarnos, definitivamente, por su causa. Al fin y al cabo, el voluntarioso príncipe tenía más o menos la misma edad y encarnaba, o eso era lo que pretendía, los mismos valores y anhelos a los que nosotros aspirábamos, incluidos el amor por la reina y la sed de aventuras. De modo que, a través de Laínez, le ofrecimos nuestro apoyo y lealtad, para cuando llegara la ocasión propicia. Y, al final, esta se presentó mucho antes de lo esperado, durante las fiestas de Navidad de ese año de 1567.

La idea era aprovechar el alboroto propio de esos días para que el príncipe saliera de la Villa y Corte con la ayuda de algunos de sus incondicionales y en compañía de don Juan de Austria, el hermano bastardo del rey, al que don Carlos le había prometido el reino de Nápoles y el ducado de Milán. En un principio, nos dirigiríamos a Alemania, donde esperábamos contar con el apoyo de su tío el emperador Maximiliano; y, desde allí, Su Alteza pasaría a los Países Bajos, para ponerse al frente de los rebeldes y descontentos y proclamarse rey de España. Pero ocurrió que don Juan de Austria le contó al rey lo que su hijo pretendía, y esto hizo que el plan se fuera al traste antes de ponerse en marcha; o tal vez lo descubrieran los espías encargados de vigilarlo por orden de su padre; o, incluso, puede que lo delatara alguno de sus supuestos partidarios, cualquiera sabe; en todo caso, no lo recuerdo.

Lo que nunca olvidaré son las horas que pasamos en una pequeña alameda, a las afueras de Madrid. Hacía un frío espantoso y la niebla no nos permitía ver más allá de nuestras propias narices. La misión era escoltar a Su Alteza hasta Alemania, junto con varios de sus criados y servidores. Para nosotros, esa iba a ser la gran oportunidad de convertirnos en caballeros y salir en busca de gloria y aventuras. Sería también la ocasión de enderezar el rumbo de la Corona y conducirla por otros derroteros, gracias al nuevo rey Carlos. Pero las horas pasaban, y el príncipe y sus acompañantes no aparecían; así es que decidimos volver a Madrid e informarnos de qué diablos había sucedido.

Cuando llegamos a la vista del Alcázar y advertimos que se había redoblado la guardia, comprendimos que se trataba de algo malo. Dadas las circunstancias, yo sugerí que lo más sensato sería irnos a nuestras casas y allí aguardar acontecimientos. Miguel, sin embargo, propuso que no nos separáramos, pues estaba totalmente convencido de que había un traidor entre nosotros, y su intención era averiguar de quién se trataba antes de que fuera demasiado tarde. Los demás, claro está, protestamos, muy ofendidos por sus sospechas. Pero él se mantuvo en sus trece; de hecho, daba la impresión de que sabía de sobra quién era el judas y que lo único que pretendía era provocarlo para que se delatara. Esto hizo que nos enzarzáramos en una discusión que a punto estuvo de acabar con el grupo, sin necesidad de que intervinieran las huestes del rey. Lo bueno del caso es que, al final, tuvo que tragarse sus suspicacias.

Al día siguiente nos enteramos de que, nada más descubrir el intento de sedición de su hijo, el monarca había pedido a los madrileños que rezaran por él, señal inequívoca de la gravedad de la situación. En cuanto a los criados, la mayoría fueron apartados de su servicio. Por suerte, entre los pocos que continuaron, se encontraba Pedro Laínez, que nos mantuvo informados de lo que ocurría. Por lo visto, el príncipe no había sido detenido ni interrogado; seguramente, el rey quería mostrarse cauteloso, pues aún podía haber gente, incluso dentro de la Corte, que sintiera amor o respeto por su hijo, y no quería que se produjera una revuelta. Pero las cosas cambiaron irremediablemente cuando varios miembros del Consejo del Reino lo instaron a que lo prendiera de inmediato por el bien y la seguridad de España y en defensa de los intereses reales. Y esta vez el rey no se hizo de rogar.

Esa misma noche, sin que nadie, salvo el monarca, lo supiera por adelantado, se produjo el arresto formal en la casa del príncipe. En ese momento, Su Majestad llevaba puesto el casco de guerrero y sus acompañantes iban armados con arcabuces y espadas. Al descubrirlos entrando en su cámara, don Carlos se despertó sobresaltado. Sin embargo, el rey no se atrevió a confesarle sus verdaderas intenciones hasta pasado un rato, cuando ordenó que lo llevaran a un aposento preparado al efecto dentro del Alcázar, donde, previamente, se habían sellado todas las ventanas. Su Alteza le pidió, entonces, a su padre que lo matara y no lo prendiera, porque esto último sería un gran escándalo para el reino; y a continuación añadió que, si no se atrevía, lo llevaría a cabo él mismo, en cuanto tuviera oportunidad. El monarca, indignado, le advirtió que hacer eso sería propio de alguien que ha perdido el juicio; a lo que el príncipe replicó que no pensaba hacerlo como loco, sino como persona desesperada.

Una vez se hubo instalado en su nueva cámara, lo interrogaron, pero, a Dios gracias, Su Alteza tuvo el coraje y la gallardía de no delatar a nadie y asumir él solo toda la responsabilidad en los hechos. Antes de irse, el rey dispuso, para su vigilancia, dos alabarderos en la puerta principal, seis monteros en la antesala y seis caballeros en la propia cámara. Ninguno de ellos iría armado, para evitar riesgos; y al príncipe ni siquiera se le entregarían tenedores ni cuchillos. Asimismo, mandó que, durante los primeros días, le sirvieran los platos más exquisitos. Pero don Carlos los rechazó uno tras otro, sin ni siquiera olfatearlos; también se negó a lavarse y a hablar con sus carceleros, como él los llamaba.

En la Corte, como es lógico, había mucha inquietud por las consecuencias que esa situación tan irregular podía acarrear en el futuro. La reina, por su parte, no dejaba de llorar por la desgracia del príncipe ni de implorarle al rey para que suavizara su cautiverio. Mientras tanto, en la calle, se alzaban voces, aquí y allá, contra Su Majestad y el Consejo del Reino. Era tal la tensión que hasta el emperador Carlos parecía haberse levantado de su tumba para protestar, pues eran muchos los que juraban haber visto su fantasma vagando por los pasillos del Alcázar, muy indignado, según decían, con lo que su hijo le estaba haciendo a su malogrado nieto.

En cuanto a nosotros, nos sentíamos más que nunca en deuda con Su Alteza, a quien habíamos prometido apoyo y lealtad. Pero ¿qué podíamos hacer? Cualquier movimiento en falso nos podía llevar directamente a la cárcel o incluso al cadalso, acusados de alta traición. Estaba claro, en fin, que todo aquello había sido una locura, tan solo disculpable por nuestra impulsiva juventud. Sin embargo, no podíamos consentir aquel atropello. De modo que todas las tardes nos reuníamos en la taberna del Pez, como un grupo de conjurados, para buscar la mejor manera de liberarlo. Al principio, tratamos de contactar con otros posibles partidarios de don Carlos, dentro y fuera de la Corte, pero la verdad es que, en ese momento, no dimos con ninguno; parecía como si la tierra se los hubiera tragado a todos, ahora que las cosas se habían puesto difíciles. También intentamos comunicarnos con la reina, a través de una de sus damas, e, incluso, con el nuncio apostólico, para ver si podía conseguir que el papa intercediera por él ante el rey, pero todo fue inútil.

—¿Y por qué no lo rescatamos nosotros? —propuso Cervantes una tarde, tras comprobar que comenzaba a cundir el desánimo.

—Pero ¿qué queréis, que nos ahorquen a todos? —replicó Gálvez de Montalvo.

—Lo único que deseo es no seguir aquí de brazos cruzados —repuso él con vehemencia—, hablando todo el día sin parar.

—¿Y cómo vamos a entrar en su cámara? —quise saber yo.

—Para eso estáis vos —me contestó de inmediato, mirándome a los ojos—. Ahora que Laínez ha sido despedido, vos sois el único contacto que tenemos con el interior del Alcázar. Gracias a vuestro trabajo como ayudante de trazador en las obras de palacio, podéis moveros por él sin levantar sospechas. Solo tendréis que estar vigilante, hasta que se presente la ocasión. Y los demás estaremos preparados para entrar en acción en cualquier momento, ¿qué os parece?

—Si es así, yo me apunto —se apresuró a decir Gálvez de Montalvo.

—Y yo —se sumaron Laínez y López Maldonado.

—¿Y vos? —me preguntó, entonces, Cervantes con un leve tono intimidatorio.

—De acuerdo, contad conmigo —accedí yo con fingido entusiasmo.

Por supuesto, yo ya sabía que él me estaba poniendo a prueba, para ver si cometía algún error que me dejara en evidencia y revelara cuáles eran mis verdaderos intereses e intenciones en todo este asunto. Pero yo no pensaba darle esa satisfacción.

IV

Mientras el momento oportuno llegaba, debíamos seguir con nuestras vidas para no levantar sospechas. En el mes de febrero de ese año de 1568, Cervantes, Laínez, López Maldonado y Gálvez de Montalvo comenzaron a asistir a algunas clases en el Estudio de la Villa, al que acababa de incorporarse, como rector y catedrático de gramática y arte poética, el maestro Juan López de Hoyos, que, desde el primer momento, alentó y favoreció la vocación poética de todos ellos, y especialmente de Cervantes. Con él leyó y tradujo a los grandes autores latinos y griegos y mejoró notablemente su educación, que hasta ese momento había sido bastante azarosa y caótica. López de Hoyos tenía, además, fama de erasmista, y esto debió de influir mucho en las actitudes religiosas de Miguel, que no era muy amigo de ceremonias ni de supersticiones; más bien era partidario de la meditación y la oración interior.

Yo, por mi parte, seguí con mi trabajo en las obras de reforma del Alcázar, que por fin se habían reanudado después de la larga pausa invernal. Gracias a ello, pude comprobar cómo, con el tiempo, se iba relajando la vigilancia en torno al príncipe. Por otra parte, se rumoreaba que don Carlos estaba cada vez más enfermo; sin embargo, los médicos de la Corte tenían prohibido visitarlo, dado que era él el que quería dejarse morir. Había, pues, que intentar liberarlo lo antes posible. Pero, por más vueltas que le daba, no encontraba la forma de hacerlo, hasta que un hallazgo fortuito me brindó una posible solución. Una tarde, cuando estábamos abriendo un boquete en un muro para hacer una chimenea, apareció una especie de pasadizo secreto. Intrigado por saber adónde llevaría, me proveí de una antorcha y me adentré en él. Se trataba de una galería que, tras un pequeño tramo en pendiente, conducía luego casi en línea recta hasta un paraje cercano al río Manzanares. Después de regresar, le pedí al albañil que lo había descubierto que no dijera nada hasta que el arquitecto decidiera qué hacer con ello, y yo mismo cubrí la entrada con varias maderas para que no lo viera nadie más.

Por la noche se lo comenté a mis amigos en la taberna y, de forma unánime, decidimos que había que aprovechar la oportunidad que se nos ofrecía y proceder cuanto antes al rescate. Según el plan que allí mismo trazamos, deberíamos acceder al Alcázar a pleno día, concretamente a la hora de la siesta, sin utilizar la fuerza y sin portar ningún tipo de arma; de esta manera, si nos descubrían, podríamos alegar que habíamos ido a cortejar a algunas damas de la Corte o, simplemente, que estábamos visitando las obras. Para entrar utilizaríamos una de las puertas que, en ese momento, estaban cubiertas por los andamios.

La segunda parte era la más difícil, pues había que hacer salir a los guardias de la cámara de don Carlos. Con este fin yo debería provocar un pequeño fuego en una de las estancias que estaban siendo reformadas, no muy lejos de los aposentos del príncipe, y, después, me encargaría de dar la voz de alarma y llamar la atención de los vigilantes. Sería entonces cuando mis amigos entrarían en busca de don Carlos y, tras liberarlo, se lo llevarían por el pasadizo secreto hasta el otro lado, donde habríamos dejado dispuestos varios caballos. Tan solo faltaba saber qué íbamos a hacer luego con el príncipe. Después de un largo debate, convinimos en que lo mejor sería que él decidiera, en función de sus planes y de su estado de salud. Antes de despedirnos, juramos solemnemente guardar silencio en el caso de que nos detuvieran y fijamos como fecha para la acción el jueves siguiente, debido a que en esa jornada iba a haber poco movimiento en las obras, con lo que podríamos actuar con mayor libertad.

Faltaban, pues, dos días, que a mí se me hicieron eternos. Durante todo ese tiempo, no dejé de pensar en los muchos peligros, dificultades e inconvenientes que presentaba el proyecto, sobre todo para mí, que era su principal impulsor y responsable. De entrada, me parecía evidente que nos estábamos precipitando, debido a la urgencia del caso. Por otra parte, el plan me resultaba cada vez más disparatado y absurdo, pues estaba claro que, incluso si lográbamos salir con bien del asunto, el rescate en sí no iba a servir de nada; sería un acto puramente simbólico, sin trascendencia ninguna, aunque con consecuencias reales e imprevisibles para nosotros. Así es que me dispuse a pararlo todo. Pero enseguida me di cuenta de que, si hacía eso, no solo quedaría como un cobarde ante mis amigos, sino que, además, correría el riesgo de que no me obedecieran y se empeñaran en seguir adelante, instándome a hacer lo mismo, de buen grado o por la fuerza.

En el último momento, y después de mucho reflexionar, comprendí que lo mejor para mis intereses sería continuar adelante con el plan, solo que cambiando su desarrollo y, por supuesto, invirtiendo los objetivos, con el fin de salir no solo indemne, sino también beneficiado con alguna recompensa, procurando, eso sí, que mis amigos no se vieran dañados o afectados por el asunto. De esta forma, además, los libraría de una condena segura, pues estaba absolutamente convencido de que nuestro proyecto estaba condenado al fracaso, y ellos se quedarían más tranquilos por haberlo intentado al menos. En cuanto al príncipe, era obvio que, a esas alturas, ya no tenía nada que ganar ni que perder, ya que su suerte estaba echada desde hacía mucho tiempo.

Se trataba, en fin, de hacer un doble juego, algo a lo que, por suerte, yo ya estaba acostumbrado. De modo que el jueves, a la hora de la siesta, me dejé caer por las obras con el pretexto de revisar algunos planos y comprobar unas medidas. En principio, mi misión era franquearles la entrada a mis amigos y conducirlos a un lugar seguro en la planta superior, que era donde estaban los aposentos privados y las estancias de recreo. Acto seguido, tenía que provocar el incendio y dar la voz de alarma, pero lo que hice, en realidad, fue poner en guardia a los vigilantes, contándoles que había visto a alguien ajeno a las obras y al palacio deambulando por un pasillo. Luego volví junto a mis amigos para comunicarles que nos habían descubierto y que tenían que escapar lo antes posible. El único que, un principio, se resistió a huir fue, cómo no, Cervantes, pues parecía sospechar algo, pero entre los demás lograron convencerlo. Los llevé, entonces, a la entrada de la famosa galería y les pedí que, una vez fuera, se dispersaran y desaparecieran durante un tiempo, hasta que las aguas volvieron a su cauce.

En el Alcázar los guardias encontraron indicios de que, en efecto, alguien había entrado a escondidas en el ala donde se encontraban los aposentos del príncipe, por lo que se procedió a redoblar la vigilancia dentro y fuera de los mismos. Por orden expresa del Consejo Real, se obligó a todo el mundo a guardar silencio y los hechos no trascendieron fuera de palacio, como si nada hubiera sucedido; es más, ni siquiera el príncipe llegó a enterarse de que, supuestamente, habían intentado liberarlo. Con respecto a la galería, yo mismo mandé sellarla, sin decirle nada a nadie. Como era de esperar, al día siguiente recibí el agradecimiento del propio rey, que, además de recompensarme con una importante suma, me prometió que, a su debido tiempo, y una vez completado mi período de aprendizaje, sería nombrado aparejador de las obras de los reales Alcázares de Aranjuez, Madrid y El Pardo, lo que, sin duda, me reportaría grandes ventajas y asentaría mi posición en la Corte.

Pasado el tiempo, volví a frecuentar a mis amigos, que todavía no se habían repuesto del susto. Yo les conté que el peligro ya había pasado, y ellos se quedaron más tranquilos. Bueno, no todos, pues Miguel no dejaba de mirarme con suspicacia y algo de odio, o al menos eso me parecía. Los demás no solo no desconfiaban de mí, sino que se mostraron agradecidos e, incluso, impresionados por lo que había hecho. Lo único que lamentaban era no haber podido ayudar al príncipe, cuyas condiciones empeoraban de día en día. Pero ya no cabía hacer nada.

Ese verano, además, fue especialmente caluroso, lo que hizo que el torreón en el que estaba recluido, con todas las ventanas clavadas y sin ningún tipo de ventilación, se convirtiera en una especie de horno sin respiradero. De modo que no es extraño que, a finales de julio, sucediera lo que muchos deseaban con impaciencia y otros temíamos que ocurriera de un momento a otro. El príncipe don Carlos falleció en su cámara, cuando acababa de cumplir los veintitrés años, ante la indiferencia de su padre, que ni siquiera tuvo el valor de matarlo con sus propias manos o mandarlo ejecutar; de esta forma, habría muerto, al menos, de una manera digna. Pero Su Majestad prefirió que muriera solo y sin el debido auxilio espiritual, tras seis meses de arresto y quince días sin comer, destrozado por la locura, las fiebres, el debilitamiento y la falta de agua.

Al parecer, mientras agonizaba, el rey se acercaba de cuando en cuando a la antecámara de su hijo y, desde allí, se dedicaba a observarlo, con creciente ansiedad, a través de una abertura en la pared. Según declaró el duque de Lerma, padre del futuro valido del rey Felipe III, en el último instante don Carlos intentó escribir algo, tal vez una declaración de su última voluntad o puede que una inútil acusación. «Yo, que soñaba con domeñar el mundo, apenas si puedo ahora sostener la pluma...», fue lo único que consiguió pergeñar; a continuación, no había más que un borrón de tinta en medio del papel: todo un símbolo de lo que fue su vida.

El luctuoso suceso causó un gran efecto en la Corte. La que más sufrió fue, claro está, la reina, que se pasó varios días, con sus noches enteras, llorando; seguramente, se maldecía por no haber hecho nada para evitarlo e, incluso, por haber sido, en parte, la causa de las desavenencias entre padre e hijo. ¡Ella, a la que algunos llamaban Isabel de la Paz! Se la veía tan desmejorada que los médicos empezaron a temer por su salud y la de su futuro vástago, pues estaba de nuevo embarazada. El rey apenas se dejó ver en público, y, cuando lo hizo, fue para mostrarse de riguroso luto y con el semblante severo, como si fuera la víctima, y no la causa de lo sucedido. Otros, como el príncipe y la princesa de Éboli, ni siquiera se molestaron en disimular su alivio y alegría.

En cuanto se divulgó la noticia, comenzaron a surgir todo tipo de dudas, rumores y sospechas dentro y fuera del reino. Muchos culpaban al rey de la muerte de su heredero; algunos lo acusaban, incluso, de ensañamiento y crueldad; y el resto no entendían su ambiguo comportamiento o simplemente recelaban de él. No en vano había declarado en una ocasión: «Si mi hijo cayese en la herejía, yo mismo llevaría la madera para quemarlo.» Nosotros, por nuestra parte, lloramos como niños a aquel al que no supimos defender como hombres, tal era nuestra rabia e impotencia. De forma tácita, se prohibió cualquier muestra pública de dolor o pesar por la muerte del príncipe don Carlos, incluidas, por supuesto, las elegías y las oraciones fúnebres, por lo que, al final, no pudo difundirse como es debido la *Relación de la muerte y honras del serenísimo príncipe don Carlos,* que había preparado, por encargo del Concejo, el maestro Juan López de Hoyos, y donde se recopilaban poemas de algunos miembros del grupo.

Lo que el rey no logró impedir fueron los malos augurios que enseguida surgieron aquí y allá. Por fortuna, no todos ellos se cumplieron, pero lo cierto es que, tras la muerte del príncipe, comenzó un período de enorme tristeza, sufrimiento e incertidumbre para España, marcado, sobre todo, por graves revueltas en los Países Bajos, sofocadas luego por el duque de Alba con gran derramamiento de sangre, y en las Alpujarras granadinas, donde, aprovechando la debilidad del reino, los moriscos se sublevaron por el incumplimiento de los derechos que, en su día, les habían sido reconocidos por los Reyes Católicos tras la toma de Granada. Esto hizo que, entre otras cosas, se echaran al monte con la intención de vivir según sus antiguas leyes y costumbres, renegando de las ordenanzas mandadas pregonar por el Consejo Real en las que se les conminaba a abandonar su lengua y a renegar de sus ritos y sus prácticas.

Por si todo esto fuera poco, el 3 de octubre de ese *annus horribilis*, dos meses y medio después del fallecimiento del príncipe, moría nuestra amada reina Isabel de Valois en su cámara del Alcázar. Los médicos dijeron que a consecuencia de un aborto en el que no había podido expulsar la placenta; sin embargo, era evidente que había otras causas. Tenía tan solo veintidós años, y aún le quedaban muchas rosas por disfrutar, pero, en las últimas semanas, se había ido marchitando a ojos vistas, lo que provocaba gran dolor a los que la amábamos en secreto. La desaparición de don Carlos le había afectado tanto que siempre estaba triste y temerosa, hasta el punto de que no quería salir de su cámara ni ver a su marido; de vez en cuando, sufría, además, grandes desmayos y entumecimientos en la cabeza, le fallaba el pulso y tenía tal dificultad para el resuello que con frecuencia parecía que iba a ahogarse. Era evidente que algo la torturaba y le causaba un miedo atroz. El embajador francés, por su parte, le echaba también la culpa de sus males a la impericia y a la brutalidad de los médicos de la Corte, que, lejos de curarla, habían hecho que empeorara con sus anticuados métodos.

En esta ocasión, el rey sí que parecía verdaderamente afligido. Durante varios días, Madrid estuvo de luto riguroso por su amada reina. En las calles tan solo se oía el llanto de las numerosas plañideras y el golpear de las varas y flagelos de los disciplinantes, que iban dejando a su paso un reguero de sangre; nadie podía salir a la calle si no iba vestido de riguroso luto y los caballos debían ir enjaezados con bayetas negras. Para nuestro pequeño grupo de conjurados, su desaparición fue una tragedia; había muerto no solo una reina, sino también la dueña de nuestros pensamientos, el norte y guía de nuestras hazañas, la musa principal de nuestros poemas... Y el más conmocionado, sin duda, fue Cervantes, que, en un momento de rabia, juró odio eterno a Felipe II, por considerarlo culpable de la muerte de su propia esposa, a la que, según él, no había querido ni respetado como debía, lo mismo que a su hijo.

—En eso tenéis razón —apuntó Pedro Laínez, por su parte—; para el rey, Isabel no ha sido más que un útero en el que engendrar nuevos herederos, y eso es precisamente lo que la ha matado.

—¡Qué sabréis vos! —exclamó, entonces, Cervantes, hecho una furia.

—Tan solo expreso en voz alta lo que algunos de nosotros pensamos —se justificó su amigo, algo asustado por su reacción.

—¿Acaso habéis estado espiando su cámara para saber a qué se dedicaba la reina? —le soltó Cervantes con rabia.

—Por la forma de hablar, cualquiera pensaría que vos sí lo sabéis —intervine yo con segundas.

—¿Qué queréis decir? —se revolvió él, fuera de sí.

—Que vos parecéis tener conocimiento de cosas que nosotros ignoramos —le expliqué yo.

—¿Me estáis acusando de algo? —inquirió él con aire amenazador.

—¡¿Yo?! ¡¿Por qué?! ¿Acaso hay algo de lo que deberíais avergonzaros? —pregunté yo con fingida ingenuidad.

—Y vos, ¿no tenéis nada que confesarle a vuestros amigos? —me desafió.

—Creo que deberíamos tranquilizarnos —intervino Gálvez de Montalvo, preocupado por el tono que estaba adquiriendo la discusión.

—Sí, será lo mejor —reconocí yo, aliviado, pues temía que Miguel fuera a desbocarse en cualquier momento.

—Lo mismo digo —asintió él, algo más calmado.

Dicho esto, se puso el sombrero y se marchó sin despedirse ni dar ninguna explicación, como si no quisiera saber nada de nosotros. Luego, estuvo ausente durante varias semanas, hasta que un día nos enteramos de que se había retirado a un refugio de pastores, en plena sierra de Guadarrama. Al parecer, allí se había dedicado a hacer penitencia y a rezar en silencio por el alma de Isabel, día y noche, alimentándose tan solo de hierbas y raíces que por allí encontraba y sometiendo su cuerpo a toda clase de mortificaciones, o al menos eso fue lo que le contó a Laínez cuando regresó a Madrid, totalmente demacrado y en los huesos. Lo que no le dijo fue el motivo de semejante comportamiento, que a todos tenía espantados y perplejos. A mí, sin embargo, no me fue muy difícil llegar a imaginar cuál podía ser el pecado que había intentado expiar entre aquellas montañas, pues se trataba del mismo que yo deseaba haber cometido, aunque eso me hubiera llevado al infierno por el que Cervantes estaba pasando entonces, hasta tal punto lo envidiaba.

Mientras Miguel se flagelaba en su retiro por lo que había hecho, los demás nos habíamos limitado a expresar nuestra aflicción componiendo poemas elegíacos, más o menos sentidos, según los casos. Por lo que a mí respecta lo eran. Y, con la debida humildad, debo añadir que fueron sin duda los más celebrados, hasta el punto de que se leyeron y comentaron en todos los mentideros y academias literarias de Madrid y circulaban de mano en mano y de boca en boca entre la gente de la Corte, lo que para mí constituyó un gran consuelo en medio de tan terrible pérdida.

Cervantes, sin embargo, prefirió guardar silencio y no hacer públicos los suyos, cuando volvió de su retiro; supongo que para no arriesgarse a que se descubriera su secreto, ya que, como suele decirse, por la boca muere el pez. De ahí mi sorpresa cuando, unos meses después, me enteré de que varias de sus composiciones iban a figurar en un libro titulado *Historia y relación verdadera de la enfermedad, felicísimo tránsito y suntuosas exequias fúnebres de la Serenísima Reina de España doña Isabel de Valois, Nuestra Señora, con los sermones, letras y epitafios a su túmulo,* que estaba preparando Juan López de Hoyos, quien, por entonces, se preciaba de haber reunido en torno a él a algunos de los jóvenes poetas más brillantes y prometedores de Madrid; entre ellos, claro está, su predilecto, Miguel de Cervantes, o, como él decía en la presentación: «Nuestro caro y amado discípulo.»

En él había nada menos que cuatro poemas suyos: un epitafio en forma de soneto, una copla castellana, cuatro redondillas o coplas reales y una extensa elegía, compuesta en nombre de todo el Estudio y dirigida al Ilustrísimo y Reverendísimo cardenal don Diego de Espinosa, hombre de confianza del rey, que era con la que se iniciaba, además, la *Relación,* lo que venía a demostrar que había una estrategia muy clara, por parte del maestro de gramática, para favorecer a su alumno más querido y buscarle un buen protector dentro de la Corte.

Pero lo que más indignación me produjo fue comprobar que en el libro no aparecía ninguno de mis poemas, ni siquiera uno solo a modo de muestra, a pesar de lo mucho que habían gustado y circulado por ahí. Así es que me fui a ver a López de Hoyos para pedirle explicaciones. Este, al verme tan alterado, no quiso recibirme, pues tenía miedo de que lo agrediera, clara señal de que se sentía culpable. Al final, lo convencí de que era mejor que hablara conmigo, aunque de poco me sirvió. Cuando le pregunté que por qué había incluido varios poemas de Cervantes en la recopilación, él me contestó que lo había hecho porque, a su juicio, eran excelentes. Yo, naturalmente, le repliqué que los había mucho mejores que los de su caro y amado discípulo, que, en mi opinión, no pasaban de ser unos meros ejercicios escritos por encargo. Él entonces me habló de su elegante estilo y de sus delicados conceptos, así como de la habilidad con la que Cervantes usaba los colores retóricos y otras zarandajas de ese tipo.

—Pero carecen de fuerza y emoción —puntualicé.

—A eso lo llamo yo equilibrio y contención —me replicó el maestro de latín.

—Al menos podíais haber incorporado alguno de los míos —le reproché yo, al ver que por ese lado no había nada que rascar.

—Lo habría hecho si fuerais vos alumno del Estudio —me explicó.

—Hace tiempo que formo parte del grupo, y vos lo sabéis —le recordé—. Si no asisto a vuestras clases es porque tengo otras ocupaciones más perentorias.

—Tal vez deberíais dedicaros a una sola cosa, ¿no creéis?

—Es Cervantes el que debería dedicarse a *otra* cosa —repuse yo—. Como bien sabéis, es bastante duro de oído y muy torpe de lengua para ser poeta.

—Pero tiene mucho más talento y sensibilidad que vos y que yo juntos —sentenció—; lo único que le falta es encontrar su camino. De ahí que debamos apoyarlo —añadió con firmeza.

—¿Y a mí quién me ayuda? —protesté yo—. ¿Acaso yo no tengo derecho? Sin duda, me despreciáis porque soy hijo de un albañil —añadí con un tono acusatorio.

—Os equivocáis —rechazó él—. Sabed que yo soy hijo de un herrero, y no me avergüenzo de ello. De modo que no me vengáis con historias. En cuanto a Cervantes —añadió con otro tono—, lo único que os estoy pidiendo es que tengáis paciencia y seáis generoso con él; al fin y al cabo, es vuestro amigo. Vos ya tendréis otras ocasiones de demostrar vuestra valía y de dar cauce a vuestra ambición, aunque sea como arquitecto, que, por lo que sé, ahora empieza a ser reconocido como un oficio noble.

—Ese es el deseo de mi padre, no el mío —precisé yo.

—Pero habéis de saber que no siempre podemos ser aquello que deseamos. Y, si no, preguntádselo a Cervantes; si por él fuera, preferiría ser soldado, pero yo lo obligo a que estudie y escriba sin descanso.

—¡Tanto lo valoráis! —exclamé yo, sorprendido.

—Si las cosas no se tuercen, será sin duda el mejor escritor de su tiempo —vaticinó él, muy convencido.

—Eso habrá que verlo —comenté yo con suficiencia.

Él me miró entonces con extrañeza y atención, como si quisiera escrutar lo que había más allá de mis pupilas. Pero no debió de ver nada que le gustase.

—En cuanto a sus propios poemas —me advirtió él como si hablara *ex cathedra*—, debería saber que no valen nada ni le auguran ningún futuro.

Yo me levanté, entonces, muy digno y abandoné la habitación sin ni siquiera despedirme. No había nada más que decir. No obstante, debo reconocer que, una vez en la calle, no pude evitar dar rienda suelta a la ira acumulada con toda clase de maldiciones, insultos y blasfemias. Y es que me sentía cada vez más indignado y agraviado; para mí ese rechazo era como una afrenta personal, y necesitaba desahogarme. De todas formas, la cosa no iba a quedar ahí.

V

Era, pues, evidente que López de Hoyos estaba muy orgulloso de su discípulo y no pensaba dar su brazo a torcer. A mí, sin embargo, me veía como un rival; por eso había intentado desmoralizarme con sus comentarios. Pero me juré que no iba a salirse con la suya. Mi vocación era mucho más fuerte que su voluntad, y, además, tenía una gran confianza en mí mismo y en mis posibilidades. ¿Para qué, si no, iba a darme Dios un deseo tan grande de ser poeta si luego iba a negarme el talento suficiente para realizarlo? Eso sería injusto, amén de absurdo y contradictorio. De modo que tenía que hacer algo para frenar esa ignominia, ese abuso, ese atropello, y lo primero que se me ocurrió fue ir a hablar con Cervantes; quería apelar a su honor, a su amistad, a su generosidad, y rogarle que hiciera retirar sus poemas del libro o, al menos, que convenciera a su maestro para que incluyera alguno de los míos, con el fin de no estar ausente del mismo.

Tan distraído iba con mis pensamientos que, cuando quise darme cuenta, ya estaba llamando a la puerta de la casa de sus padres. Al poco rato, me salió a abrir una joven muy bella y gentil que, por un instante, me dejó sin habla, tal fue mi sorpresa. Supuse que se trataba de la famosa Andrea. Una vez recuperado de la impresión, le pregunté por Miguel, y ella me confirmó que, en efecto, era su hermano, pero que en ese momento no se encontraba en la vivienda.

—¿Queréis pasar? —me preguntó al verme tan contrariado por la noticia.

—Necesito hablar con vuestro hermano —la informé.

—¿Y yo no os sirvo? —me soltó con una voz que se me antojó insinuante.

—Con vos preferiría emplear mi lengua y mis labios en otra cosa —me aventuré a decir.

—Ya veo que no os andáis con rodeos —repuso Andrea con una sonrisa.

—Perdonadme si con ello os he ofendido.

—La verdad es que yo lo prefiero así —me confesó—; de esta forma, una sabe bien a lo que atenerse.

Tras franquearme la puerta, me condujo, por un laberinto de escaleras y pasillos, a la cámara de su hermano Miguel. Allí había libros y papeles por doquier. Estos últimos estaban llenos de versos con toda clase de enmiendas, vacilaciones y tachaduras, que indicaban lo mucho que le costaba componer un poema, por muy breve que fuera. De buena gana, me habría llevado algunos borradores para estudiarlos con calma, pero Andrea no me perdía de vista ni un instante, y tampoco era cuestión de ponerse a leerlos delante de ella, suponiendo que me lo hubiera permitido.

—¿Vos también sois poeta, como mi hermano? —me preguntó, de repente, con un deje de ironía.

—Algo así —le confesé.

—¿Y también sois vos de los que permanecéis las noches en vela?

—¿Qué queréis decir?

—Que Miguel se las pasa de claro en claro, peleando con las palabras o recitando en voz alta los poemas de Garcilaso, pues se ve que este expresa mucho mejor lo que él siente. Y eso cuando viene a casa, que a veces no regresa hasta el día siguiente.

—¿Y sabéis vos dónde o con quién suele estar? —inquirí, sin poder evitarlo.

—Yo esperaba que me lo diríais vos, que sois su amigo —me explicó—. A mí nunca me cuenta nada. Ni siquiera me deja leer sus poemas.

—¿Por algún motivo?

—Dice que no acaban de gustarle, que no se siente satisfecho.

—Y eso que musa no le faltaba, por lo menos hasta hace poco —apunté yo con malicia.

—¿Os referís a una mujer imaginaria, a una especie de diosa, como esas que suelen inventar los poetas? —quiso saber Andrea.

—Real, más bien, aunque ya no existe —me limité a decir yo con deliberada ambigüedad, aunque ella no pareció percatarse, o al menos yo no se lo noté.

—¿Y puede saberse quién era ella? ¿La conocisteis vos? ¿Era hermosa y gentil? —insistió Andrea con curiosidad.

—¿Por qué no se lo preguntáis directamente a vuestro hermano? Por lo que a mí respecta, me parece muy poco delicado y nada cortés hablar de los méritos y cualidades de otra mujer, estando vos delante, que las superáis a todas en hermosura y gentileza. De modo que centrémonos ahora en vos.

Después de agradecerme la galantería, me contó que, a pesar de su juventud, era una pobre viuda desconsolada, razón por la que vivía con sus padres, sus hermanos y una hija de corta edad, llamada Constanza. Por lo que yo sabía —pues ese detalle no lo mencionó—, la pequeña era hija natural de don Nicolás de Ovando, un relevante sevillano con quien Andrea había tenido relaciones y luego había intentado casarse, alegando que este le había dado promesa de matrimonio, cosa que el otro negó, si bien no tuvo inconveniente en satisfacer una dote, a modo de compensación. Andrea me contó que se dedicaba a hacer labores de costura, a ayudar a su madre y una hermana en la casa y a atender a los huéspedes que en ella acogían de forma regular. También hablamos de las ciudades en las que había vivido con su familia antes de venir a Madrid. Y tan enzarzados estábamos en la conversación que me olvidé del verdadero motivo de mi visita.

Al final acabamos yaciendo en una de las habitaciones reservadas para albergar a los que estaban de paso. Aunque sé que no es propio de caballeros revelar secretos de alcoba o dar detalles sobre las conquistas amorosas, no puedo evitar contar aquí que Andrea demostró ser una gran conocedora de las artes amatorias, tanto que de buena gana me habría quedado con ella un rato más. Pero tenía que irme, si no quería que su hermano nos descubriera en una situación tan comprometida; de modo que saqué una bolsa con ducados de mi faltriquera y se la tendí.

—Tomad —le dije—, dádsela a vuestro hermano, cuando vuelva.

—¿Es el pago de alguna deuda de juego? —quiso saber ella.

—Algo parecido —contesté yo—. Él ya sabrá de qué se trata; de modo que espero que sea generoso con vos.

—¿Volveréis a verme?

—Pudiera ser.

—¿Sois siempre tan enigmático?

—Solo con las mujeres que me interesan —respondí yo con galantería.

—¿Debería tomármelo como un cumplido?

—Naturalmente —le aseguré.

Después de despedirme de Andrea, me dirigí a palacio, con el fin de terminar de revisar unas trazas que tenía que entregar al día siguiente. Cuando salí, una hora más tarde, vi a alguien esperando en los terreros del Alcázar. Naturalmente, era Cervantes, que paseaba de un lado para otro con gran impaciencia, como si quisiera medir o allanar el suelo, una y otra vez, con sus vigorosas zancadas. Enseguida, me di cuenta, además, de que llevaba la espada colgada al cinto, aunque no tenía derecho a portarla, y menos en los alrededores del Alcázar. Por suerte, yo había tomado la precaución de ceñir la mía.

—¿Me buscabais? —le solté, cuando llegué a su altura.

—Según me han di... dicho, erais vos el que me esta... ta... ba buscando a mí —tartamudeó.

—Parece que el miedo os tra... traba la lengua —le espeté, en tono de burla.

—Puede ser, pero os ase... seguro que, lle... llegado el caso, no se me tra... trabará la espa... pada —me soltó él, muy serio.

—¿Me estáis amenazando?

—De vos de... depende —contestó—. De mo... momento, de... decidme: ¿qué signi... nifica esta bol... bolsa? —me preguntó, mostrándome la que yo le había entregado a su hermana.

—Es el pago por haber gozado de Andrea.

—¿Aca... caso creéis que so... soy yo su ru... rufián? —replicó él, arrojándome la bolsa con desprecio.

—Al menos eso es lo que he oído contar por ahí —le solté yo con cierto descaro.

—Pues deberíais saber que Andrea es muy libre de hacer lo que le plazca y con quien le apetezca —me advirtió, sin tartamudear—, siempre que sea discreta. De modo que no deberíais jactaros de haberos acostado con mi hermana. Ha sido más bien ella la que se encaprichó de vos.

—¡Eso es mentira! —rechacé yo—. Vuestra hermana no es más que una perdida y vos, un canalla.

Por un momento, se quedó pensativo, como si estuviera decidiendo con frialdad si entrar o no al trapo que le acababa de tender.

—Por más que lo intento, no logro entenderos, la verdad —dijo, por fin—. ¿A qué viene ese empeño en ofenderme y deshonrarme? ¿Os he hecho yo algo para que os comportéis así?

—Quitarme lo que es mío —respondí sin dudarlo.

—¡Quitaros lo que es vuestro! —exclamó, sorprendido—. ¡¿Puede saberse a qué os referís?!

—No os hagáis el ignorante ahora.

—Creo que sois vos el que se está pasando de listo —me replicó.

—¿Me queréis decir que no sabéis nada del libro de exequias en honor de la reina que prepara vuestro maestro, amigo y protector? —le pregunté.

—No sé de qué me habláis —proclamó él con firmeza.

Ante su insistencia en negarlo todo, le conté la conversación que había tenido con López de Hoyos. Pero Miguel me juró que no sabía nada del libro ni de que sus poemas fueran a publicarse en él, y menos aún a costa de los míos, pues él vivía completamente ajeno a todo eso.

—¡Cómo podéis mentir de esa forma! —rechacé yo.

—Eso que habéis dicho es una grave afrenta —me advirtió él, muy serio—, de la que vais a tener que responder en un duelo —me desafió—, si es que no lo retiráis.

—No pienso hacerlo —anuncié yo.

—En ese caso, no me dejáis otra opción...

—Me batiré con vos, no os preocupéis —lo interrumpí—. Pero antes, decidme: ¿es que acaso creíais que por haberla conocido erais vos el único que tenía derecho a escribir sobre la muerte de la reina? —lo interrogué.

—¡¿Qué sabéis vos de eso?! ¡¿Quién os lo ha contado?! —se revolvió.

A juzgar por su gesto, era evidente que esta vez había dado en el clavo, y que, por lo tanto, la pregunta era oportuna; de ahí que no se molestara en negarlo y que lo que más le preocupara fuera saber cómo me había enterado de su secreto.

—¿Y eso qué importa ahora? —respondí yo.

—Claro que importa —insistió él—; se trata de mi vida y de mis sentimientos.

—Yo lo único que quiero ahora es que me digáis qué pasa con los poemas.

—Esos poemas de los que habláis para mí no significan nada, ¿cuándo os vais a enterar? Los que de verdad me importan son los que llevo aquí grabados a fuego —me explicó, golpeándose el pecho a la altura del corazón—, y esos, os lo aseguro, no va a leerlos nadie, ni siquiera mis amigos, entre los que, por cierto, vos no os encontráis.

—Entonces —inquirí yo—, ¿a qué viene ese empeño en publicar los otros, los que no os interesan?

—No sé cómo tengo que deciros que yo no he tenido nada que ver con eso —rechazó—. Será cosa del maestro López de Hoyos. Además, deberíais saber que yo no soy tan intrigante como vos.

—¿A qué os referís?

—A que habéis demostrado que sois muy capaz de hacer cualquier cosa para conseguir lo que deseáis, incluso traicionar a vuestros mejores amigos —me acusó él.

—Ahora soy yo el ofendido —repuse, muy digno.

—¿Es que ya no os acordáis de la noche en que quisimos rescatar al príncipe? Seguro que fuisteis vos el que dio la voz de alarma —añadió con tono capcioso.

—¡Eso es absurdo! —rechacé yo—. ¿Por qué habría de hacerlo?

—Para conseguir el favor del rey.

—Si de verdad hubiera querido traicionaros, os habría denunciado, ¿no creéis?

—Si no lo hicisteis fue porque teníais miedo a acabar implicado —objetó.

—Os recuerdo que habíamos jurado un pacto de silencio.

—Que vos rompisteis con vuestra traición.

—Me temo que el único traidor que hay aquí sois vos, maldito converso —lo insulté, pues ya no sabía por dónde salir.

—Y a mucha honra —proclamó él.

—La que no tenéis, y si no preguntádselo a vuestra hermana —apunté yo con malicia.

—A ella no debisteis meterla en esto.

—No tuve que esforzarme demasiado, la verdad.

Cervantes me miró, entonces, con desprecio y con rabia, tanta que a duras penas lograba mantener envainada la espada. De hecho, podía ver cómo su mano estrechaba con fuerza la empuñadura para no ceder al deseo de atacarme.

—Está claro que sois un hombre vil y despreciable —me escupió—. Pero decidme: ¿por qué lo habéis hecho? ¿Qué es lo que os ha movido a causarme tanto daño? ¿Es acaso la envidia?

—¡¿Envidia, yo?! —le repliqué—, ¿de quién, de un miserable como vos, que no tiene oficio ni beneficio y cuya familia está continuamente bajo sospecha?

—No sería nada raro —argumentó él—; por lo general, se envidia a aquellos que tenemos más cerca, y, con frecuencia, por los motivos más nimios o por los más absurdos, de manera ciega, sin apenas ser conscientes de ello.

—¡Eso es ridículo!

—Os aseguro que no lo es —insistió.

—¡Qué sabréis vos! —exclamé yo con desprecio.

—Lo único que sé es que la envidia es un encogimiento del alma por el bien ajeno —me explicó—, que, a partir de entonces, se convierte en una afrenta a la propia dignidad. Por eso el envidioso llora cuando los demás ríen y ríe cuando los otros lloran. Su tósigo es la prosperidad y buena andanza del envidiado; su manjar dulce, la adversidad y calamidad del mismo.

—Callaos, os lo ruego —le supliqué yo.

—De ahí que no descanse —prosiguió— hasta verlo destruido de alguna forma y, al mismo tiempo, se aferre a él con todas sus fuerzas, pues es como una parte de sí mismo, justo la que más echa en falta, precisamente porque la tiene otro, o al menos eso es lo que él cree, ¿no es así?

Mientras lo escuchaba, me iba sintiendo cada vez más desnudo y al descubierto, como si me estuvieran diseccionando o abriendo en canal. Con un gesto le pedí que lo dejara, que ya era suficiente, que no podía soportarlo más. Sin embargo, él parecía dispuesto a seguir hablando y hablando hasta el final de los días; y, para más inri, el muy cabrón no había vuelto a tartamudear.

—Pero lo peor de todo —continuó con más vehemencia— es que este veneno o ponzoña suele engendrarse, por lo general, en el pecho de los que nos son más próximos, incluidos aquellos a los que tenemos por amigos y de los que, por lo tanto, nos fiamos, lo que hace que, a la larga, estos sean mucho más perjudiciales que los enemigos declarados.

Al ver que no parecía muy dispuesto a callarse, decidí cerrarle el pico de una maldita vez. De modo que, sin previo aviso, saqué la espada y le lancé una estocada que le rozó el brazo derecho y le hizo dar un paso atrás. Luego continué atacándolo, hasta que conseguí desarmarlo y tenerlo a mi merced. Por último, le puse la punta de la espada en la garganta y amenacé con clavársela hasta el fondo; de hecho, apreté un poco hasta hacer que sangrara.

Por supuesto, no era mi intención matarlo; no estaba tan fuera de mí. Lo único que de verdad deseaba, en ese momento, era verlo de rodillas en el suelo pidiéndome clemencia. Le ordené, pues, que lo hiciera, y él me obedeció. Pero, en un descuido, Cervantes recuperó su acero y, desde la posición en la que se encontraba, me dio tal cuchillada en la pantorrilla izquierda que me hizo trastabillar y aullar de dolor. Después se puso en pie y se lanzó contra mí con tanta rabia que apenas tuve tiempo de reaccionar. Intenté en un principio defenderme como pude, repeliendo o esquivando sus acometidas, hasta que me sentí desfallecer y no tuve más remedio que arrojar la espada al suelo en señal de rendición. Sin embargo, él no cesó en su ataque. Cuando quise darme cuenta, ya me había hecho un corte en la cara, del que aún conservo la cicatriz, para a continuación herirme con saña en el bajo vientre y otra vez en la pierna izquierda, lo que me llevó a dar con los huesos en la tierra. Y con seguridad allí me habría rematado si, en ese preciso instante, no hubiera oído acercarse a la ronda de alguaciles y corchetes, por lo que salió huyendo sin pararse a mirar en qué situación me dejaba. A lo lejos, comenzaron a sonar entonces unas campanadas, que yo interpreté como un anuncio de que nuestros destinos habían cambiado para siempre.

Por fortuna, la ronda no tardó en acudir en mi auxilio, si bien, para entonces, yo ya estaba agonizando. Entre varios consiguieron trasladarme al interior del Alcázar, donde fui atendido por uno de los físicos reales, que, gracias a su pericia y tesón, me salvó la vida *in extremis*. Mientras él hacía ímprobos esfuerzos para curar mis heridas y lograr que no perdiera la pierna, que estaba totalmente destrozada, yo le pedía a Dios que no permitiera mi muerte, que aún era joven y no la merecía, y menos de esa forma, y con tantas cosas por hacer en este mundo. Después, perdí la conciencia.

Cuando volví a recuperarla, horas más tarde, el médico me aseguró que había salido ya del peligro, pero enseguida me advirtió que, como consecuencia de los daños sufridos, iban a quedarme algunas secuelas; de hecho, pronto tendría que aprender a convivir con una grave cojera, que me obligaba a arrastrar un poco la pierna izquierda y me producía dolores sin cuento, y algunos otros trastornos de los que, por delicadeza, prefiero no hablar aquí. Y aún debía darle gracias al cielo, pues podía haber sido mucho peor. Y es que, según me dijeron sus ayudantes, el físico que por suerte me atendió, Juan de Guzmán, acababa de llegar de Francia, donde había sido discípulo de un célebre cirujano de ese país, llamado Ambroise Paré, con el que había aprendido nuevos métodos de tratar las heridas. Benditos sean los dos.

Luego vino a verme uno de los alcaldes de Casa y Corte, acompañado de un escribano, para tomarme declaración. Por él me enteré de que los alguaciles no habían logrado detener a mi atacante, cuya identidad desconocían. Yo le dije de quién se trataba y le conté, a mi manera, lo que había ocurrido, de lo que tomó cumplida nota el escribano; tan solo omití algunos detalles y circunstancias y cambié el orden de ciertos acontecimientos. Pero el resto era verdad, aunque, por supuesto, no toda la verdad, como ya habrá supuesto Vuestra Merced.

Por desgracia, cuando fueron a detenerlo, el muy cobarde ya había huido de Madrid. Según me enteré luego, su familia, advertida del gran peligro en el que se encontraba, le curó rápidamente las heridas, le proveyó de dinero y de una buena mula y le aconsejó que se pusiera en cobro, hasta ver en qué quedaba la cosa. Esto hizo que tuviera que ser juzgado *in absentia* y, por lo tanto, sin la oportunidad de defenderse. Se le acusó de haberme provocado heridas graves en un duelo y en terreno del Alcázar. Concluida la causa, se le impusieron las penas de destierro del reino por un período de diez años y la amputación con vergüenza pública de la mano derecha, la mano de escribir, al menos para él, que era diestro. Su familia y sus amigos estaban perplejos y desconcertados; no eran capaces de imaginar qué era lo que podía haber pasado para que Miguel hiciera algo parecido; de ahí que algunos, entre ellos Andrea y Luis Gálvez de Montalvo, comenzaran a recelar de mí, cosa que no me importaba, pues no pensaba volver a verlos.

Transcurridas varias semanas, a mediados de septiembre de 1569, como el reo seguía sin aparecer, se hizo pública una provisión real en la que se daba orden de busca y captura de un estudiante llamado Miguel de Cervantes, para que, una vez fuera detenido, pudiera ser trasladado a la Cárcel Real de esta Villa y Corte —esta en la que, por casualidad, estoy yo ahora—, con el fin de aplicársele las penas contenidas en la sentencia, sin perjuicio de otras a las que hubiera podido dar lugar como consecuencia de su fuga. Si es que daban con él, cosa que dudaba mucho.

Cuando acabó mi convalecencia, intenté reanudar mi vida, lo que no fue fácil, pues no podía dar un paso ni mirarme a un espejo sin acordarme de Cervantes. Tanto en las obras en las que trabajaba como en los lugares por los que me movía, comenzaron a distinguirme con los sobrenombres de «el Acuchillado» y «el Diablo Cojuelo». Los niños, en las calles, me tiraban piedras y se burlaban de mí; las mujeres me rehuían y se apartaban; los hombres me gastaban bromas; las viejas se santiguaban; los perros me ladraban; los caballos relinchaban; incluso mi familia me dio la espalda. Y yo lo único que podía hacer era soportarlo con fingida resignación y maldecir día y noche al causante de todo ello, ya que el muy bastardo seguía sin aparecer.

De modo que no es extraño que me sintiera cada vez más frustrado y abatido, pues al dolor de las heridas y de las vejaciones se sumaba el que me provocaba la impunidad de sus actos. Pero luego pensé que el propio Dios, en su infinita misericordia y bondad, a mí me había salvado y a él lo había dejado escapar, para que yo pudiera vengarme algún día, a mi sabor, de las agresiones y afrentas de las que había sido objeto. Al fin y al cabo, nuestras vidas se habían truncado. A partir de ese momento, ya no serían las mismas para ninguno de los dos, como si ambos fuéramos víctimas de una inexorable fatalidad. Él se veía obligado a huir sin tregua y, por lo tanto, a renunciar a su familia, a sus amigos, a sus estudios y a su prometedor futuro como poeta en la Corte, mientras que yo me juré que me consagraría en cuerpo y alma a destruirlo para desquitarme por lo que me había hecho, aunque para ello tuviera que sacrificarlo todo, incluida mi vocación y hasta mi propia existencia. La suerte, pues, estaba echada. Había llegado el día de la ira, la hora de la venganza, el momento de hacer justicia.

VI

Lo próximo que supe de Miguel de Cervantes es que había logrado escapar a Roma, tras haber pasado por Sevilla, Córdoba y Cabra, lugares donde había estado de niño y donde ahora no podía quedarse debido a la providencia dictada por el rey; según parece, embarcó en Cartagena rumbo a Génova, y luego, desde allí, ya por tierra, se dirigió a la Ciudad Eterna. De todo esto me enteré gracias a un buen amigo, que me informó de que el 22 de diciembre el padre había solicitado, ante el teniente de corregidor de Madrid, una información de limpieza de sangre e hidalguía a favor de su hijo, para que este pudiera acreditar que sus ascendientes no eran moros ni judíos ni conversos ni reconciliados por el Santo Oficio de la Inquisición ni por ninguna otra justicia, sino muy buenos cristianos viejos y, por lo tanto, limpios de toda raíz, es decir, sin la terrible mancha del origen impuro.

El plan era enviarla a Roma, para presentarla en casa de monseñor Julio de Acquaviva y Aragón, donde, al parecer, había encontrado trabajo. No obstante, es posible que la intención última de tal documento fuera la de ser reconocido como hidalgo, a fin de que las penas físicas que se le habían impuesto en la Villa y Corte quedaran sin efecto y pudiera volver a España lo antes posible. De ahí que, en contra de lo que exigía la norma, no se hablara en ella de sus deudas con la justicia. Sea como fuere, no debió de costarle mucho conseguirla, salvo el dinero que por ella tuviera que pagar, pues en España no hay nada que no pueda comprarse, incluida la honra y la salvación eterna. Si lo sabré yo, que en mi pueblo era tenido por morisco y, al poco tiempo de llegar a Madrid, por cortesano y hombre de honor, pues lo que cuenta, al fin y al cabo, no es lo que eres, sino lo que representas ser.

En cuanto me enteré de todo esto, intenté interceptar el envío de la información sobre la limpieza de sangre, pero esta ya había llegado a su destino, es decir, a manos de Acquaviva, al que Cervantes había conocido durante las honras fúnebres del príncipe don Carlos. Según parece, aquel había acudido como legado pontificio, designado por el propio papa, que lo tenía en gran aprecio y que no tardaría en nombrarlo cardenal. El caso es que Cervantes entró a servir como camarero o ayuda de cámara, que era un puesto más bien humilde pero también de cierta confianza, pues tenía que estar presente al acostarse y levantarse su señor o, a su vera, mientras este reposaba, así como pendiente de que estuviera hecha la cama y todo en orden en su aposento.

En el palacio, había más de doscientos criados y vasallos y el ambiente era muy parecido al de una pequeña Corte, con sus intrigas, sus rivalidades y sus continuos dimes y diretes, si bien Miguel se jactaba de no saber enredar ni lisonjear, o al menos eso era lo que contaba en las cartas que le escribía a su familia, y que yo podía leer gracias a una criada de sus padres a la que había sobornado. Y es que, si uno sabe cómo tratarlos, los sirvientes pueden ser nuestros mejores cómplices: siempre tienen muchas cosas que contar y nunca están contentos con sus amos. Por ella supe también que Cervantes estaba convencido de que muy pronto ascendería y mejoraría su posición dentro de la casa. Pero bastó una carta mía dirigida al recién elegido cardenal, para sembrar las dudas y recelos y hacer que el joven camarero fuera despedido, de manera humillante, a los pocos meses de haber empezado y cuando se las prometía más felices.

De todas formas, Miguel no era de los que se rendían fácilmente o se dedicaban a lamentarse y, menos aún, a complacerse en la desgracia propia o a consolarse con la ajena, sino de aquellos que pensaban que, cuando una puerta se cerraba, otra no tardaría en abrirse. A falta de algo mejor que hacer, vagó durante un tiempo por Roma y otras ciudades cercanas empapándose de su vida y de su arte; aprendió con interés la lengua toscana, devoró con placer sus libros, visitó con arrobo sus templos y admiró la grandeza de sus ruinas. Para ganarse la vida, prestaba pequeños servicios a diversos poderosos que había conocido por mediación de los amigos italianos de su padre y de su hermana. Después pasó al reino de Nápoles, cuyo territorio abarcaba toda la mitad sur de la península itálica, donde, según le escribió a un amigo, se encontraba como en su casa e, incluso, mejor que en ella, hasta que, de repente, se alistó como soldado en la compañía de Diego de Urbina, perteneciente al Tercio de Miguel de Moncada, la misma en la que, por cierto, estaba su hermano Rodrigo.

Ignoro todavía cuáles fueron las verdaderas razones que lo llevaron a servir a un rey por el que no sentía la menor simpatía y a defender con las armas una religión que probablemente no era la de sus antepasados o que, en todo caso, no practicaba como se debía. Tampoco creo que fuera el hambre, pues, como ya había demostrado de sobra, sabía buscarse los garbanzos, mientras que en el ejército no se comía bien y se cobraba tarde, mal y nunca. De modo que lo más seguro es que, en su repentina decisión, pesara mucho su anhelo de aventuras y de emular a su admirado Garcilaso de la Vega, que, al tiempo que gran poeta, había sido valeroso soldado. Y, ya que de momento no podía conseguir la gloria con la pluma, querría intentarlo con las armas; de esta forma, podría también lavar su culpa y obtener el perdón por lo que me había hecho. Su alistamiento coincidió, además, con la constitución de la llamada Liga Santa y Perpetua contra el Turco y sus reinos tributarios —Argel, Túnez y Trípoli—, que fue fruto de un acuerdo del rey de España con la Santa Sede y Venecia, para hacer frente, de una vez por todas, al enorme poder del Imperio turco, bajo el mando de don Juan de Austria.

Concretamente, Cervantes formaba parte de una compañía de arcabuceros encargados de combatir en mar y en tierra, si fuera necesario. Habría que haberlo visto vestido de papagayo —que era como llamaba la gente a los soldados españoles, debido a su abigarrado uniforme—, con su coleto acuchillado, el arcabuz al hombro y la espada al cinto, decidido a ser un héroe, algo que yo no estaba dispuesto a consentir. De modo que, a través de un conocido, conseguí contactar con La Gamurra, una fraternidad de malhechores de la ciudad de Nápoles que había surgido a imitación de La Garduña española.

Esta última era una germanía o hermandad secreta y criminal que se dedicaba a llevar a cabo toda clase de delitos en el reino de Castilla y otros reinos de la Corona española. Nacida en la ciudad de Toledo hacía más de cien años, poco a poco se había ido extendiendo por otras ciudades importantes, como Madrid y Sevilla, y, más tarde, bajo otro nombre y con otros intereses, por el reino de Nápoles, de la mano de algunos miembros de La Garduña huidos de la justicia y refugiados en esa gran ciudad portuaria. Por medio de La Gamurra, que era como allí se llamaba la hermandad, logré sobornar a un soldado de la misma compañía que Cervantes, al que ofrecí una buena suma por espiarlo y dejarlo fuera de combate antes de que se iniciara la batalla, para que así no pudiera participar en ella.

Pocos días después, a mediados de septiembre de 1571, los dos partieron del puerto de Mesina en la galera *La Marquesa* —un navío rápido, de forma aguzada y, por lo tanto, hecho para el abordaje—, y, tras hacer escala en Corfú, la isla inexpugnable, se dirigieron a Lepanto, donde se guarecía la tropa turca al mando del almirante Alí Pachá. Según mi cómplice, los días previos a la confrontación Cervantes se mostraba muy contento y excitado, a diferencia de la mayor parte de los soldados que se hacinaba junto a él en la bodega; seguramente, deseaba demostrar su hombría y recuperar así su honor. Por fin, el 6 de octubre, después de pasar revista a los más de trescientos navíos de que estaba compuesta la armada cristiana, les comunicaron que a la mañana siguiente comenzaría la batalla.

Al parecer, ese día Cervantes se encontraba muy enfermo, con mucha fiebre y grandes vómitos, por haber bebido agua en mal estado, que mi cómplice, con muy buen criterio, le había ofrecido. Dada su lamentable situación, sus compañeros le sugirieron que se quedara en su camastro, en el entrepuente que servía de enfermería, hasta que todo acabara, pues no parecía estar apto para pelear. Pero él, haciendo honor a su carácter temerario, les dijo que prefería morir luchando por Dios y por la patria, antes que meterse bajo cubierta y procurar su salud. De modo que fue el primero en presentarse en el puesto que el capitán le había reservado en el lugar del esquife, en la popa de la nave, una posición especialmente expuesta y peligrosa, y más para alguien que apenas podía tenerse en pie.

Como bien conoce Vuestra Merced, la batalla duró casi toda la jornada y, al final, la ganamos nosotros, pero a costa, eso sí, de un gran número de bajas. Tan solo en *La Marquesa*, que combatió en el ala izquierda y llegó a ser abordada por los turcos, murieron cerca de cuarenta hombres —entre ellos su valeroso capitán, Francesco Sancto Pietro—, y fueron heridos más de ciento veinte. Según mi espía, el comportamiento de Cervantes en tan felicísima jornada fue valiente y ejemplar, ya que en ningún momento abandonó su puesto, a pesar de haber recibido tres arcabuzazos, dos de ellos en el pecho, uno, además, cerca del corazón, y el otro en la mano izquierda, que le quedó inservible y sin movimiento. «La pena fue que no lo mataran», exclamé yo para mí cuando me enteré, aunque luego pensé que era mucho mejor de ese modo, para que así supiera lo que significa estar lisiado, aunque, al parecer, eso a él no le afectó mucho, pues siempre tuvo sus heridas por hermosas, por haberlas cobrado, como le gustaba decir, «en la más memorable y alta ocasión que vieron los pasados siglos ni esperan ver los venideros».

Naturalmente, la noticia del triunfo en la batalla naval fue recibida con gran júbilo en toda la Cristiandad y celebrada por artistas y poetas, que enseguida la convirtieron en un gran acontecimiento y en un símbolo de nuestro poderío militar, pues con ella se había demostrado que la armada otomana ya no era invencible. De hecho, la victoria fue tan aplastante que, entre los turcos, tan solo un tal Euch Alí o Uchalí logró salir airoso y escapar de forma digna con treinta galeras, después de haberse apoderado de la capitana de Malta y haber roto el ala derecha de nuestra armada, lo que luego le valdría ser nombrado almirante. A la larga, sin embargo, la batalla de Lepanto sirvió de bien poco en la lucha contra la Sublime Puerta, que era como también se llamaba el Imperio otomano. Y es que, en lugar de aprovechar la ocasión para intentar acabar con él, la Liga Santa decidió disolverse, debido a que sus miembros tenían ya otros intereses y prioridades. Tampoco sus heridas le reportaron gran cosa a Cervantes, la verdad, salvo una libranza de veinte ducados y la felicitación personal, durante su convalecencia en Mesina, del mismísimo don Juan de Austria, que lo promovió a «soldado aventajado», con un sueldo de tres escudos de ventaja al mes. Eso fue todo, y conste que no lo digo por despecho.

Por lo visto, una vez recuperado, se reincorporó al servicio en Calabria. Para entonces, la Liga Santa ya había desaparecido. Aun así, llegó a participar en varias campañas, entre ellas la defensa de Túnez y del presidio o fuerte de La Goleta, en 1574, a las órdenes directas de don Juan de Austria, que había conquistado de forma valerosa dicha plaza el año anterior. Hacía, por cierto, cuatro décadas que el propio Garcilaso de la Vega había participado en una campaña en el mismo sitio, a las órdenes del marqués del Vasto, dentro de la cruzada de Carlos V contra Barbarroja, aunque con un resultado bien distinto. En aquella contienda, resultaron vencedores los cristianos, si bien el poeta toledano recibió dos lanzadas, una en el brazo derecho y otra en la boca, que le ocasionó una ligera alteración en la pronunciación, algo así como un leve tartamudeo, un detalle que a Cervantes, claro está, le complacía mucho. Sin embargo, en esta nueva ocasión, las ruinas de Cartago fueron testigo mudo de la derrota española, a manos de Euch Alí, el nuevo almirante de la flota otomana —al que volveremos a encontrarnos más adelante—; con lo que cayó Túnez, se perdió La Goleta y el lugar quedó de nuevo bajo el dominio turco. Durante la batalla, además, varios miles de cristianos fueron pasados a cuchillo, y el resto huyó como pudo; se llegó a decir, incluso, que algunos desertaron y se organizaron en bandas de asaltantes y malhechores. Cervantes, por su parte, quedó indemne, pero salió vencido, algo que, en un principio, le costó mucho asumir. No todo iba a ser ganar.

Según me contó mi informante, tras una breve estancia en Palermo para recuperar el ánimo perdido, nuestro hombre volvió a su amada Nápoles, donde pasó cerca de un año, un tiempo que luego añoraría y con el que soñaría el resto de su existencia, de lo que cabe deducir que, para mi desgracia, fue la época más dichosa de su vida, tan rica en tribulaciones y adversidades gracias a mí. No por casualidad fue el momento en el que más cerca estuvo de su admirado Garcilaso, que allí había vivido también cuarenta años antes —entre junio de 1533 y agosto de 1534—, como lugarteniente de la compañía de gente de armas del virrey de Nápoles. Al igual que el famoso poeta toledano, Cervantes pudo entrar allí en contacto con la cuna de la *Rinascitá* y beber directamente de las fuentes italianas, que tanta huella dejaron en él, junto a los grandes maestros de la Antigüedad grecolatina; además de poesía, me consta que, en ese período, leyó *La Arcadia* de Sannazaro y se hizo muy aficionado a las *novellas* italianas. Seducido por el esplendor de la Corte napolitana, frecuentó también los círculos de humanistas y gentes de letras y cultivó la amistad de algunos gentilhombres. Y si Garcilaso tuvo amores con una *bella donna* napolitana llamada Catalina Sanseverino, cuya figura aparece en algunos de sus poemas y de la que tuvo un hijo no reconocido, Cervantes haría lo propio con una tal Silena, que le alegraba sus días italianos y a la que no tardó en dejar embarazada.

Silena se llamaba en realidad Simonetta Bonardi, una mujer de aspecto candoroso cuyo único defecto era que estaba casada con un rico comerciante de la ciudad, al que engañaba cada vez que él salía de viaje y al que, incluso, había logrado convencer de que el hijo que esperaba era suyo. De modo que, mientras yo sufría como un condenado, el muy bellaco se dedicaba a disfrutar de los pequeños placeres de la *dolce vita* italiana, pues lo único que hacía era leer, escribir, pasear, contemplar edificios, asistir a alguna academia, dejarse caer por ciertas fiestas y visitar a su amada en su propia casa siempre que podía. Ella, cada dos por tres, le regalaba ropa, joyas, libros... y, encima, le daba dinero para sus gastos. Él, a cambio, le escribía poemas amorosos que luego le enviaba o le susurraba al oído en el lecho.

Todo esto lo fui sabiendo gracias a las cartas del antiguo compañero de milicia de Cervantes, que seguía trabajando como espía a mi servicio, y no hace falta que diga que tales noticias no me hacían muy feliz; de hecho, me subía por las paredes y me mesaba las barbas cada vez que recibía una misiva suya. Así es que, con ayuda de La Gamurra, puse en marcha un plan para tratar de que todo eso acabara. Una noche, mientras Cervantes visitaba a su amiga, un grupo de *floreadores* o ladrones entró en su cámara, en la fonda en la que se alojaba, y se llevó todas las cartas y poemas que allí se encontraban, así como el dinero y las joyas, que luego se repartieron entre ellos. Pero lo mejor fue que, al día siguiente, cuando se disponía a acudir a su cita, varios *punteadores* o matones le salieron al encuentro para darle una buena paliza y dejarlo tirado en la calle. Mientras eso ocurría, otro grupo de malhechores entraba en casa de Silena, con el fin de amenazarla con revelar a su marido sus relaciones secretas, así como el nombre del verdadero padre de su hijo, si no le enviaba una carta a su galán diciéndole que ya no lo quería y que no deseaba volver a verlo nunca más, pues ahora tenía otro amante, que, además de ser más apuesto y agraciado, la satisfacía mucho mejor que él, cosa que ella hizo a regañadientes, pero sin apenas protestar.

Ni que decir tiene que esto último fue un duro golpe para Cervantes, que se sintió engañado y ofendido por su amada sin razón, como escribirá, muchos años después, en su *Viaje del Parnaso*. En cuanto a los poemas que le robaron, debo decir que la mayoría estaban dedicados a Silena. Y, como cabía esperar en él, estos no eran particularmente buenos, pero estoy seguro de que, si entonces no los hubiera hecho desaparecer, hoy estarían entre lo mejor de su obra en verso. En ellos se creía el nuevo Garcilaso: una mezcla de poeta encendido, amante entregado y soldado heroico; de ahí que su tono fuera, por lo general, exaltado y exultante y que continuamente le diera gracias a los cielos, por haberlo conducido hasta Nápoles y a los brazos de Silena, cuando en realidad debería habérmelas dado a mí, aunque maldita la gracia que ello me hacía, como ya puede imaginarse Vuestra Merced.

Si era cierto lo que en sus versos se decía, cosa que no siempre podía asegurarse, pues por mi experiencia sé que todos los poetas fingen hasta cuando dicen la verdad, Cervantes había conocido a Silena en una iglesia a la que había acudido para ver de cerca una pintura, una Madonna muy alabada, y resultó que, entre las feligresas, había una que le pareció aún más radiante y angelical que la Virgen pintada en el cuadro. A la salida, la había seguido hasta su calle, donde pudo averiguar quién era, y también que estaba casada, cosa que, desde luego, no lo detuvo. Días más tarde, le hizo llegar una carta a través de una de las criadas, pues, como ya he dicho, siempre hay alguna dispuesta a dejarse comprar, aunque ello signifique la perdición de su ama. En la misiva, le contaba cómo se había visto deslumbrado por su gran belleza cuando entró en el templo y, en lugar de una Madonna, se había encontrado con una diosa del amor. ¡Así decía, el muy blasfemo!

Al parecer, ella en un principio lo había rechazado, pero al final le había franqueado la puerta de su *sancta sanctorum*, hasta entonces tan solo accesible, que se sepa, para su marido. A partir de ahí, se alternaban la dicha de sus esporádicos encuentros con la tristeza por tener que vivir separados. Asimismo, había algunos poemas dedicados al hijo que habría de nacer, que él imaginaba como un varón, al que algún día esperaba ver reconocido como suyo y al que, en secreto, llamaba Promontorio, un nombre, por lo visto, muy frecuente en la ciudad. Pero, ay, todos esos sueños terminaron de la noche a la mañana cuando Cervantes recibió la mencionada carta de Silena, que lo dejó, durante unos días, completamente trastornado y sin ganas de vivir.

VII

En ese momento, en el reino de Nápoles, las tropas españolas permanecían ociosas y a la espera de que fueran movilizadas para participar en alguna campaña. Sin embargo, el rey parecía haberse olvidado de esa parte de sus dominios, para concentrarse en los heréticos Países Bajos. De modo que es comprensible que Cervantes, frustrado y con el corazón desgarrado, decidiera abandonar el que, hasta hacía bien poco, había sido su paraíso particular, para regresar a España en compañía de su hermano Rodrigo y volver con el resto de su añorada familia. Justo antes de partir, consiguió algunas cartas de recomendación del duque de Sessa y del mismísimo don Juan de Austria, con la intención de hacerlas valer en España para solicitar el grado de capitán sin tener que pasar por el escalafón o, en todo caso, algún empleo en la Corte como servidor del rey, en pago de los muchos servicios prestados a la Corona, y, de esta forma, dejar sin efecto los cargos que aún pesaban sobre él y tanto me pesaban a mí. Pero la fortuna quiso que, una vez más, su destino se torciera y las cosas no salieran como él las tenía planeadas, sino muy al revés.

Y es que el Mediterráneo volvía a ser un mar peligroso. El motivo era que, tras la disolución de la Liga Santa, la República de Venecia había firmado, por su cuenta y por razones estrictamente comerciales, un tratado de paz con el Imperio otomano. Esto había permitido que los turcos pudieran fortalecerse de nuevo y que los reinos berberiscos tutelados por ellos, como el de Argel o el de Túnez, volvieran a controlar el Mare Nostrum, ahora más bien *suyo*. De modo que sus corsarios reemprendieron, una vez más, sus correrías a lo largo de las costas bañadas por este, saqueando territorios, abordando barcos y apoderándose de toda clase de bienes y personas, que enseguida trasladaban a sus correspondientes guaridas africanas. Con este fin, sus embarcaciones solían ser pequeñas y ligeras, aunque con poderosas velas, lo que les permitía moverse con gran celeridad, sembrando el terror en aquellas naves que tenían la desgracia de cruzarse con ellos. Si era de noche, navegaban a oscuras y en silencio, con el fin de sorprender a sus víctimas en pleno sueño y echarse sobre ellas como un ave de rapiña; y, si el viento no soplaba, obligaban entonces a sus galeotes a remar con tanta fuerza que muchos morían de agotamiento y, luego, eran arrojados al agua sin ningún tipo de ceremonia.

El caso es que en septiembre de 1575, pocos días antes de que Cervantes cumpliera veintiocho años, la galera en la que viajaba junto a su hermano, llamada *Sol*, fue capturada frente a las costas de Cataluña por una partida de piratas berberiscos, al mando de un renegado llamado Arnaut Mamí, que los condujo de inmediato a Argel. Según la *Topografía e historia general de Argel*, escrita por el erudito Antonio de Sosa durante su cautiverio y publicada hace muy poco bajo el nombre de fray Diego de Haedo, esta ciudad —vista desde el barco— era un conjunto abigarrado de casas blancas escalonadas sobre el mar. Sus calles eran estrechas y empinadas y formaban una especie de triángulo, bañado por un cielo siempre resplandeciente, en el que se veían numerosas mezquitas, edificios civiles y un animado zoco cerca del puerto. Naturalmente, estaba rodeada por una sólida muralla con muchos torreones. Y, sin duda, lo que más destacaba era la Casba o ciudadela y el palacio de Djenina, con su fanal de oro sobre el tejado, que, además de residencia del rey —allí llamado *aga, bey* o *bahá*—, era la sede del gobierno y el lugar en el que se impartía justicia. En su conjunto, estaba poblada por unos sesenta mil habitantes, a los que había que añadir más de veinticinco mil cautivos, algunos de ellos prisioneros de guerra, pero en su mayoría procedentes de los asaltos de los piratas berberiscos a las naves y costas cristianas.

Muy cerca de la orilla, había un peñón fortificado que, hasta no hacía mucho, había estado en manos españolas. Al parecer fue Jain-ben-Eddin, el célebre Jeredín Barbarroja, un cristiano renegado, quien, en su momento, lo conquistó y quien mandó luego construir un dique hasta tierra firme, creando así un puerto seguro que sirviera de base principal para los corsarios que operaban en el Mediterráneo. Eso explica que, desde entonces, los reyes de Argel controlaran el gran negocio de la piratería, apoyados por los regimientos de jenízaros del sultán, una milicia escogida y entrenada bajo una férrea disciplina que llamaba la atención con sus largos faldones y su inmenso gorro con la punta inclinada hacia atrás. En realidad, se trataba de reyes arrendatarios; de ahí que, todos los meses, tuvieran que enviar a Estambul un buen porcentaje de sus ganancias. Estos eran, por lo general, cristianos renegados, también llamados turcos de profesión, y raro era el que no llegaba luego a ocupar un alto cargo en la corte del Imperio otomano. Según parece, la mayoría había alcanzado la cima tras un período de cautiverio y la correspondiente conversión, pues entre los turcos no existía el concepto de una nobleza de sangre que impidiera el ascenso a los renegados, aunque fueran de humilde cuna; de hecho, haber nacido musulmán no solo no representaba para ellos ninguna ventaja, sino que más bien los privaba de poder obtener los puestos más elevados. En definitiva, era el mundo al revés si lo comparábamos con lo que era costumbre en nuestros reinos, lo cual da mucho que pensar.

Sea como fuere, lo importante es que en Argel se comerciaba y traficaba con toda clase de vidas y bienes robados. Se trataba, desde luego, de un mercado floreciente; de ahí la multitud de barcos que entraban y salían del puerto a diario, salvo en los meses de invierno, y muchos de ellos partían con regularidad hacia el Bósforo, cargados con sacos y cofres llenos de oro para el sultán. Por eso, cuando los piratas que atraparon a Cervantes llegaron a puerto con su presa, fueron recibidos desde tierra con salvas de honor y grandes gritos de regocijo, como si se tratara de una fiesta. Enseguida, los prisioneros fueron llevados a un lugar conocido como Batistán, donde había una plaza provista de estacas en la que se celebraba el mercado de esclavos, por lo que en ella reinaba una gran agitación. A simple vista, Cervantes pudo ver cómo allí se daban cita todo tipo de razas, religiones, naciones y lenguas, si bien entre ellos se comunicaban por medio de una especie de lengua franca, una mezcla de árabe, turco, italiano y castellano.

Al parecer, el botín se repartía entre los beneficiarios, según unas pautas y de acuerdo con unas tasas y tarifas.

De entrada, un buen pellizco de todo lo obtenido correspondía al rey, quien a su vez debía entregar una porción al sultán como pago por el arrendamiento. Una vez hecho el reparto, el pregonero anunciaba por toda la ciudad que había nuevos cautivos en venta, y, a la hora señalada, comenzaba la subasta. La mayoría eran comprados para negociar luego un buen rescate, según fuera la calidad de la persona y las posibilidades de la familia. Tras la puja correspondiente, Cervantes se convirtió en propiedad del renegado griego Dalí Mamí, apodado el Cojo, un conocido arráez o capitán corsario, que, desde el principio, lo trató con cierta cortesía. Su hermano Rodrigo fue comprado por un médico judío, para que le sirviera como ayudante en su trabajo.

En el caso de Cervantes, las cartas que portaba debieron de impresionar mucho a sus captores. Normalmente, habría sido considerado un cautivo del montón, ya que era un simple soldado y, además, lisiado, pero, al ver los nombres de los remitentes de las misivas, lo consideraron alguien de importancia y cifraron su rescate en quinientos escudos de oro, lo que, para su familia, constituía sin duda una cantidad desorbitada y, por lo tanto, hacía casi imposible su rescate. De modo que bien puede decirse que, al final, las famosas cartas no solo no le iban a servir de nada, sino que hicieron mucho más penosa y difícil su ya precaria situación, algo que a mí se me antojaba irónico y, no hace falta decirlo, me llenaba de gozo.

Mientras llegaba el rescate, la mayoría de los cautivos eran alquilados como esclavos para realizar todo tipo de trabajos por tres ducados al mes, si bien gozaban durante el día de una cierta libertad de movimientos. Pero si la redención se hacía esperar demasiado su suerte empeoraba, ya que entonces eran destinados a trabajos mucho más duros, como el de animal de carga o el de galeote, lo que hacía que enseguida perdieran su valor. Con aquellos de los que se esperaba un sustancioso pago, solían ser mucho más benévolos, al menos al principio, por la cuenta que les tenía; de ahí que, durante un tiempo, Cervantes pudiera ejercer de pendolista o amanuense para aquellos cautivos que no sabían escribir, que eran muchos. Para ello se instalaba fuera de la muralla, y allí se dedicaba a mandar y pedir noticias a los familiares y amigos de sus compañeros de desdichas. Por otra parte, tenía permiso para relacionarse con unos y con otros y hasta trabar amistad con algunos prisioneros ilustres, como el mencionado Antonio de Sosa, cuyo libro me ha sido de gran utilidad, pues en él habla mucho y, como era de esperar, muy elogiosamente de Miguel de Cervantes. Al parecer, ambos solían departir durante largas horas sobre todo tipo de cuestiones relativas a la ciudad, lo que enseguida le permitió familiarizarse con los usos y costumbres de la misma y entrar en relación con personas muy destacadas de Argel.

Cuando llegaba la noche, nuestro hombre era recluido con los demás en una especie de prisión llamada *baño*. Se trataba de un edificio o cobertizo de tres plantas de forma cuadrada en torno a un patio con una fuente y diversos aposentos abiertos alrededor. En todos ellos se respiraba un aire húmedo y enrarecido, y lo único que allí se veía era un montón de paja en el suelo y argollas en las paredes, pues la mayoría estaban cargados de grilletes y cadenas. En el *baño* convivían los cautivos que eran propiedad del rey y los que pertenecían a algunos particulares, así como los llamados de almacén o del concejo, que estaban al servicio de la ciudad en las obras públicas y en otros oficios. El primer día eran despojados de sus ropas y pertenencias, y recibían a cambio una burda camisa, un tosco pantalón, una especie de caftán que llegaba hasta las rodillas, un par de chancletas y un gorro rojo, más una manta de lana por todo equipamiento. Los feroces guardias que los vigilaban vestían, por su parte, largos mantos verdes, turbantes blancos y chancletas forradas de hierro, lo que les daba un aire un tanto siniestro.

Los rescates eran llevados a cabo por los frailes redentoristas, trinitarios y mercedarios, que, comisionados por el llamado Consejo de la Cruzada, servían de intermediarios y mensajeros entre los cautivos y sus familias, hasta que estas obtenían el dinero suficiente para liberarlos, lo que no siempre resultaba factible. Estos se movían libremente entre administradores y esclavos negociando los rescates, y se ocupaban también de la correspondencia de los cautivos con sus familias, de la que, en buena medida, como he dicho, solía encargarse Cervantes. Fue, precisamente, a través de varios de estos hermanos tan piadosos, como me enteré en Madrid de la verdadera situación en la que se encontraba nuestro hombre, pues en las cartas que él les mandaba a sus padres omitía la mayor parte de los detalles para no alarmarlos.

Por los frailes supe también que, como no confiaba en que su familia pudiera reunir la cantidad necesaria para su rescate, se había hecho el propósito, desde un principio, de escapar como fuera de ese pequeño infierno y recuperar así el bien más preciado y deseado de todos, que para él no era otro que la libertad. Por desgracia, intentar huir era el mayor de los crímenes que podía cometer en Argel un cautivo cristiano, y, para recordárselo, ahí estaban los ganchos que había al otro lado de las murallas, junto a las puertas de la ciudad, adornados permanentemente con las cabezas de aquellos prófugos que habían sido detenidos en su intento de huida, lo que, como es lógico, causaba gran espanto entre los recién llegados. Pero esto, como era de esperar, no consiguió disuadir a Cervantes.

Su primer intento tuvo lugar pocos meses después de su llegada; en él participaron también su hermano, varios compañeros de armas y un cómplice moro que, a cambio de dinero, había aceptado acompañarlos por tierra hasta el presidio o plaza fuerte de Orán, que, desde hacía varias décadas, formaba parte de la Corona española y que ahora se había convertido en una especie de islote olvidado en medio de los territorios enemigos del norte de África. Allí estaba la frontera terrestre entre la Cristiandad y el Islam, el único baluarte defensivo que impedía los progresos del Imperio otomano hacia tierras de Marruecos. Hacía unos diez años el corsario Barbarroja había intentado por todos los medios expulsar a los españoles de allí, pero no lo había conseguido, por lo que Orán adquirió fama de territorio inexpugnable, si bien la realidad era muy distinta, como más tarde veremos.

Desde Argel, habría bastado un día de navegación para llegar a Orán, pero era invierno y, además, la costa estaba muy vigilada, por lo que la única opción era ir por tierra, dando un gran rodeo, ya que, por razones de seguridad, primero tenían que internarse hacia el sur y luego volver de nuevo en dirección al mar, lo que significaba unas tres semanas de recorrido a través de parajes desérticos en los que era muy fácil perderse y perecer de hambre y sed o morir a manos de alguna tribu enemiga. De ahí la necesidad de un guía que conociera bien la ruta y, sobre todo, la ubicación de los oasis que podían encontrarse en ella. Por desgracia, el moro los abandonó a su suerte, después de robarles, cuando apenas llevaban recorrido un tercio del camino; de modo que no pudieron concluir la fuga y, al final, tuvieron que regresar a Argel.

Cuando los interrogaron, Miguel se responsabilizó totalmente de la misma, lo que causó la admiración de sus captores e hizo que adquiriera fama de hombre valiente y gallardo entre los cristianos. El caso es que, en lugar de empalarlo y colocar su cabeza en un gancho, como era habitual en tales circunstancias, lo castigaron con trescientos latigazos, lo que sin duda podía haberle ocasionado la muerte. Pero su amo no permitió que la pena se ejecutara, algo que sorprendió y dejó suspenso a todo el mundo. Por lo visto, Cervantes se había ganado el respeto de Dalí Mamí, a pesar de que este tenía fama de tener el corazón tan duro como un pedernal; de hecho, no hacía más que favorecerlo. Incluso, trató de convencerlo para que se convirtiera en renegado o turco de profesión y así poder hacerse rico como él. Sin embargo, nuestro hombre, muy digno, se negó siquiera a considerarlo. Parece que lo estoy viendo.

—Deberíais tener en cuenta —insistiría Dalí Mamí— que más de la mitad de los cautivos cristianos reniegan de su fe aquí en Argel; de hecho, la mayoría de los corsarios son conversos de todas las naciones y los que viven en la ciudad son más que la suma de moros, turcos y judíos.

—También en España la mayoría de los moriscos son conversos o tornadizos —replicaría él.

—Pero allí lo hacen forzados.

—Y aquí por la fuerza de la necesidad.

—Yo más bien diría de la ambición —puntualizaría el otro—, pues una buena parte se convierten para tratar de obtener ventajas, cargos y prebendas de todo tipo, ya que nuestras leyes lo permiten.

—En todo caso —concluiría Cervantes—, prefiero ser esclavo, antes que perder mis raíces y ser repudiado por mi familia.

—Eso dices ahora —le advertiría, entonces, Dalí Mamí—, pero ya veremos lo que piensas dentro de unos meses.

—Es más fácil que un camello pase por el ojo de una aguja —anunciaría, por ejemplo, Cervantes con mucha sorna— que yo cambie de opinión a este respecto.

Como castigo por su negativa, su amo mandó que esa noche lo encadenaran a una de las argollas que había en los muros del *baño*. Pero, a los pocos días, ordenó que lo soltaran y lo dejaran moverse libremente por el interior de la ciudad, con la advertencia, eso sí, de que la próxima vez que intentara escaparse lo pagaría con su propia vida.

Sin embargo, esta amenaza no impidió que Cervantes volviera a arriesgarse al año siguiente, aprovechando que su hermano Rodrigo acababa de ser rescatado. Una vez llegó a Cartagena, este le envió una fragata para que pudieran embarcar en un lugar muy concreto, tal y como habían convenido. Cervantes, por su parte, fue reuniendo en una cueva, situada en los jardines del palacio del alcaide, muy cerca de la costa, a unos quince cautivos. Pero el barco no pudo recalar en el sitio acordado por haber sido avistado desde tierra por una patrulla de jenízaros. Esto hizo que al final los cautivos fueran delatados por uno de los cómplices de Cervantes, un joven florentino apodado el Dorador, que decidió aprovechar la circunstancia para traicionarlos y hacerse turco.

Después de su detención, los fugados fueron conducidos al palacio de Djenina para ser interrogados por el nuevo rey de Argel, el renegado Hasán Bajá o Hasán el Veneciano, apodado así por ser Venecia su lugar de origen, aunque su verdadero nombre era Andretta Celesti. Al parecer, había sido hecho cautivo de niño y, con el tiempo, se había convertido en un renegado o turco de profesión, lo que le había permitido llegar a ser uno de los corsarios más ricos y poderosos de entonces, y también uno de los más crueles y sanguinarios, todo hay que decirlo; entre otras cosas, se contaba que sus métodos de tortura eran lentos y minuciosos, y, por lo general, muy eficaces, por lo que tenía aterrorizados a los cautivos.

Como acababa de tomar posesión de su cargo, Hasán había decidido ocuparse personalmente del asunto. De modo que se presentó ante ellos con ánimo de dar escarmiento. Al parecer, era alto de cuerpo, flaco de carnes, con el pelo castaño, la nariz larga y afilada, los ojos grandes, encendidos y encarnizados, la boca delgada, la barba escasa y la piel cetrina, aspecto que ya de por sí causaba terror a los detenidos, aunque no a todos. Antes de que diera comienzo el interrogatorio, Cervantes pidió permiso para hablar. Hasán, sorprendido, le preguntó que quién le había dado la venia para intervenir. Y nuestro hombre le replicó con tranquilidad que eso era justamente lo que él había pedido. Satisfecho con la respuesta, el rey lo invitó con un gesto a que dijera lo que tuviera que decir. Cervantes declaró, entonces, que, en su opinión, no hacía falta hacer averiguaciones sobre el caso, ya que él era el único responsable del intento de fuga, y, para demostrarlo, aportó toda clase de argumentos y detalles. Admirado por el coraje, la gallardía y la fortaleza de ánimo del esclavo, el rey le pidió a Dalí Mamí que, como dueño y señor del cautivo, le informara de quién se trataba. Este le dijo que, a juzgar por unas cartas que portaba en el momento de ser apresado y por su comportamiento posterior, era persona de importancia y de mucha alcurnia.

El caso es que, contra todo pronóstico, y a pesar de las muchas pruebas que el propio Cervantes había aportado, Hasán Bajá le perdonó la vida. El resto de los detenidos fueron condenados a realizar algunos trabajos para la ciudad. El único que, al parecer, fue castigado con dureza fue un tal Juan de Navarra, un cautivo que trabajaba como jardinero en el palacio del alcaide, que fue colgado por un pie hasta ahogarse en su propia sangre, por haber permitido que los fugados se escondieran en la cueva. Nuestro hombre fue tan solo confinado, durante cinco meses, en el *baño* del rey, naturalmente a pan y agua y con cadenas y grillos. Al principio, eso sí, Hasán lo amenazó con torturas terribles e incluso con una falsa ejecución, para ver si así se apaciguaban sus ansias de evadirse. Pero pronto lo dejó libre, por razones que luego le explicaré a Vuestra Merced, pues me parecen de gran importancia.

VIII

Por los benditos frailes trinitarios me informé por casualidad de que, por esas fechas, había ido a parar a Argel un sujeto de la peor calaña, capturado por los piratas cuando volvía de Roma, donde había residido durante algún tiempo. Se trataba de Juan Blanco de Paz, un monje dominico natural de Montemolín, en Extremadura, que años atrás había profesado en el convento de San Esteban en Salamanca, de donde no tardó en ser expulsado por su mal comportamiento y su carácter pendenciero. Se decía que era de ascendencia judía o morisca o, incluso, de una mezcla de ambas, vaya Vuestra Merced a saber por qué. Pero él presumía de ser comisario del Santo Oficio de la Inquisición en Llerena, lo que hizo que su rescate fuera tasado en mil escudos.

Al parecer, era feo y corpulento, con la tez amarillenta y una mirada torva que enseguida provocaba una profunda repulsión, lo que lo hizo acreedor del sobrenombre del Hediondo. De modo que es natural que pronto adquiriera fama de rencoroso, mezquino, colérico y mentiroso, capaz, por tanto, de todo tipo de bajezas y triquiñuelas para obtener lo que quería; incluso, se contaba que había pretendido ejercer de inquisidor en Argel, sin tener ninguna autoridad ni menos aún competencia para ello. Todo esto lo convertía en el cómplice perfecto para mis intereses. Así es que, a través de una carta, me ofrecí a rescatarlo en un tiempo prudencial si él, a cambio, se brindaba a hacerle la vida imposible a Miguel de Cervantes, a lo que accedió de muy buen grado, y seguramente lo habría hecho gratis, tal era la inquina que sentía contra el género humano, y, sobre todo, contra los que eran valientes y honestos, a los que no tardaba en mostrar un odio cerval.

A partir de ese momento, Blanco de Paz se dedicó, pues, a acechar cualquier ocasión que le diera la oportunidad de perder a Cervantes y arruinar su buen nombre; de ahí que a nadie le sorprendiera que su tercer intento de fuga fracasara antes de ponerse en marcha. Este tuvo lugar en 1578. El plan consistía en enviar a un moro con cartas dirigidas a don Martín de Córdoba, gobernador de Orán, y a otras personas principales de esa plaza fuerte; en ellas les pedían que mandaran a alguien que pudiera ayudarlos a evadirse. Sin embargo, el moro fue apresado poco antes de llegar a su destino y devuelto de inmediato a Argel, donde el rey lo hizo empalar. Asimismo, ordenó que a Cervantes le dieran nada menos que dos mil palos. Pero, una vez más, el castigo no se cumplió.

Según Blanco de Paz, ello se debió a que Cervantes tuvo buenos terceros que lo favorecieron o ayudaron. Con ello se refería a sus posibles conexiones con uno de los principales personajes de la ciudad, un tal Agi Morato, un renegado esclavonio muy rico e influyente en los medios cortesanos de Estambul. De hecho, además de ser el principal alcaide de Argel, ejercía de emisario del

Gran Turco en ocasiones señaladas. Según parece, llevaba años intentando mantener contactos secretos con la Corona española a través de comerciantes valencianos, de un fraile redentor e, incluso, del gobernador de Orán, y tenía muy buenas relaciones con el rey de Fez, Abdelmelec, con quien había logrado casar a una de sus hijas, que, algún tiempo después, una vez muerto este, se uniría en matrimonio con Hasán el Veneciano. Por lo visto, el objetivo principal de Morato era impedir cualquier tipo de alianza o acuerdo entre el reino de Fez y la Corona española, pues ello supondría un serio problema para los intereses turcos en la región; y, para lograr este fin, podría haber contado con nuestro hombre como uno de sus informantes.

Sea como fuere, este prosiguió con sus intentos de fuga. El cuarto y último tuvo lugar en septiembre de 1579. En este caso, logró convencer a un comerciante valenciano llamado Onofre Exarque de que pusiera a su disposición una embarcación con capacidad para sesenta pasajeros, lo que implicaba un grave riesgo para su vida y sus bienes, pues los mercaderes establecidos en Argel tenían prohibido prestar cualquier tipo de ayuda a los esclavos. Procedente de Cartagena, la embarcación debía anclar en el cabo Malifu, a cinco horas de Argel. La fecha convenida para la huida era el último día del mes de Ramadán, que ese año coincidía casi exactamente con el de septiembre del calendario cristiano, justo cuando llegara la noche y comenzara la fiesta con la que terminaba el mes de ayuno. En ese momento, los convocados deberían separarse de sus respectivos grupos y reunirse con los demás compañeros a una hora de camino, en la orilla izquierda del Harrash. Por supuesto, Cervantes sería el encargado de dar el día antes la consigna para que todo se pusiera en marcha. Pero esa hora no llegó, pues Blanco de Paz envió a un renegado florentino para que informara, de su parte, a Hasán Bajá del intento de evasión. Según me dijo en una carta, el premio recibido por su traición fue un escudo de oro y una olla de manteca, lo que resultó muy ofensivo para él, pues ese tipo de delaciones las hacía *motu proprio,* sin esperar nada a cambio, y menos un regalo tan ruin.

Una vez abortada la fuga, Cervantes fue de nuevo interrogado personalmente por el propio rey, que, por lo visto, quedó una vez más impresionado por su cautivo, ya que este demostró no solo mucha gallardía, sino también un gran sentido del humor en medio de tan terribles circunstancias, hasta el punto de que había conseguido desarmarlo con un ataque de risa, y eso era algo que él sabía apreciar muy bien. Según parece, Hasán le había ordenado, bajo amenaza de tortura, que le dijera los nombres de los sesenta cautivos que iban a fugarse con él en el barco. Y Cervantes se había puesto de repente a recitar los de los personajes de los libros de caballerías que él había leído a lo largo de su vida, que, por lo general, eran bastante rebuscados, ridículos y altisonantes, como por ejemplo:

—Amadís de Gaula, Lisuarte de Grecia, Amadís de Grecia, Palmerín de Inglaterra, Palmerín de Oliva, Duardos de Bretaña, Renaldos de Montalbán, Belianís de Grecia, Tristán de Leonís, Cirongilio de Tracia, Felixmarte de Hircania, Olivante de Laura, Clarián de Landanís, Florisel de Niquea, Tablante de Ricamonte, Tirante el Blanco...

Y hete aquí que al corsario más feroz y cruel de toda Berbería, en lugar de encolerizarse, como era habitual en él, soltó de pronto tales carcajadas que, poco a poco, fue contagiándoselas a todos los que allí estaban, incluidos los verdugos y algunos jenízaros de su guardia personal.

—Eso ha sido muy ingenioso, la verdad —reconoció Hasán con admiración y en un perfecto castellano, cuando pudo parar de reír—. Estoy seguro de que llegarás lejos, si logras salir con bien de aquí, claro está —le auguró—. De modo que no te confíes demasiado.

El caso es que, una vez más, el rey decidió perdonarle la vida. Pero lo más sorprendente es que, en esta ocasión, le compró el esclavo a Dalí Mamí por el precio que este había establecido. Después lo hizo encerrar, durante un tiempo, en una especie de jaula que se encontraba en el patio del palacio de Djenina, atado con una cadena de plata, como si fuera un animal exótico. «Mi querido leopardo», lo llamaba, de hecho, Hasán delante de las visitas, con un tono un tanto equívoco. En los días que allí estuvo, Cervantes fue testigo privilegiado de la vida en el palacio: las ceremonias, las reuniones, las fiestas, las recepciones, las corrupciones, pero también las sesiones judiciales, las torturas y las ejecuciones, sin perderse un detalle. El rey tan solo lo dejaba salir, de vez en cuando, para que pudiera asearse un poco y charlar con él, pues lo tenía por persona discreta y entretenida.

Hasta que un día, cuando Hasán debió de considerar que la fruta estaba ya madura, él mismo lo sacó de la jaula y lo alojó en una de las habitaciones del palacio; vigilado por dos jenízaros y sin contacto con nadie, como si fuera la princesa preferida del serrallo. Naturalmente, Blanco de Paz trató de averiguar qué pasó durante el tiempo en que Cervantes permaneció encerrado dentro del palacio de Djenina, y, para ello, tuvo que sobornar a algunos criados. Según me contó en otra de sus misivas, uno de estos sirvientes le había confesado que nuestro hombre vivía a cuerpo de rey, nunca mejor dicho, y rodeado de concubinas. Otro, sin embargo, le comentó que había sido torturado con crueldad, durante varias semanas, hasta que consintió en apostatar o abjurar de su fe cristiana y hacerse musulmán, con lo que logró al final salvar su vida, aunque fuera a costa de su alma.

Al parecer, su adhesión al Islam habría tenido lugar en una de las cámaras privadas del palacio y habría consistido en una ceremonia muy sencilla. En ella Cervantes, con el índice de su mano derecha levantado hacia el cielo, habría pronunciado estas sencilla palabras: *La ilaha illah Allah Mohammed rezud Allah*, lo que traducido al castellano quiere decir: «No hay más Dios que Alá y Mahoma es su profeta.» Acto seguido, le afeitarían completamente la cabeza y le trocarían sus ropas de prisionero por un traje de turco, que constaba de un calzón y una camisa de color blanco, un chaleco estrecho de terciopelo verde y, encima de este, un caftán con mangas hasta los codos y un cinturón de seda, unos borceguíes de cuero amarillos y un birrete rojo, que a veces sustituiría por un turbante. Según el criado, no fue necesario circuncidarlo —que solía ser la parte que más angustiaba a los que querían hacerse musulmanes—, puesto que al parecer ya lo estaba, lo que vino a confirmar mis sospechas sobre sus oscuros orígenes. Sobre si fue o no fue educado luego en la doctrina y las prácticas del Corán, nada se decía en la carta de Blanco de Paz, pero parece ser que algunos hallazgos posteriores lo llevaron a sospechar que sí.

Curiosamente, cuando Cervantes salió por fin del palacio y fue enviado de nuevo al *baño* del rey, su pelo había vuelto a crecer y vestía otra vez las mismas ropas de siempre, solo que convertidas ya en harapos. A su llegada fue recibido como un héroe por los demás cautivos, con aplausos, vítores y abrazos. Casi sin proponérselo, se había convertido, para ellos, en un auténtico hombre de honor, un caballero, no un hidalgo de sangre, solar, privilegio o ejecutoria, sino un hijo de sus virtudes y sus obras, alguien que se había hecho célebre por su valor y sus hazañas, en medio de las circunstancias más adversas y hostiles.

Por supuesto, esto hacía que a Blanco de Paz se lo llevaran los demonios —y a mí con él—, pues se daba cuenta de que, en lugar de acabar con la reputación de Cervantes, lo único que había conseguido con sus denuncias y revelaciones era aumentar más la fama y el prestigio de su principal enemigo. Desde su oscuro rincón, no daba crédito a lo que le mostraban sus ojos. Era como si todos, menos él, se hubieran vuelto locos. Así es que no veía la hora de desenmascararlo y hundirlo para siempre en la ignominia; de ahí que, a partir de entonces, se dedicara a expandir sobre él todo tipo de imputaciones y calumnias. Lo acusaba, en primer lugar, de graves ofensas contra la fe católica y de practicar la religión del Profeta, y, por lo tanto, de apostasía, lo que daría razón de su continuo trato y familiaridad con los musulmanes. Y, a este respecto, decía haberlo visto salir de una mezquita con varios infieles o rezar arrodillado sobre una pequeña alfombra en dirección a La Meca.

No conforme con eso, Blanco de Paz lo culpaba también de lascivia y toda clase de deshonestidades, incluida la sodomía, pecado nefando que en el reino de Castilla estaba castigado con la hoguera, si bien es cierto que con los poderosos y de buena familia se hacía la vista gorda. En Argel, sin embargo, estas prácticas eran frecuentes, sobre todo con muchachos o garzones, por parte de algunos turcos y renegados, que, con frecuencia, las utilizaban como forma de sometimiento y de poder sobre los esclavos; de ahí que, entre los cristianos, esta ciudad se considerara tierra de escándalo, como una especie de Sodoma o nueva Babilonia. Sobre Cervantes, Blanco de Paz aseguraba en concreto que había mantenido relaciones nefandas con Hasán Bajá, conocido, entre otras cosas, por ser un notorio sodomita, lo que explicaría que este lo tratara con mucho respeto y no lo hubiera mandado ejecutar después de cuatro intentos de fuga, o, dicho de forma más vulgar, que hubiera sustituido el empalamiento de rigor por otro mucho más suave y placentero.

Contra estas acusaciones, los compañeros de Cervantes argüían que, si en principio no lo había mandado matar, como sí hizo con algún cómplice de sus fugas, fue tan solo porque era una mercancía valiosa; de ahí que muchos de los ejecutados fueran simples plebeyos, y, por lo tanto, sin demasiado valor para sus amos. Pero mi cómplice insistía en que estaba seguro de ello, pues, según me contó en una de sus cartas, se lo había comunicado un renegado florentino, a quien, por lo visto, se lo había referido un criado de Hasán, celoso y despechado porque Cervantes le había quitado el puesto de preferido de su señor.

Al parecer, Hasán se había quedado prendado de Cervantes a raíz de su tercer intento de fuga. Es cierto que, por entonces, este no era precisamente un garzón y que tampoco estaba en su mejor momento, pues se le veía muy lastimado, mal alimentado y peor vestido, con la mano izquierda estropeada y una soga alrededor del cuello. Pero, fuera de eso, todavía era un hombre apuesto, gallardo y bien parecido. De todas formas, lo más probable es que las cualidades que más despertaron la admiración de Hasán, que era de edad parecida a la de Cervantes, fueran su discreción, gentileza, valentía y sabiduría; de ahí que las primeras noches que estuvieron juntos las pasaran conversando. Por lo visto, en lugar de forzar su voluntad, Hasán trató de convencerlo con diversos argumentos; y, a este respecto, le recordó que dichas prácticas estaban muy bien consideradas entre los antiguos griegos, como podía comprobarse en algunas obras de Platón y de otros filósofos paganos.

A Cervantes, por su parte, lo conmovió mucho el hecho de que su dueño y señor no hubiera querido abusar de él, como era costumbre. Esto hizo que, poco a poco, le fuera tomando afecto y cariño, hasta que unas cosas fueran llevando a otras y, al final, nuestro hombre acabó compartiendo el lecho y alguna cosa más con el rey de Argel, o, dicho de otro modo, se dejó poseer, como *bardaje* o mancebo, por el bujarrón de Hasán. Al menos esto fue lo que, como ya he dicho, el criado despechado le contó al renegado florentino y este, a su vez, a Blanco de Paz, que, por último, me lo refirió a mí, y yo ahora a Vuestra Merced, si bien lo hago, claro está, con las debidas salvedades, pues supongo que cada uno de los mensajeros de la cadena habrá ido cambiando a su antojo el relato, como suele ocurrir. Yo, por mi parte, debo reconocer que, por más que lo intenté, nunca logré averiguar la verdad sobre este extremo, ni falta que hace, a estas alturas.

De todas formas, no era eso lo único grave. Blanco de Paz lo acusaba también de ejercer como espía al servicio del Imperio turco, lo que de nuevo explicaría la gran libertad de movimientos y los otros privilegios de los que Cervantes disfrutaba en Argel. Incluso, cabe pensar que sus reiterados intentos de fuga no fueran más que tapaderas o maniobras de distracción para encubrir sus labores de espía. Aleccionado por Agi Morato y el propio rey de Argel, la principal misión de Cervantes consistiría, según Blanco de Paz, en averiguar el verdadero alcance de los contactos entre el reino de Fez y la Corona española, así como la magnitud de las tropas establecidas en Orán, sus principales defensas y los puntos vulnerables de esta fortaleza en el caso de un ataque terrestre o marítimo por parte de los turcos. De modo que, mientras sus compañeros de cautiverio lo tenían por un héroe, mira por dónde, él se dedicaba a traicionar a su patria y al rey, o al menos eso era lo que afirmaba mi cómplice, que, como ya he advertido, no era precisamente una persona muy de fiar.

Sea como fuere, de lo que no cabía duda era de que Cervantes se encontraba en una situación cada vez más delicada y difícil con todas esas inculpaciones. Esto hizo que, a finales de mayo de 1580, un fraile llamado Juan Gil se interesara por él y tratara de apresurar como fuera el rescate. Lo malo era que para ello tan solo disponía de trescientos ducados, reunidos con gran esfuerzo y tenacidad por la madre y las hermanas de Miguel, que, al parecer, habían tenido que vender o empeñar algunos bienes y propiedades y pedir toda clase de ayudas; una cantidad a todas luces insuficiente, aun contando con los cuarenta y cinco ducados aportados por los propios trinitarios de su fondo general.

Así estaban, pues, las cosas cuando me llegó la noticia de que Hasán Bajá había sido destituido como rey y ya tenía sucesor. El motivo principal era que el Veneciano se había convertido en un importante obstáculo en las negociaciones que el Imperio otomano estaba llevando a cabo con un enviado de la Corona española para intentar conseguir la firma de una tregua duradera entre ambas potencias. Pero a eso había que añadir también las numerosas quejas y denuncias presentadas ante el sultán por los jenízaros y por una buena parte de los argelinos, descontentos con su manera de gobernar y de hacer justicia y, sobre todo, de administrar el negocio del corso. Y, al parecer, todo ello había puesto en marcha algunas intrigas palaciegas en Estambul, que fueron las que, al final, provocaron su caída en desgracia.

De modo que, si nadie lo remediaba, en unos meses, tal vez en unas semanas, Hasán el Veneciano comenzaría a embarcar las inmensas riquezas que a lo largo de ese tiempo había ido acumulando, así como sus numerosos esclavos, entre los que, sin duda, estaría Cervantes, al que, probablemente, pensaba llevar a Estambul, su nuevo destino, atado con una cadena de plata, como uno de sus mejores trofeos. Para mí, claro, esto habría significado perderlo de vista para siempre y no poder saber qué iba a ser de su vida, ni siquiera si se convertiría en un renegado y, por lo tanto, en un secuaz de las atrocidades de su amo hasta enriquecerse y convertirse en alguien como él, o si al final moriría empalado por no querer ser cómplice de sus deseos. Por otro lado, me di cuenta de que yo ya no podía prescindir de Cervantes, de que necesitaba tenerlo cerca, controlado y al alcance de la vista y de mis maquinaciones. No había, pues, otra solución; de forma anónima, a través de unos comerciantes valencianos, le hice llegar a Juan Gil el dinero que todavía faltaba para su rescate.

Cuando, por fin, el fraile se presentó de nuevo ante Hasán Bajá, este le dijo que lo sentía, pero que ya era demasiado tarde para eso. El hermano trinitario puso entonces el grito en el cielo y apeló al compromiso que con él tenía y a las obligaciones que ambos habían pactado con respecto al cautivo, con lo que al renegado no le quedó más remedio que ceder, pues no quería verse envuelto en un escándalo, si bien exigió que, dadas las circunstancias, el rescate se pagara en escudos de oro español, lo que dificultaba un poco el proceso. Esto hizo que, mientras las galeras se preparaban a toda prisa para partir hacia Estambul, el buen hombre tuviera que ir de un lado a otro de la ciudad para comprar tales monedas a los mercaderes judíos. Y a punto estaban ya de dar las órdenes de zarpar cuando el fraile apareció corriendo con el dinero y pidiendo a gritos que soltaran y desembarcaran a Cervantes, algo que, con gran dolor de su corazón, Hasán se vio obligado a consentir.

Reconozco que, al principio, nada más llegarme la noticia, todo este tira y afloja de Hasán con respecto a Cervantes me desconcertó un poco, quiero decir que su comportamiento no me cuadraba bien con la relación que, según Blanco de Paz, se había establecido entre ellos. Pero enseguida caí en la cuenta de que tales argucias debían de formar parte de un plan tramado por el Veneciano para que creyéramos que su deseo era llevarse a Cervantes con él, cuando de lo que se trataba, en realidad, era de que este quedara libre, con el fin de que, ya en España, pudiera seguir ejerciendo como espía al servicio de los turcos, sin que nadie sospechara lo más mínimo. De ser así, yo, desde luego, no pensaba descansar hasta verlo detenido; de hecho, tenía la intención de vigilarlo muy de cerca, para, llegado el momento, prevenir al rey y desenmascararlo de una vez por todas. Pero no adelantemos acontecimientos.

Lo cierto es que Cervantes fue al fin liberado en el mes de septiembre de 1580, justo cinco años después del comienzo de su cautiverio y unos días antes de cumplir los treinta y tres años, o sea, la edad de Cristo cuando fue crucificado. Pero, antes de partir, le pidió a fray Juan Gil que abriera una «Información» de su estancia en Argel. Por lo visto, nuestro hombre tenía la intención de presentarla ante el Consejo Real, con el fin de poder solicitar algún empleo o merced, lo que explica que permaneciera cerca de un mes en la ciudad recabando testimonios para prepararla. Por lo que pude saber, esto era algo bastante habitual entre los cristianos que habían estado presos en Berbería; de tal modo que, cuando un cautivo era rescatado, solía elaborar una información o discurso sobre su vida y costumbres durante su estancia en tierra de infieles. Algunos, más precavidos, la preparaban en la propia Argel, mientras que otros lo que hacían era formalizarla ante un notario ya en su lugar de residencia. Se trataba con ello de demostrar, ante las autoridades pertinentes y, sobre todo, ante el Santo Oficio, que la persona en cuestión se había mantenido fiel a la fe católica y que, por tanto, no era un renegado. Y es que, según parece, los excautivos eran vistos, por lo general, con mucho recelo a su regreso a España, ya que algunos doctores de la Iglesia consideraban que había un gran riesgo de que volvieran *manchados* tras su larga estancia en Berbería.

No obstante, en el caso de nuestro hombre, se trataba de algo diferente, pues su objetivo más inmediato era cubrirse las espaldas y defenderse de las acusaciones y difamaciones de Juan Blanco de Paz, contrarrestándolas con numerosos testimonios. La razón era que este había insinuado que estaba preparando un libelo para la Inquisición española, a la cual decía representar en Argel, sobre su supuesta conversión al Islam, y otro para el mismísimo rey sobre sus labores como espía al servicio de los turcos. Y en ambos pensaba hacer declaraciones infamantes contra Cervantes, con el fin de que fracasara en sus pretensiones de obtener alguna merced de Su Majestad por los servicios prestados en Lepanto y por lo que supuestamente había hecho en favor de algunos cristianos en Argel.

El informe del propio Cervantes consistía en una especie de cuestionario preparado por el interesado y dirigido a diversos testigos cualificados elegidos por él. Como cabía esperar, la mayor parte de las declaraciones coincidían en resaltar su audacia, dignidad, nobleza, gallardía y magnanimidad. Muchos, incluso, lo envidiaban por su buena fama entre los cautivos principales de Argel. Tan solo había uno, el carmelita Feliciano Henríquez, que se hacía eco de las habladurías y rumores que Blanco de Paz había difundido sobre «cosas viciosas y feas», en clara alusión a sus oscuras relaciones con Hasán Bajá. El resultado, en su conjunto, era una especie de panegírico debidamente amañado por nuestro hombre, quien, al parecer, no dudó en sobornar y aleccionar a algunos testigos, y, por lo tanto, una auténtica patraña o, si Vuestra Merced lo prefiere, una obra de ficción, una especie de antecedente de esas novelas ejemplares que, pasados muchos años, acabaría publicando con muy buena acogida. Pero no seré yo quien se lo recrimine, puesto que, al fin y al cabo, lo hizo por una buena causa, la suya propia. Se trataba con ello de reconstruir su propia vida e intentar reanudar el hilo roto de su existencia desgarra-

da, ahora que, por fin, había sido liberado de un cautiverio que, para bien o para mal, iba a marcar el resto de su
vida, pues, fuera donde fuera, la sospecha y la duda irían
siempre con él, como una sombra, ya me encargaría yo
de ello.

IX

Por fin, a finales de octubre de 1580 Miguel de Cervantes pudo abandonar Argel, rumbo a las costas levantinas, adonde arribó tres días más tarde. Lo natural, en sus circunstancias, habría sido que hubiera continuado de inmediato su viaje a Madrid, con el fin de abrazar cuanto antes a sus padres y hermanos, que sin duda lo aguardaban con gran inquietud y expectación. Pero, por lo visto, permaneció en Valencia durante mes y medio, tal vez con la intención de contactar con algunos de los espías que trabajaban para el turco dentro de nuestro territorio, escondidos entre los moriscos, al tiempo que se aseguraba de que el caso abierto en Madrid por los daños que a mí me había infligido estaba ya olvidado y perdonado, como así era, aunque no, desde luego, por mí, que, lejos de sentirme satisfecho, aún seguía clamando venganza.

Ironías de la vida: el joven Miguel de Cervantes, que había huido de esta Villa y Corte para escapar de una sentencia que lo condenaba a perder la mano derecha y a diez años de destierro, regresaba a Madrid, tras haber pasado once fuera de España, la mitad de ellos de cruel esclavitud, y haber perdido el uso de su extremidad izquierda. Supongo que a eso es a lo que muchos llamarían justicia poética, que es la única que, al parecer, cabe esperar cuando la humana falla o el culpable logra hurtarse a ella. Y es muy posible que para algunos esta sea suficiente o constituya un pequeño consuelo. En todo caso, no lo era para mí, que llevaba otros tantos años doliéndome de mis agravios y lesiones y esperando mi hora, y menos aún cuando supe que mi enemigo tenía, encima, la pretensión de hacer valer sus heridas militares y su condición de héroe en la batalla de Lepanto y en los *baños* de Argel para conseguir un lugar en la Corte, como servidor del rey. Con ello trataba de seguir de nuevo los pasos de su querido Garcilaso de la Vega, que, por cierto, había fallecido a la misma edad que él tenía entonces y que a la sazón estaba de actualidad gracias a una nueva aparición de sus *Obras* con unas polémicas anotaciones del también poeta Fernando de Herrera.

Cuando Cervantes volvió a ver a su familia, la encontró sumida en la miseria y cargada de deudas, a causa del dinero que habían tenido que reunir para pagar una buena parte de su rescate. En ese momento, las únicas fuentes de ingresos en la casa eran Andrea, a la que encontró algo desmejorada, y Magdalena, que al final había decidido seguir también los derroteros de su hermana mayor y que, en ese tiempo, gozaba de buenos protectores, como don Alonso Pacheco Portocarrero, que le llegará a otorgar ante notario dos donaciones sucesivas por los servicios prestados. Para ellas, el amor se había convertido en un oficio; de ahí que intentaran ir vestidas a la moda: con el talle estrecho y rígido, mangas y gorguera, la basquiña muy ahuecada, y gran profusión de cintas, ribetes y perlas engarzadas, aunque, visto de cerca, resultaba evidente que todo ello era barato, de pura imitación y bastante gastado ya por el uso. Y eso a él le hacía sentirse culpable. Su madre, desde luego, se las arreglaba como podía para sacar adelante la casa en tales circunstancias, y siempre andaba de acá para allá, con el semblante alegre, para que no cundiera el desánimo. En cuanto a su padre, poco era lo que podía esperarse de él, pues le había afectado mucho el cautiverio de su hijo, que, en su fuero interno, consideraba una especie de castigo bíblico contra todos ellos por haber abandonado la buena senda, lo que a Miguel le causaba gran aflicción. Se hacía, pues, necesario, para él, conseguir algún empleo en la Corte lo antes posible.

Con este fin, comenzó un arduo y largo peregrinaje para hacer valer sus muchos méritos y los servicios prestados al rey. No conforme con la que ya tenía, su padre solicitó, a mayores, una segunda «Información» sobre su cautiverio, en la cual volvió a dar fe de su vida en Argel y de su rescate, al tiempo que reconocía su deuda con la Orden Trinitaria por haberlo sacado de allí y ponía en conocimiento de las autoridades la situación en que había quedado su familia, dejando fuera todo lo relativo a las supuestas calumnias de Blanco de Paz, supongo que con el objeto de no infundir sospechas. Y, para ello, se valió del testimonio de dos excautivos de confianza.

De todas formas, Cervantes no lo iba a tener fácil, pues, para entonces, yo había sido ya nombrado aparejador de las obras de los reales Alcázares de Madrid, Aranjuez y El Pardo, y, además, seguía al servicio de Juan de Herrera en la *fábrica* de El Escorial, lo que me había permitido afianzar mis relaciones dentro de la Corte y acrecentar mi fortuna. Ahora contaba, por otra parte, con la ayuda de La Garduña, a la que me había incorporado como miembro de cierta calidad, en agradecimiento por el apoyo que, en su momento, había recibido de sus hermanos de Nápoles. A cambio de dinero y de futuros servicios, yo los había ayudado a introducirse en los gremios relacionados con la construcción, pues uno de sus objetivos era llegar a controlar todas las obras que se realizaran en la Villa y Corte, hasta el extremo de que no se pudiera mover ni una sola piedra o ladrillo sin que ellos lo supieran y obtuvieran el correspondiente beneficio.

Ya sé que hay mucha gente que todavía piensa que la hermandad de La Garduña es una pura leyenda, un invento o un infundio. Ello se debe, sin duda, a que no hay muchas pruebas fehacientes que demuestren su existencia. Por otra parte, ya se han encargado sus miembros de no dejar ningún registro de sus estatutos ni de sus actividades en ningún sitio. Pero yo quiero aprovechar esta confesión para dejar constancia de la misma. Lo bueno de haber muerto, aunque solo sea oficialmente, es que ya nadie puede matarte y, por lo tanto, dejas de tenerle miedo a la parca. Eso explica que yo me atreva a hablar ahora de La Garduña y de algunas de sus prácticas. No obstante, he decidido escribirla en castellano aljamiado para que, de momento, nadie se entere, dentro de la cárcel, de lo que digo en ella, y menos aún los posibles espías, que nunca faltan, y así pueda terminarla, como es mi deseo.

La Garduña agrupaba, a su vez, a otras hermandades más pequeñas en aquellos lugares en los que operaba y estaba organizada de manera jerárquica, a imitación de otras cofradías, con sus diferentes grados, su capataz al frente de cada ciudad y su hermano mayor. Esta se regía, además, por unas leyes y normas bastante estrictas, que se transmitían oralmente, y que, por tanto, no estaban fijadas en ningún documento; y hasta disponía de un lenguaje propio, tanto de señas como de palabras, que solo los iniciados utilizábamos y que los más veteranos se encargaban de enseñar a los neófitos. Los miembros, por otra parte, apenas nos conocíamos entre nosotros, y, si alguno era detenido, este no podía revelar nada, ni siquiera su pertenencia a la misma, pues había hecho un juramento de silencio, cuyo incumplimiento se pagaba con la muerte no solo del soplón, sino también de toda su familia, incluidos sus descendientes.

Pero volvamos a Cervantes y sus desvelos por conseguir un empleo. Una vez terminada la nueva «Información», decidió ir al encuentro del rey, que en ese tiempo se había instalado en la ciudad lusa de Tomar con motivo de la anexión del reino portugués. Allí se dedicó, durante meses, a hacer constar sus servicios a la Corona y a dar testimonio de su cautiverio y posterior liberación. Pero de nada le sirvieron sus esfuerzos, pues la Corte se había convertido en una maraña de secretarios, subsecretarios, consejeros y funcionarios, por la que era muy difícil moverse y orientarse, ya que todo eran intrigas y disputas por la influencia y el poder; de modo que, cuando por fin lograba hacerse oír por alguien, enseguida aparecía otro, que desde la sombra hacía que se cuestionaran sus méritos, se obviaran sus servicios y, en definitiva, se le cerraran las puertas y se rechazaran sus peticiones.

En cuanto a sus informaciones sobre Argel, sé de buena tinta que no fueron leídas ni atendidas por gente cualificada, pues, a esas alturas, casi nadie se acordaba o quería acordarse ya de Lepanto. Por otra parte, no había fanfarrón que no pretendiera haber participado heroicamente en la famosa batalla naval. Y otro tanto sucedía con los que solicitaban mercedes por su supuesta estancia en Argel; de hecho, las calles estaban llenas de pícaros, mendigos y maleantes que explotaban la credulidad de la gente asegurando que habían sido cautivos en esas tierras. De modo que tales escritos lo único que conseguían, por lo general, era despertar recelos y sospechas sobre aquellos que los presentaban, aunque fuera de buena fe.

Para colmo de males, ya había muerto don Juan de Austria, que, a juicio de Cervantes, era el último caballero andante sobre la faz de la Tierra, y que, sin duda, se habría convertido en uno de sus principales valedores. Y ni siquiera podía contar con la ayuda del secretario personal del rey y antiguo secretario del cardenal Espinosa, Mateo Vázquez, a quien, al parecer, había conocido de mozo, por haber sido condiscípulos en el colegio que tenía en Sevilla la Compañía de Jesús. Y es que, para entonces, yo ya lo había puesto en antecedentes sobre Cervantes y su dudosa moralidad, motivo más que suficiente para que desconfiara de él, pues, debido a su condición de clérigo, Mateo Vázquez estaba empeñado en combatir los vicios y pecados de los servidores del rey.

Me imagino, pues, a Cervantes culpando a los portugueses de su mala suerte, sin saber que una mano negra estaba interfiriendo en su destino. Pero, al final, tanto porfió y removió que, en mayo de 1581, le encomendaron una oscura misión en Orán por orden del rey. Por fortuna, en ese momento, yo acababa de llegar a la Corte portuguesa con el pretexto de comentar con el monarca algunas cuestiones relacionadas con las obras de El Escorial, que habían vuelto a paralizarse debido a la ausencia del monarca; así es que me fui a ver de inmediato a Mateo Vázquez, para intentar averiguar de qué se trataba.

Aunque esos días parecía muy ocupado, no le quedó más remedio que recibirme, pues estaba en deuda conmigo, dado que yo había sido la persona que lo había ayudado a acabar con Antonio Pérez, secretario de cámara del rey y del Consejo de Estado. Como ya he dicho, uno de los grandes problemas del reinado de Felipe II era que, en la Corte, había demasiados secretarios y subsecretarios. Esto hacía que unos se dedicaran a conspirar contra los otros y a hacerse la puñeta mutuamente siempre que podían, en beneficio propio o de su señor, y, por lo general, en perjuicio de la Corona y de sus súbditos. Y, sin duda, eso era lo que había pasado con Antonio Pérez y Juan Escobedo.

Por lo visto —y perdóneme Vuestra Merced por esta nueva digresión—, el primero le había recomendado al rey que nombrara al segundo secretario personal de don Juan de Austria, cuando este era gobernador de los Países Bajos, para que así Escobedo pudiera espiarlo convenientemente. Y lo que ocurrió fue que acabó convirtiéndose en uno de los más fieles partidarios de su señor; de hecho, viajó varias veces a Madrid con la intención de conseguir que el rey apoyara los planes de su hermanastro para lograr la paz con los rebeldes flamencos y poder utilizar así los tercios en una campaña contra Inglaterra. La ofensiva tendría como fin último destronar a Isabel I y reimplantar el catolicismo en ese reino; para ello, liberaría a María Estuardo de su prisión y luego se casaría con ella. Un plan redondo sobre el papel, pero absurdo y descabellado en la práctica, entre otras cosas porque el rey nunca aprobaría una propuesta en la que su hermanastro pudiera acabar siendo coronado, aunque fuera de espinas.

En vista del estancamiento de tales proyectos, Juan Escobedo decidió buscar el apoyo de Antonio Pérez, y para ello no se le ocurrió nada mejor que amenazarlo con hacer públicos sus numerosos negocios ilícitos, su apoyo a los insurgentes flamencos y sus oscuras relaciones con la princesa de Éboli, a la que había revelado algunos secretos de Estado para que después traficara con ellos, y con quien, además, estaba emparentado. Ante la posibilidad de verse denunciado por traición, Antonio Pérez se adelantó a Escobedo y lo culpó de ser el impulsor de las ambiciones de don Juan de Austria. Incluso, le aconsejó al rey que lo eliminara, mas este se lavó las manos.

Así las cosas, el secretario intentó envenenar a Escobedo en su propia casa, sin conseguirlo, lo que hizo que al final tuviera que contratar a unos valentones de La Garduña, que lo mataron a puñaladas, en plena calle —en este caso, puedo asegurarlo, pues fui testigo de ello—, el último día de marzo de 1578, y luego huyeron sin que nadie los detuviera ni los persiguiera, con total impunidad. Fue tal la pasividad de los alcaldes de Casa y Corte, tan diligentes en ocasiones semejantes, que algunos, en palacio, sospecharon que la ejecución había sido ordenada por el propio rey. Lo curioso es que, tan solo seis meses después, moría en Flandes don Juan de Austria, oficialmente de unas extrañas fiebres, pero, según su gente de confianza, no podía descartarse que hubiera sido envenenado.

Al ver que el rey no solo no se distanciaba, sino que seguía contando con Antonio Pérez, Mateo Vázquez, que, como ya he apuntado, era un clérigo muy estricto, se retiró de la Corte como forma de protesta, hasta que por fin el otro cayó en desgracia y se ordenó su arresto domiciliario más de un año después del crimen, lo que, por cierto, no le impedía seguir ligado a los asuntos de gobierno. Por fortuna, poco después, se inició un largo proceso que, en ese momento, aún no había concluido, si bien todo parecía indicar que sería declarado culpable y sentenciado a la pena de muerte, aunque al final logró librarse de ella. Pero esa es otra historia. Lo importante, en todo caso, es que yo fui la persona que le entregó a Mateo Vázquez las pruebas que él necesitaba para que pudieran encausar a Antonio Pérez, y que conseguí gracias a mis contactos. De esa forma, él pudo quitárselo de encima fácilmente y convertirse así en el verdadero hombre de confianza de Su Majestad.

Todo esto explica, en fin, que me recibiera en su despacho con los brazos abiertos, al igual que había hecho otras veces en que yo se lo había pedido. Como sabía que tenía poco tiempo, le pregunté directamente por la misión que se le había encargado a Cervantes. Él me dijo que este iba como mero correo de avisos, para llevar cartas secretas al gobernador de Orán, don Martín de Córdoba y Velasco, marqués de Cortes, en las que, entre otras cosas, se le comunicaba que acababa de ser nombrado caballero de la Orden de Santiago. Como pago, nuestro hombre recibiría cien ducados en dos veces, para costas y camino.

—¿Eso es todo? —inquirí yo.

—No os entiendo. ¿Qué queréis decir? —me preguntó, perplejo, el secretario.

—Que no me creo que vaya como simple correo de avisos —le confesé—. Seguro que hay algo más.

Él, claro está, en un primer momento, lo negó. Pero yo insistí tanto que, al final, tras mucho debatir, me reconoció que la misión tenía un mayor alcance. Según me confesó, la idea era aprovechar las buenas relaciones de Cervantes con algunos ciudadanos argelinos y su buen conocimiento de la región para intentar recabar información sobre la llegada de galeras o movimientos de tropas en Argel, lo que, en principio, iría en contra de la tregua de tres años firmada por el Turco y la Corona española.

—¡¿Queréis decir que se trata de una misión secreta?! —exclamé yo, sorprendido.

—Así es, y muy delicada —reconoció el secretario.

—¡¿Y vais a enviar a ese tal Miguel de Cervantes?! —me escandalicé yo.

—No se me ocurre nadie mejor —ratificó él.

—¡¿Acaso no sabíais que en Argel tenía fama de espía?!

—Pues claro que lo sabía —reconoció—. Es más, puedo asegurar que lo era —precisó a continuación—, pero al servicio de Su Majestad el rey Felipe II.

—¡No puede ser! —rechacé yo, estupefacto.

—¿Y qué pensabais, que una persona tan íntegra como él podía trabajar para los turcos?

—¿Y si yo os dijera que en Argel se hizo renegado? —dejé caer yo.

—Si fuera como vos decís, os respondería que simuló convertirse para llevar a cabo sus planes, por lo que no deberíamos darle ninguna importancia. Pero lo cierto —proclamó— es que las cosas fueron mucho más simples.

Entonces me contó cómo, a través de algunas de las cartas familiares que había escrito en nombre de otros prisioneros y de la que él mismo le había hecho llegar por medio de su hermano Rodrigo, cuando fue liberado, Cervantes le había ido enviando toda clase de avisos e indicaciones sobre la situación de los cautivos en Argel y la necesidad de tomar medidas por parte de la Corona española para acabar con ese nido de corsarios. Por si caían en manos enemigas, las misivas estaban cifradas según una clave muy rudimentaria que tanto él como Mateo Vázquez habían inventado cuando estudiaban en el colegio de la Compañía de Jesús.

Al parecer, en ellas ofrecía una descripción muy exacta de la ciudad y el puerto, con mención de los barcos allí fondeados y de las tropas de jenízaros acuarteladas en la ciudadela. Asimismo, le contaba cómo Hasán el Veneciano había intentado convertirlo en un renegado, y él lo había rechazado, pero se había dejado querer, para ganarse su confianza. Esto hizo que, con el tiempo, este le fuera pasando todo tipo de información sobre los planes que su mentor y protector, el célebre Euch Alí, tan ambicioso y cruel como él, tenía de una Berbería unida e independiente del Imperio otomano, dedicada exclusivamente al corso, pero sin tener que rendir cuentas a nadie. En sus cartas, Cervantes confesaba también que todos sus famosos intentos de fuga no habían sido más que una tapadera o una maniobra de distracción de sus verdaderas actividades como espía al servicio de la Corona. Por último, pedía autorización para seguir con esas labores, que, hasta entonces, había realizado por su cuenta y riesgo. Y, en el caso de que se le concediera, solicitaba alguna información para ofrecerle a Hasán como prueba de confianza y dinero para sobornos y pago de colaboradores.

Desde un principio, a Mateo Vázquez las cartas de Cervantes le parecieron de gran interés. Por otra parte, necesitaba agentes leales que sustituyeran a los que había venido utilizando Antonio Pérez, que era también el responsable de los servicios secretos en Levante, hasta su reciente caída en desgracia, momento en que, como es lógico, aquellos dejaron de ser de fiar. De modo que le contestó a través de uno de sus emisarios en Argel, que operaba bajo el disfraz de comerciante morisco. En sus mensajes cifrados, le pedía a su antiguo amigo que intentara captar a Hasán el Veneciano; con este fin le daba permiso para hablarle del tratado de paz que en esos momentos se estaba negociando en secreto con el Imperio otomano, y que vendría a poner en cuestión las actividades del corso en la cuenca mediterránea. Se trataba con ello de hacerle ver a Hasán que su futuro peligraba junto a los turcos y ganarlo así para la causa cristiana. Si accedía a colaborar, el rey Felipe II le otorgaría una gran suma de dinero, un importante título nobiliario y algunas tierras en Italia. La oferta era, desde luego, tentadora, pero el Veneciano no parecía muy dispuesto a renunciar, así como así, a su forma de vida y a la libertad que esta llevaba aparejada. No obstante, le dijo a Cervantes que se lo pensaría, aunque lo más probable era que quisiera darle largas, hasta que se aclarara un poco la situación.

Tiempo después, cuando a Hasán le comunicaron su cese como rey de Argel y le pidieron que regresara a Estambul, Cervantes volvió a la carga con más ímpetu. El Veneciano le dijo, una vez más, que necesitaba tiempo, pues antes quería saber con qué apoyos contaba por entonces en la corte otomana y los planes que para él tenía Euch Alí, su gran valedor ante el sultán. De hecho, mantuvo con gran habilidad la opción de cambiar de bando hasta el último momento; de ahí que se dilatara tanto el rescate de Cervantes. Después de mucho tira y afloja, y cuando ya se acercaba el día de la partida, Hasán el Veneciano se inclinó por ir a Estambul y llevarse con él a su cautivo preferido. Pero, al final, no tuvo más remedio que soltarlo, ya que, si no lo hacía así, corría el riesgo de que los turcos acabaran enterándose, por boca del propio Cervantes, de sus negociaciones con la Corona española.

—De modo que, como veis —concluyó el secretario—, el comportamiento de nuestro amigo no solo fue valiente y ejemplar, sino muy útil para la Corona.

Yo ya sabía que Cervantes no era tan perverso como Blanco de Paz me había hecho creer. Pero eso sí que no me lo esperaba, la verdad. Por otra parte, no había ningún motivo para dudar de la palabra de Mateo Vázquez ni de que su información fuera correcta. A ver si ahora iba a resultar que Cervantes no era un traidor, sino un héroe, como pensaban sus compañeros de cautiverio, algo que para mí era completamente inaceptable. No obstante, tenía que reconocer que todo aquello venía a aclarar o iluminar algunos puntos oscuros relacionados con la vida de nuestro hombre en Argel, sobre los que, al parecer, yo tenía una visión muy sesgada e interesada, por culpa de ese bribón de Blanco de Paz, que a buen seguro solo me había contado lo que yo deseaba oír. De todas formas, no quise irme sin poner una última objeción:

—¿Y estáis seguro de que ahora no os traicionará? ¿No podría suceder que lo hecho hasta el momento por Cervantes no sea más que una argucia, un cebo para engañarnos? ¿Y si en realidad fuera eso que algunos llaman un agente doble?

—Pues claro que lo es —reconoció, complacido, el secretario—, pero, como ya os he dicho, al servicio de Su Majestad.

—¡Me temo que os engañáis! —insistí yo con cierta vehemencia.

—Mirad —me advirtió él con cierta sequedad—. No sé qué clase de problemas tenéis o habéis tenido con Cervantes. Pero, desde luego, no voy a permitir que interfieran en esto.

—Yo lo único que defiendo son los intereses de la Corona española —repliqué muy digno.

—Pues sabed, entonces, que la Corona ha de estar siempre por encima de cualquier consideración personal.

—Todo eso está muy bien. Pero recordad que ha sido esta humilde persona —le expliqué, señalándome a mí— la que os ha ayudado a alcanzar esa posición desde la que ahora...

—Lo recuerdo muy bien —me interrumpió—, tanto que, si no fuera así, ya hace rato que os habría echado de aquí a patadas.

Sus últimas palabras restallaron en el aire como el latigazo de un verdugo. Sorprendido, le miré a los ojos y me di cuenta de que no bromeaba. De modo que no me quedó más remedio que agachar la cabeza y abandonar la estancia por mi propia voluntad, sin despedirme ni solicitar la venia, como si nunca hubiera estado allí. Estaba claro que, de momento, tendría que envainármela y esperar mejor ocasión. Pero no por ello me iba a arredrar.

X

Por lo que luego supe, Cervantes se encaminó hacia Cádiz con gran presteza, en caballos preparados para el relevo, y allí se embarcó rumbo a Orán con algo de miedo a ser apresado otra vez por los corsarios berberiscos, cuyas incursiones habían disminuido a causa de la tregua, pero no cesado. Por lo demás, él estaba muy contento con la misión, pues le atraía el peligro y le gustaba la aventura y, sobre todo, estar de nuevo en activo e ir de un lado para otro. Ya que, por sus heridas, no podía ser aquel soldado que siempre había querido, deseaba demostrar que al menos estaba capacitado para ser un buen espía, y la verdad era que recursos no le faltaban. Lo primero que hizo cuando llegó a su destino fue reunirse, en la Fortaleza Roja, con el gobernador de Orán, don Martín de Córdoba y Velasco, con el que ya había intentado contactar varias veces, durante su cautiverio. Al parecer, este también había estado preso en Argel, hasta que su familia pudo pagar una alta suma por su liberación, y conocía bien las labores que como espía había llevado a cabo Cervantes; de ahí que simpatizara pronto con él. Del contenido de la conversación, tuve noticia cuando leí una copia del informe que nuestro hombre le entregó al secretario del rey, que llegó a mis manos gracias a un miembro destacado de La Garduña.

Según parece, después de examinar las cartas que le habían enviado desde la Corte, don Martín le contó que en Orán vivían aislados y cercados, sin apenas poder salir de la ciudad; ni siquiera las patrullas se alejaban, por lo general, más allá de unas pocas leguas, ya que enseguida eran atacadas por moros enemigos. La Corte, por otra parte, parecía haberse olvidado de ellos; la ciudad estaba medio en ruinas y solo contaba con tres mil habitantes incluida la guarnición; la paga de los soldados tardaba mucho en llegar, carecían de municiones desde hacía meses y los cañones estaban ya muy deteriorados, y, además, no podían moverse del sitio, pues enseguida se quebraban, por lo que rogaba a Dios que los turcos no se enteraran de la situación, pues si no al día siguiente los tendría a las puertas. Y esta vez, para conquistar la plaza, les bastaría hacer sonar sus trompetas, como ocurrió en otro tiempo en Jericó.

De modo que no era extraño que, de vez en cuando, alguno de sus hombres abandonara la fortaleza para hacerse renegado, y ello a pesar de que a los condenados por deserción no los libraba nadie de la horca, tal era la atracción que en esos momentos ejercía sobre la tropa el Islam. Dada la gravedad de la situación, el gobernador le rogó a Cervantes que se lo hiciera saber al secretario del rey, para ver si así se decidían a enviarle la ayuda necesaria, en lugar de otorgarle nuevas distinciones honoríficas, pues de nada le iba a servir en Orán ser nombrado caballero de la Orden de Santiago o de cualquier otra orden, a lo que nuestro mensajero se comprometió de buen grado. Después, este se fue a dormir al único mesón que había en la ciudadela.

A la mañana siguiente, se reunió con alguien en el puerto y juntos se dirigieron a caballo a unas casas abandonadas que había junto a la costa, a unas pocas leguas al levante de Orán; allí los aguardaba una tercera persona, que, según parece, llevaba ya varios días esperando y que resultó ser un espía al que Cervantes debía de conocer de la época de su cautiverio. Se trataba de un musulmán converso llamado Felipe Hernández de Córdoba, más conocido en los servicios secretos como el Alcaide de Mostagán, por ser esta la ciudad desde la que operaba al servicio del rey Felipe II. En poder de los turcos desde hacía décadas, Mostagán era uno de los enclaves berberiscos más próximos a la ciudad de Orán, de la que solo distaba doce leguas, y, por lo tanto, un lugar privilegiado para recabar información sobre la región.

Después de saludarse de manera efusiva y ponerse al corriente de sus vidas, el Alcaide le entregó varias cartas y avisos para Su Majestad y le informó de los últimos acontecimientos en Argel. Por lo visto, tras la llegada del nuevo rey —enviado por el sultán, poco antes de que acabara el cautiverio de Cervantes, para solucionar los problemas creados por Hasán el Veneciano—, el corso se había reducido de manera considerable, los jenízaros parecían más satisfechos y la ciudad había recobrado poco a poco la normalidad, lo que garantizaba la continuidad de la tregua de tres años que habían firmado la Corona española y la Sublime Puerta.

El gran problema, sin embargo, seguía siendo Euch Alí. Por lo visto, este seguía empeñado en atacar por tierra el reino de Fez e, incluso, la plaza fuerte de Orán y algunos presidios portugueses, ahora bajo la Corona española, con el fin de ocupar luego toda la Berbería. Para ello habían atracado ya en Argel numerosas galeras —todas ellas de fanal—, cargadas con tropas, armamento y provisiones, bajo el pretexto de mantener el orden y la estabilidad en la ciudad. A este respecto, se calculaba que en la expedición a Fez podrían intervenir ochenta mil soldados, de los cuales veinticinco mil serían tiradores. Naturalmente, todo esto iba en contra de la famosa tregua, pero el almirante turco mantenía la tesis de que esta tan solo se refería a la cuenca del Mediterráneo y que, por lo tanto, no afectaba a los ataques realizados por tierra en el norte de África. Sea como fuere, para el Alcaide de Mostagán estaba claro que la intención última de Euch Alí era que esa Berbería unida con la que tanto soñaba sirviera luego de base para una posible invasión o reconquista de los reinos cristianos de España.

Dada la urgencia del caso, Cervantes decidió poner en marcha una estratagema con la intención de disuadir de sus propósitos a Euch Alí. Con este fin le pidió a su amigo argelino, que al parecer trabajaba como agente doble, que le hiciera llegar al almirante turco la información de que, en los puertos de Nápoles y Sicilia, se estaba concentrando una importante flota de barcos españoles, preparada para atacar la ciudad en el caso de que los espías al servicio de la Corona española observaran algún movimiento extraño por parte de los turcos. Esto, obviamente, era falso, pues Cervantes sabía de sobra que todos esos navíos tenían como único objetivo completar y garantizar la total anexión del reino de Portugal a la Corona española; de ahí que estuvieran listos para partir en cualquier momento hacia las islas Azores. Pero la gente de Euch Alí no tenía por qué enterarse.

Tras despedirse del espía argelino, a quien entregó una pequeña bolsa con dinero, Cervantes se dirigió hacia Orán con su acompañante. Según parece, a medio camino, sufrieron el ataque de un pequeño grupo de moros, pertenecientes a una tribu enemiga. En un primer momento, trataron de defenderse e hirieron a varios de ellos. Pero, al final, tuvieron que salir huyendo, ya que estaban en minoría. Los agresores corrieron en su persecución, y, a punto estaban ya de darles alcance, cuando fueron avistados por una patrulla de vigilancia de la fortaleza, que acudió en su ayuda y pudo rescatarlos sin daño. Una vez en Orán, el gobernador le reprochó a nuestro hombre que hubiera abandonado la ciudad sin haberle avisado. Este le respondió que había sido necesario hacerlo así, pues, si hubiera acudido a su cita con más de un acompañante, el espía se habría ido antes de que ellos llegaran, y, entonces, la misión habría fracasado.

Esa noche el gobernador volvió a invitarlo a su residencia y, durante la cena, Cervantes lo puso al corriente de los planes de Euch Alí, lo que contribuyó a aumentar las preocupaciones de don Martín, que, cada vez más desolado, reiteró las peticiones que le había hecho el día anterior. Los dos estaban de acuerdo, además, en que había que acabar cuanto antes con ese refugio de piratas en que se había convertido Argel, y más en un momento como ese, en el que todo parecía indicar que la ciudad podría ser utilizada por parte del almirante turco como base de operaciones para sus incursiones en Berbería. Ya de madrugada, compartieron, no sin cierta añoranza, algunos recuerdos de sus respectivos cautiverios, pues en ellos se habían fortalecido y habían aprendido mucho sobre la vida, y, al final, se despidieron con un amistoso abrazo, deseando verse pronto.

Después de cumplir su misión, Cervantes se dirigió a Cartagena, para luego trasladarse a Lisboa, donde se había establecido el rey. Allí le presentó a Mateo Vázquez una relación muy concienzuda de su viaje. En ella daba cuenta pormenorizada de su reunión con el gobernador de Orán, de la información que había recabado como agente secreto y de la que él mismo había mandado filtrar, para disuadir a Euch Alí de llevar a cabo sus planes, haciendo que se sintiera intimidado. Por último, se atrevía a proponer varias medidas y acciones más, en el caso de que la anterior fallara, para acabar de una vez con la amenaza turca y el comercio de cautivos por parte de los corsarios berberiscos, algo sobre lo que ya había llamado la atención en alguno de los muchos escritos que había enviado o presentado a la Corte. En este sentido, señalaba que si, pasado algún tiempo, no se observaba ningún movimiento de retirada por parte de Euch Alí, no costaría mucho incendiar la flota turca fondeada en el puerto de Argel. Según Cervantes, bastarían para ello unos pocos hombres debidamente adiestrados, y, con el fin de que no hubiera ninguna duda sobre sus intenciones y la viabilidad del proyecto, él mismo se presentaría como voluntario. ¡Cervantes siempre tan impulsivo!

—Habéis hecho un gran trabajo, la verdad —reconoció el secretario, después de leer por encima el informe—. Os felicito sinceramente por ello. Por otra parte, os agradezco mucho vuestro ofrecimiento, pero deberíais saber que ahora no toca llevar a cabo esa clase de medidas; más adelante, tal vez —añadió con un gesto vago—. Y, para entonces, tened por seguro que se os llamará.

—Pero todo esto es urgente —insistió Cervantes—; si esperamos, la solución podría llegar demasiado tarde. En cuanto a Orán...

—Es posible que no es falte algo de razón —lo interrumpió el secretario—. Pero, creedme si os digo que, en este momento, la Corona no puede ocuparse de ese asunto, ya que tiene otras prioridades, lo que nos exige mantener una situación estable en el Mediterráneo. Y es del todo evidente que lo que proponéis —añadió con firmeza— podría poner en peligro la reciente tregua firmada con los turcos.

—A ellos, sin embargo, parece que no les importa —replicó Cervantes.

—Mientras no violen los acuerdos alcanzados...

—Para cuando lo hagan de manera efectiva, podría ser ya demasiado tarde. Enviadme, al menos, como espía a Orán —le rogó al secretario, como quien lanza sobre la mesa un último naipe, cuando sabe que el juego ya está perdido.

—No sigáis, por favor —lo atajó de nuevo Mateo Vázquez—; la decisión es firme e irrevocable.

A juzgar por una carta que luego le envió a su familia —y que, como siempre, yo pude leer gracias a una criada—, todo esto debió de desconcertar mucho a Cervantes, y no solo porque no se tuvieran en cuenta sus propuestas con respecto a Berbería, sino también porque era consciente de que a Su Majestad no le interesaba la seguridad de los cristianos en el Mare Nostrum o los riesgos de una posible invasión desde el norte de África. Y es que sus únicas preocupaciones, en ese tiempo, eran la política dinástica y la ampliación de sus dominios territoriales y espirituales; no en vano ahora tenía un nuevo lema: *Non sufficit orbis,* lo que traducido al castellano significaba: «El mundo no es suficiente.» Su interés se había desplazado, pues, del mar Mediterráneo al océano Atlántico; de ahí que, por entonces, lo postergara todo a la plena incorporación de Portugal a la Corona española. Y ya se sabe que a veces el rey tiene razones que sus súbditos no son capaces de entender. Por otra parte, era muy consciente de que con la anexión del reino vecino los castellanos estaban perdiendo mucho peso y protagonismo dentro de la Corte, y, por lo tanto, algunos de sus privilegios, y eso tampoco podía ser bueno para él.

Por fortuna, el ardid ideado por Cervantes para disuadir a Euch Alí surtió efecto y, en el mes de septiembre, el almirante retiró su flota del puerto de Argel y regresó a Estambul para ponerse a disposición del sultán. Sin embargo, a nuestro hombre nadie se lo agradeció; de hecho, tardó en enterarse. Y es que, por entonces, andaba muy ocupado con sus demandas de empleo y de merced, pues su familia seguía endeudada y él en la calle. Incluso, llegó a solicitar al secretario del Consejo de Indias en Lisboa, don Antonio de Eraso, un puesto de los que hubieran quedado vacantes en los reinos de ultramar, pero este no se le concedió; es más, ni siquiera se le contestó, como si su petición no se hubiera tenido en cuenta. Esto quería decir que Cervantes había caído ya en eso que, figuradamente, llamaban algunos la «casa del pozo», que era el lugar al que iban a parar los pretendientes de mercedes sin suerte. Su caso era, además, muy sangrante, ya que lo habían utilizado siempre que les había convenido, y luego prescindieron de él cuando dejó de ser necesario, aunque eso a mí no me disgustaba, todo hay que decirlo. Más bien todo lo contrario.

XI

Frustrado, desencantado y decepcionado, una vez más, por un rey ingrato que se complacía en maltratar a sus mejores servidores, Cervantes decidió regresar a Madrid a comienzos de 1582. Aquí reanudó las relaciones con sus antiguos amigos —de los que yo, claro está, me había distanciado— Pedro Laínez, Luis Gálvez de Montalvo y Gabriel López Maldonado, que, por una razón u otra, también estaban descontentos con la política de Felipe II, e, incluso, parecían dispuestos a confabularse contra él. Con este fin se reunían varias veces a la semana en una taberna medio clandestina, después de la hora de cierre. Y esto lo supe porque entre ellos había un espía al que yo pagaba para que me tuviera al tanto de lo que allí se hiciera y dijera. Se trataba de un joven poeta satírico de origen cordobés, llamado Luis de Góngora, que, en ese momento, estaba de paso por Madrid, camino de Salamanca, en cuya universidad estudiaba, o eso creían sus padres, ya que a él lo que de verdad le gustaba era comer, beber y andar todo el día de farra.

Por lo que este me decía, mis antiguos amigos iban llegando a la taberna de uno en uno, después de caminar con mucho sigilo y bien pegados a las paredes, para que no los descubriera la ronda. Iban con el sombrero calado hasta los ojos, mirando de soslayo y arrebujados con la capa, como si fueran auténticos conspiradores. Pero lo único que hacían era discutir y perorar, sin darse cuenta de que, cuanto más hablaban, más se ensanchaba el abismo entre sus deseos y la realidad; y es que, como suele ocurrir, las palabras, de tan repetidas, acababan suplantando los hechos y, por lo tanto, anulaban cualquier posibilidad de acción. Otras veces, se dejaban llevar por la nostalgia y se lamentaban de no haber podido liberar de su encierro al príncipe don Carlos o imaginaban lo distintas que habrían sido las cosas si él hubiera llegado a ser rey. De cuando en cuando, recordaban también a su maestro López de Hoyos, que estaba ya muy enfermo, y no tardaría en morir.

Cervantes, por su parte, se mostraba siempre muy indignado por la gran negligencia con la que Felipe II llevaba los asuntos de Berbería, y ello a pesar de que había sido una batalla acontecida en ese territorio, la de Alcazarquivir o de los Tres Reyes, la que había propiciado la anexión de Portugal. Esta había tenido lugar en agosto de 1578, momento en el que nuestro hombre estaba cautivo en Argel, y en ella murieron nada menos que el rey portugués, Sebastián I —sobrino de Felipe II—, y los dos sultanes que se disputaban entonces el reino de Fez, uno de ellos apoyado por el monarca cristiano, cuyo objetivo último era conquistar el norte de África. Al final, la derrota de este trajo consigo una cierta estabilidad en la región y el hecho de que Portugal pasara a formar parte de la Corona de España. Sin embargo, Cervantes seguía empeñado en que nuestro rey debería intervenir de forma más activa en aquellas tierras. Y así lo proclamaba un día tras otro, como si le fuera la vida en ello.

El caso es que una noche, para animar la cosa, decidí darles a todos un buen susto e hice que irrumpieran en la taberna varios alguaciles, avisados por un vecino, que los acusaba de reunirse de forma clandestina para conspirar contra el rey, lo que, claro está, constituía un delito de alta traición. Por supuesto, cuando los interrogaron, mis antiguos amigos lo negaron todo, pues, según ellos, se trataba de una reunión literaria y no de una conspiración política. Y, como todos estaban bien relacionados, el juez no pudo achacarles ningún cargo. Pero al menos logré meterles el miedo en el cuerpo; de ahí que, en adelante, tan solo se juntaran de cuando en cuando y cada vez en un lugar diferente. En cuanto a Góngora, no volví a verlo; creo que se ordenó sacerdote, y ahora se ha hecho muy célebre como poeta culterano, llamado así por sus detractores, por ser luterano o hereje de la verdadera poesía, que es la escrita en estilo llano, pues la suya no hay quien la entienda, la verdad, salvo sus discípulos, que los tiene, ya que ha creado escuela.

Así las cosas, y a falta de algo mejor que hacer, Cervantes decidió reanudar su actividad literaria. De modo que volvió a contactar con Pedro Padilla y Juan Rufo, a quienes ya conocía, y comenzó a cultivar la amistad de otros hombres de letras, como Francisco de Figueroa, Luis de Vargas Manrique o Alonso de Barros, con los que tenía ciertas afinidades, como su devoción por Garcilaso, los grandes autores italianos y las ideas de León Hebreo. Todos ellos y muchos más perseguían por entonces a los mismos protectores y mecenas, con el fin de poder asegurarse la subsistencia, pero solo unos pocos, claro está, lo lograban. Además de publicar algún que otro soneto laudatorio en algunos de los libros que daban a la estampa sus amigos y de concursar en algún certamen o justa poética, Cervantes llegó a cobrar cierto renombre como poeta satírico en los mentideros literarios. También compuso una canción a Mateo Vázquez, que luego incluirá en *La Galatea* con la intención de ganarse su voluntad. Pero, como eso no daba fruto, decidió, entonces, probar fortuna con la comedia, que era el único género con el que se podía ganar dinero y obtener fama y popularidad.

Como él mismo llegó a confesar en diversas ocasiones, desde muchacho había sido muy aficionado a la carátula y, en su mocedad, se le iban los ojos tras la farándula. Según parece, fue en Sevilla, cuando tenía dieciséis o diecisiete años, donde tuvo el privilegio de asistir embobado a las representaciones de la compañía de comedias de Lope de Rueda, del que, por lo visto, era vecino. En ella trabajaba, por entonces, como danzarín y tañedor, el ya mencionado Alonso Getino de Guzmán, amigo de su padre y, a la sazón, alguacil mayor encargado de velar por el orden y el cumplimiento de la ley en los festejos y diversiones de los madrileños. Precisamente, será este el que, gracias a sus muchas y buenas relaciones, logrará introducirlo en ese mundo del teatro, en un momento, además, muy oportuno.

Y es que, con el traslado de la Corte a Madrid, enseguida surgió una población ávida de espectáculos y entretenimientos de todo tipo, por lo que se hizo necesaria la habilitación de lugares apropiados para ello, que en un principio estuvieron regentados por varias cofradías con fines piadosos, a las que se concedió el privilegio de cobrar un dinero a los asistentes, con la condición de que las ganancias fueran destinadas luego a ejercer la misericordia entre los más pobres y necesitados. Así nacieron, entre otros, el Corral del Sol y el de la Pacheca. Estos estaban ubicados en la parte trasera de algunas casas y no tenían ninguna clase de instalaciones ni toldos para resguardarse ni asientos para estar más cómodos, salvo aquellos que podían situarse junto a las ventanas de las casas circundantes o en los desvanes, encima de los aposentos. Por lo demás, todo era muy simple y tosco, pues no había decorado alguno, y los cambios de escenario se indicaban con una especie de cortina lisa y medio rota sobre la que los espectadores proyectaban libremente su imaginación.

Gracias a la gran acogida por parte del público que estos primeros corrales tuvieron, pronto comenzaron a construirse otros más cómodos y mejor preparados, como el de la Cruz, en la calle del mismo nombre, abierto —si no recuerdo mal— en 1579, o el del Príncipe, que fue inaugurado pocos años después, sin haberse terminado todavía las obras, tal era el deseo que había de espectáculos. Ambos tenían ya tablado, vestuario, gradas para los hombres y corredor para las mujeres, así como algunos bancos portátiles, y, arriba, en las casas, aposentos con balcones de hierro o ventanas con rejas y celosías, que se cedían o alquilaban a los asistentes de más calidad.

Fue, precisamente, por entonces cuando el teatro se convirtió en mi única expansión, en lo único que me permitía olvidarme de mi trabajo y, sobre todo, de mi gran obsesión; de modo que me hice un habitual de los corrales de comedias y llegué a conocer muy bien todo ese mundo; de ahí que ahora me entretenga en evocarlo para Vuestra Merced. En mis buenos tiempos, siempre tenía reservado un sitio en algún aposento, desde donde podía contemplar, a mi sabor y sin que nadie pudiera observarme, no solo la función, sino también a la gente que a ella asistía. Lo que más me complacía era alegrarme la vista con las mujeres que llenaban la cazuela y escuchar los comentarios de los mosqueteros en el patio, siempre dispuestos a hacer sonar sus carracas, pitos, cascabeles y cencerros y a lanzar sobre el escenario todo tipo de objetos arrojadizos y de verduras malolientes, cuando no les gustaba la representación, de tal suerte que la fortuna de las comedias dependía, en buena medida, de ellos.

Aunque hace ya mucho que no voy, recuerdo que las funciones duraban dos o tres horas y eran siempre por la tarde, dos o tres días a la semana, más los festivos, aunque no todos. Por otra parte, se suspendían, como es lógico, durante la Cuaresma, desde el miércoles de ceniza al Sábado de Gloria; y después volvían a abrirse, con gran júbilo y regocijo de los asiduos. La sesión comenzaba con una introducción o loa, a veces cantada, y, después, venía la comedia; entre los dos primeros actos se hacía, por lo general, un entremés, y, entre el segundo y el tercero, se cantaba una jácara, y, con frecuencia, la cosa acababa con un fin de fiesta burlesco. Así es que allí uno nunca se aburría, y menos si estaba convenientemente acompañado. Y, si bien es verdad que la tramoya se fue haciendo cada vez más compleja y vistosa, lo que en realidad importaba en el escenario eran los versos; de ahí que los asistentes fuéramos, sobre todo, a *oír* y no a ver las comedias. Los empresarios, además, cuando compraban una, tenían libertad para montarlas de acuerdo con sus intereses, las necesidades de la compañía y las condiciones del lugar en cuestión.

En cuanto a autores, se podría decir que, en el momento en el que apareció Cervantes, no había mucho donde elegir. Fallecido ya Lope de Rueda, en Madrid se representaban, sobre todo, algunas comedias italianizantes y las obras de Juan de la Cueva, que había comenzado ya a cultivar las de capa y espada, por lo que había una gran demanda de autores nuevos que fueran capaces de satisfacer las exigencias de una ciudad que había crecido de forma alarmante en esos últimos veinte años, hasta convertirse en la capital de un inmenso imperio. Unos autores, en definitiva, que supieran darle al público la diversión que necesitaba para olvidarse de sus muchos problemas y un espejo en el que poder mirarse con cierta complacencia. En ese tiempo, además, había una gran expectación, pues los corrales de comedias habían permanecido cerrados en Madrid durante más de un año, en señal de duelo por el fallecimiento de Ana de Austria, cuarta esposa de Felipe II, que había muerto a causa de unas fiebres que le había contagiado su marido.

En esas circunstancias tan favorables, Cervantes compuso y estrenó *El trato de Argel,* con la que se inauguraba su carrera como autor de comedias. Al parecer, su intención era mover al rey para que acabara con aquel nido de piratas, en un momento en el que, como ya se ha dicho, este parecía más preocupado por sus intereses dinásticos en Portugal, por lo que la obra encerraba cierta crítica a algunas decisiones políticas del rey que él conocía de primera mano gracias a su misión en Orán. En esta comedia, como es natural, se sirvió de su propia experiencia en Argel, con el fin de que el testimonio resultara más veraz; de hecho, uno de los personajes, el soldado cautivo, se llamaba Saavedra, un apellido que luego reclamará para sí. Con esta obra inauguró, además, un nuevo género de comedias, llamadas de cautiverio, berberiscas o turquescas, que él mismo ampliaría años después con *El gallardo español, Los baños de Argel* o *La gran sultana,* y que incluso llegaría a ser imitado por otros autores, cosa que lo llenaba de orgullo.

Menos favorable, sin embargo, fue la acogida de su siguiente obra, *La destrucción de Numancia*, con la que pretendió adaptar la tragedia antigua a la mentalidad española, utilizando un conocido episodio de nuestra Historia, el cerco por parte de los romanos de la famosa ciudadela y la resistencia del pueblo llano, que, para Cervantes, era el verdadero héroe y protagonista de la obra y de la famosa gesta, y no unos personajes o personas en concreto. ¿Estaría llamando con ella a la rebelión o tan solo quería reivindicar algunos viejos ideales? Con Cervantes nunca se sabía. En cualquier caso, los madrileños no estaban entonces para heroicidades ni menos aún para tragedias; de modo que casi nadie fue a verla ni mucho menos a oírla.

Después de ese fallido intento, escribió una veintena de obras más, que, en su mayor parte, le compraron los empresarios Gaspar de Porres, amigo de Alonso Getino de Guzmán, y Jerónimo Velázquez, amigo del propio Cervantes. Parece ser que en ellas planteó temas nuevos, algunos sacados de su propia experiencia; redujo el número de actos o jornadas a tres; imprimió ligereza a los diálogos, sin por ello quitarles profundidad; e introdujo figuras morales. Pero, de todas, la más estimada por el público fue una titulada *La confusa,* cuya trama era tan enrevesada que hacía honor a su título, si bien debo reconocer que contenía algunas escenas muy jocosas. Representada por la compañía de Porres, llegó a alcanzar cierto renombre, aunque no tanto como el autor habría querido.

El resto fueron discretamente elogiadas, lo que, a la larga, venía a significar que pasaron sin pena ni gloria, y algunas, incluso, fueron un rotundo fracaso, por lo que no es verdad aquello que a Cervantes —con su habitual soberbia— tanto le gustaba repetir de que «todas ellas se recitaron sin que se les ofreciese ofrenda de pepinos ni de otra cosa arrojadiza, y corrieron su carrera sin silbos, gritas, ni barahúndas». Si lo sabré yo, que más de una vez pagué a un grupo de mosqueteros para que armaran gran alboroto y acabaran con la representación lanzando toda clase de hortalizas, cosa que hacían con tanto gusto y dedicación que, al final, dejaban el escenario como la plaza de San Miguel después de un día de mercado.

No obstante, hay que reconocer que en ese tiempo Cervantes llegó a disfrutar de cierta fama en los corrales de comedias y a ganar algún dinero con sus obras, aunque no tanto como habría conseguido si se hubiera plegado a los gustos y demandas del público. El problema era que antes de cobrarlo ya se lo había gastado, pues le tiraba mucho el vino, el juego y cortejar mujeres, sobre todo casadas. De modo que, si alguien quería dar con él, tan solo tenía que pasarse por alguna de las numerosas casas de tablaje y tabernas de la ciudad. En estas últimas podía vérsele charlando animadamente con la parroquia o haciendo algún negocio o transacción e, incluso, escribiendo algún poema, una comedia o un capítulo de *La Galatea*. Por supuesto, Cervantes no era de esos que hablaban de continuo y sin tino; tal vez debido a su carácter más bien discreto o a su tartamudez ocasional, a él le agradaba, sobre todo, escuchar las historias que los otros quisieran contarle. Era, además, muy observador; solo por el acento, conseguía averiguar el origen y la procedencia de cada uno, y enseguida se hacía una idea del carácter y calidad de una persona por su manera de hablar. De hecho, podría decirse que las bodegas, ventas y mesones fueron su principal escuela para él —las cosas como son—, allí donde aprendió todo aquello que, por las circunstancias ya referidas, no pudo estudiar en la universidad.

En una de esas tabernas, situada en la calle de los Tudescos y frecuentada por la gente de teatro, conoció a finales de 1583 o comienzos del año siguiente a Ana Franca —o de Villafranca, no lo recuerdo bien— de Rojas, una garrida y hermosa moza de unos veinte años que atendía el local cuando no estaba su marido, un tal Alonso Rodríguez, que era también comerciante, lo que lo obligaba a viajar mucho. Según me contaron mis espías, Cervantes aprovechaba esas ausencias para visitar a la muchacha cuando la taberna estaba cerrada, y ponerle los cuernos al marido, algo a lo que, al parecer, era muy aficionado, tal vez a causa de su apellido. Nada que ver, por tanto, con esos amores idealizados de los que se hablaba en *La Galatea,* sino más bien con el argumento de una de esas novelas italianas que tanto le gustaban.

Por lo visto, en uno de esos encuentros con Ana Franca, apareció el esposo por sorpresa, y Cervantes tuvo que esconderse medio desnudo en un arcón lleno de telas, que era precisamente la mercancía que el otro había venido a buscar, pues con las prisas había olvidado cargarla en el carro, y ello había hecho que tuviera que darse la vuelta cuando ya había salido de Madrid. De modo que ahí tenemos a Cervantes, dentro del arcón, llevado a hombros por el dueño y varios empleados, mientras la pobre Ana intentaba convencer a su esposo de que lo mejor sería demorar la partida para el día siguiente, y subido luego al carruaje, como si se tratara de un ataúd, que parecía que lo fueran a enterrar vivo. En todo caso, Cervantes se daba ya por muerto, pues tarde o temprano el cornudo lo descubriría y se imaginaría lo que había pasado. Y así habría sido si una de las ruedas del carro no se hubiera quedado atascada en medio de un barrizal, con lo que todos tuvieran que descender del mismo, incluida la carga, para intentar sacarlo de allí, momento que Cervantes aprovechó para salir del arcón y darse a la fuga, sin que lo vieran. El problema fue volver a Madrid en paños menores.

Por suerte se encontró en el camino con una caravana de gitanos, que, a cambio de cierta información sobre la Villa y Corte, le proporcionaron ropas de zíngaro. De esta guisa se presentó en la taberna, para gran sorpresa de su amada, que lo creía ya perdido, y esa noche pudieron reanudar su encuentro donde lo habían dejado. La relación se mantuvo durante varios meses más, hasta que la muchacha quedó embarazada, para gran tristeza de Cervantes, que no podría reconocer al vástago como suyo, y gran contento del tabernero, que llevaba ya varios años buscando descendencia, sin conseguirlo. Así las cosas, le propuso a su amada que se escapara con él, para irse a vivir a Sevilla, donde podrían pasar inadvertidos, y luego intentar embarcar para las Indias en busca de fortuna. Pero Ana Franca prefirió la seguridad del matrimonio legítimo y la *aurea mediocritas* de la taberna al amor y la incertidumbre que él le ofrecía. De modo que, a los pocos días, decidieron de común acuerdo acabar con la relación.

Esta ruptura hizo que Cervantes se interesara todavía más por los naipes, cosa nada difícil en una ciudad donde había tantos garitos y casas de tablaje y donde todo el mundo jugaba, desde el rey al último súbdito, aunque fuera con dinero ajeno. Pero nuestro hombre lo hacía con especial entrega y tenacidad, como una manera de intentar resarcirse de su mala suerte, pues ya se sabe que aquel que es desgraciado en amores, suele ser afortunado en el juego; o, por el contrario, como un castigo que él mismo se infligía, de cuando en cuando, por algún pecado o falta que hubiera cometido. Sea como fuere, el resultado era siempre la ruina, y, por lo tanto, vuelta otra vez a empezar, tan pronto arriba como abajo, de repente la bolsa llena y al instante vacía, como los cangilones de una noria.

Mientras tanto, yo seguía con mis trabajos como aparejador real y ayudante de trazador en el monasterio de San Lorenzo de El Escorial, cuyas obras se habían dilatado mucho más de lo previsto en un principio y de lo que convenía a la Corona. Entre otras cosas, el retraso era debido a que el proyecto original de Juan Bautista de Toledo tuvo que ser profundamente remodelado por Juan de Herrera hasta convertirse en una construcción cada vez más imponente. Una vez acabada, esta debería albergar de forma armoniosa un monasterio, un centro de estudios, una residencia para el rey y su familia, una basílica y un panteón real para los miembros ya fallecidos de la dinastía de los Habsburgo, cuyos restos ya hacía algunos años que habían sido trasladados hasta allí. Siguiendo sus instrucciones, fueron llegando uno a uno, con su correspondiente cortejo fúnebre, desde diferentes lugares de España y Europa, por caminos llenos de barro o de polvo, hasta converger en un mismo punto, unas leguas antes de llegar a El Escorial, donde formaron un único séquito, encabezado por el estandarte del águila bicéfala del emperador Carlos. Y, en la explanada, delante de la gran mole de piedra sin terminar, fueron recibidos por el rey Felipe II, un espectro entre espectros, un muerto entre los muertos, para ser de nuevo sepultados, tras una sobrecogedora ceremonia a la que tuve el honor de asistir, en un panteón todavía por rematar y, por lo tanto, sin consagrar, aunque, a decir verdad, todo el edificio de El Escorial era un gran mausoleo, frío, húmedo y oscuro, como el propio monarca.

El otro motivo de que aún estuviera sin acabar era que todo el mundo quería sacar tajada o beneficio de unas obras como aquellas, incluida, claro está, la hermandad de La Garduña, que, en ese momento, controlaba ya algunos gremios y tenía contactos con todos los proveedores implicados en la construcción de tan magno edificio, lo que hacía que los costes fueran cada vez más desmesurados y las obras tuvieran que detenerse, cada tres por cuatro, por falta de dinero en las arcas reales. Por otra parte, Juan de Herrera había sido nombrado aposentador real y tenía que atender otras muchas obras de la Corona; esto hacía que no pudiera hacerse cargo de todo y se viera obligado a delegar en otros una buena parte de sus funciones y trabajos.

Yo, por ejemplo, tuve que hacerme cargo del retablo mayor de la iglesia del monasterio de Yuste, trazado por mi maestro. Este tenía como centro una copia de un célebre cuadro de Tiziano, que yo mismo realicé con la ayuda de mis operarios, para mayor gloria del emperador Carlos, que allí había pasado el último año y medio de su vida y allí había sido enterrado, hasta que sus restos fueron trasladados, como ya dije, al panteón de El Escorial. Como es lógico, esa obra me dio cierto prestigio y algún dinero. Pero también fue la constatación de que mi destino era convertirme en un simple imitador y en un segundón, alguien que llevaba a cabo, de forma correcta y eficaz, lo que otros habían trazado por él. Es cierto que tenía buena maña para la arquitectura, para la pintura y hasta para la escultura. Sin embargo, me faltaba el genio creador, ese que, según había vaticinado López de Hoyos, poseía Miguel de Cervantes, y que, al parecer, soplaba donde quería y no donde más se lo deseaba.

Una vez terminado el retablo, que me tuvo varios meses alejado de la Corte, pude volver justo a tiempo para participar en la última fase de las obras de El Escorial, que de forma oficial concluyeron en septiembre de 1584, si bien aún quedaban muchas cosas por hacer. Gracias a ello, tuve ocasión de asistir a la ceremonia de inauguración, orgulloso de haber contribuido con mi granito de arena —dicho sea sin ironía— a poner en pie una de las grandes maravillas de la Cristiandad. Por desgracia, eso no iba a compensar mi frustración como poeta, pero al menos me ayudaría a soportarla, del mismo modo que la venganza me servía para sobrellevar mi cojera.

XII

En ese otoño, Cervantes viajó varias veces a Esquivias, un pequeño pueblo situado a doce leguas de Madrid —camino de Toledo, muy cerca de Illescas—, para entrevistarse con Juana Gaitán, viuda de su gran amigo Pedro Laínez, que acababa de fallecer de forma repentina, y casada ya en segundas nupcias con un tal Diego de Hondaro —bastante más joven que ella y amigo de su difunto esposo—, siguiendo en ello, al parecer, la voluntad de este. El motivo de sus visitas era la publicación de un *Cancionero* que su amigo había dejado inédito, con el encargo de que su mujer lo mandara copiar y lo diera a la imprenta. Y resulta que, en una de sus estancias, conoció Cervantes a Catalina de Salazar, dieciocho años menor que él y perteneciente a una de las mejores familias del pueblo. Desde luego, no se puede decir que fuera el suyo un amor a primera vista, pero algo debió de ver en ella que lo animó a repetir la visita y, después de unos pocos meses, a pedirle que se casara con él.

La boda se celebró a finales de 1584, justo cuando Ana Franca acababa de dar a luz una niña a la que sus legítimos padres bautizaron con el nombre de Isabel, con lo que la historia de lo sucedido en Nápoles se repetía una vez más, aunque en esta ocasión por motivos distintos y de forma un tanto degradada. Estaba claro, en fin, que se trataba de un matrimonio de interés con el que Cervantes no solo pretendía mejorar su situación financiera, sino también olvidarse de su antigua amada y de su hija, que para colmo se llamaba Isabel, y tratar de huir de su afición al juego y de los numerosos rumores sobre su persona que, aprovechando las circunstancias, yo había vuelto a esparcir por los mentideros de Madrid; de ahí el apresuramiento de la boda. La familia de Catalina, por su parte, se mostró muy recelosa y lo obligó a firmar un documento por el que dotaba a su mujer con la cantidad de cien ducados.

El caso es que, durante un tiempo, Cervantes estableció su refugio en ese oscuro lugar, que en aquel momento contaba tan solo ciento setenta y cinco familias con posibles y un centenar de jornaleros. La casa familiar estaba en la callejuela de la Iglesia, frente al huerto de los Perales, que era también propiedad de su esposa. Según parece, en un principio, él intentó integrarse en ese ambiente y adaptarse a ese modo de vida, tan distinto de aquel al que estaba habituado, pero no todos lo aceptaron, especialmente el hermano clérigo de Catalina, Francisco de Palacios, que ni siquiera se molestaba en disimular su rechazo y falta de estima, lo que hacía que Cervantes se sintiera cada vez más mortificado; de modo que, siempre que podía, viajaba a Madrid, bien fuera para participar en alguna sesión de la Academia Imitatoria —recién fundada por un caballero muy principal a imitación de las que había en Italia—, bien fuera con motivo de la publicación de *La Galatea,* en la que, por entonces, tenía depositadas grandes esperanzas. Con ella quería aumentar su prestigio como escritor y, de paso, demostrarle a la familia de su esposa que era capaz de ganarse la vida, si bien hay que decir que los mil trescientos treinta reales que le pagó por esta obra el librero Blas de Robles tan solo le sirvieron para saldar algunas deudas; entre ellas, la que aún tenía con los frailes trinitarios.

A simple vista, se trataba de un relato de género pastoril, a la manera de *La Arcadia*, del italiano Jacopo Sannazaro, que Cervantes había leído con gran provecho en Nápoles. Pero cualquier lector atento y avisado podía descubrir que en él había mucho más, hasta el punto de que unos pocos, los más enterados, podían leerlo como un libro escrito en clave. Para empezar, la mayor parte de los personajes eran trasuntos de personas reales, muchos de ellos amigos o conocidos del autor, como Tirso, que no era otro que el poeta Francisco Figueroa; Damón, su gran amigo Pedro Laínez; Meliso, Diego Hurtado de Mendoza; Larsileo, su antiguo compañero de estudios Mateo Vázquez, a la sazón secretario del rey; Astraliano, don Juan de Austria; o Lauso, el propio autor, que también quiso inmortalizarse en la obra. Y Silena se llamaba, por cierto, una de las pastoras allí mencionadas, de la que Lauso está enamorado. Pero lo más interesante era que, bajo su apariencia bucólica, en ella se escondían numerosas alusiones a la triste realidad española de entonces. De tal modo que, cuando los personajes hablaban de sus amores o de temas más o menos pastoriles, en realidad estaban debatiendo sobre cuestiones políticas y literarias.

Todo esto hacía que algunos pasajes pudieran leerse como una alegoría, no muy difícil de desentrañar, la verdad, de la situación de Castilla en ese momento. A este respecto, el episodio más llamativo era el del matrimonio concertado entre Galatea y un pastor portugués, lo que provocaba tal descontento entre los pastores castellanos que estos no dudaban en recurrir a la violencia para tratar de impedir la boda. Por supuesto, el gran rabadán que amañaba el enlace era Felipe II y Galatea, el reino de Castilla, que era entregado por aquel a Portugal, mientras que las protestas de los pastores representaban la indignación de aquellos castellanos que veían cómo el monarca, para ganarse el apoyo de los portugueses, repartía honores, mercedes y empleos que ellos consideraban suyos. Este era el caso, sin ir más lejos, de Cervantes, lo que venía a demostrar que sus críticas a las decisiones políticas del rey, con el que cada vez estaba más decepcionado, tenían en principio motivaciones personales. ¿Significaba esto que el autor de *La Galatea* y sus amigos quisieran conjurarse contra Su Majestad? En mi opinión, se trataba más bien de un simple desahogo, un mero juego lleno de guiños y complicidades, del que nada cabía temer, y menos por parte de la Corona; de ahí que nadie, fuera de su círculo, dijera ni una palabra sobre el asunto; unos, para no comprometerse; y otros, para no levantar la liebre, pues nunca se sabe.

Por otro lado, en la obra se rendía homenaje a Garcilaso, cuya impronta era muy visible en la misma, y, sobre todo, se hablaba mucho de poesía; de hecho, uno de los momentos culminantes del libro era el «Canto de Calíope», una especie de panegírico en el que el autor pasaba revista a muchos poetas de nuestro tiempo, con los que, por lo general, resultaba bastante complaciente, tal vez con la absurda intención de ser luego aceptado y bendecido por ellos. Entre estos, se encontraba también uno muy joven, al que, por entonces, nuestro hombre consideraba una gran promesa y le reconocía algún talento, y con el que, por cierto, no tardaría en salir trasquilado, ya que hablamos de pastores. Se trataba, claro está, de Lope de Vega.

Otro detalle que me llamó poderosamente la atención fue la dedicatoria, dirigida al abad de Santa Sofía, Ascanio Colonna, pariente de Mateo Vázquez e hijo de Marco Antonio Colonna, general de las galeras de Su Santidad el papa Pío V en la famosa batalla de Lepanto y luego virrey de Sicilia, ya que, entre otras cosas, le decía que se ponía bajo su protección «para hacer escudo a los murmuradores que ninguna cosa perdonan; aunque si V. S. Ilustrísima perdona este mi atrevimiento, ni tendré que temer, ni más que desear». ¿A qué murmuradores se estaría refiriendo Cervantes? ¿Y qué sería eso que, según él, no le perdonaban? ¿Acaso había intuido o, incluso, descubierto que detrás de los rumores que sobre su persona circulaban había alguien que lo quería mal o se trataba solo de un temor inconcreto, una obsesión o una simple manía persecutoria? ¿Sospechaba, en fin, que una mano negra estaba moviendo los hilos de su existencia? Lo cierto es que ahora que las cosas parecían irle tan bien tenía miedo de que los rumores sobre su vida presente y pasada, tocantes a la fe católica, a la limpieza de sangre y a la fidelidad a la patria, así como a su honor y dignidad y a las buenas costumbres, pudieran llegar a afectarle, y por eso había comenzado a tomar medidas, poniéndose bajo el amparo de un buen escudo protector.

Sea como fuere, no pudo disfrutar mucho de su primer libro, pues poco tiempo después de publicarlo, en junio de 1585, moría su padre, Rodrigo de Cervantes, lo que provocó en él sentimientos encontrados, pues, si por una parte, se sentía culpable por no haber estado más tiempo con él o no haberlo querido lo suficiente; por otra, le echaba la culpa de todo lo malo que le había ocurrido. No en vano su progenitor representaba para Cervantes los oscuros orígenes, el hecho de tener que vivir bajo sospecha y, sobre todo, el fracaso continuo, ya que, entre otras cosas, había estado encarcelado varias veces por deudas y había sido consentidor de la deshonra de sus hijas. Y ahora su muerte volvía a recordarle todo aquello. No era extraño, pues, que el suceso le afectara; de hecho, después del entierro, desapareció durante varias semanas, en las que seguramente anduvo vagando por ahí.

Cuando regresó, no quiso hablar con nadie del asunto. Pero algo había pasado. Significativamente, a partir de entonces, comenzó a firmar sus documentos oficiales añadiendo al paterno —del que ya no podía prescindir— un segundo apellido, Saavedra, que ya había utilizado para bautizar a algún personaje de sus obras y que, al parecer, había tomado de un pariente lejano, Gonzalo de Cervantes Saavedra, que también había sido poeta y soldado, y en el que, por tanto, se reconocía; de hecho, se daban sorprendentes coincidencias entre ambos, pues este también había tenido que escapar de Córdoba por un asunto de sangre, justo un año antes que Miguel, en 1568, y, como él, había combatido en Lepanto. En todo caso, era evidente que nuestro hombre quería tomar distancias con respecto a su padre y labrarse su propio camino, mas no lo iba a tener fácil.

Por esas fechas, Cervantes mantenía muy buenas relaciones con los empresarios teatrales Gaspar de Porres y Jerónimo Velázquez; de ahí que sus comedias, mal que bien, siguieran representándose, como pasó con *La bizarra Arsinda* o *La única,* aunque con muy escaso favor del público, por lo que sus ingresos comenzaron a menguar. Por otra parte, estaba a punto de aparecer en escena, nunca mejor dicho, de forma rutilante, un autor más joven que él, que por entonces rondaba ya los cuarenta; me refiero, claro está, a Félix Lope de Vega, que parecía dispuesto a hacerse con el imperio del teatro de un plumazo. De modo que los días de Cervantes sobre el escenario estaban contados, y más si yo tomaba cartas en el asunto, con la intención de acortarlos y hacer que ese inevitable proceso fuera muy doloroso y denigrante para él.

Yo había conocido al tal Lope en 1583, en la Academia Real de Matemáticas, donde los dos cursábamos lecciones de esa disciplina, y enseguida me di cuenta de que tenía mucho talento y le sobraba ambición. Había nacido en el centro de Madrid justo cuando la Corte acababa de instalarse en la ciudad y había estudiado cuatro años en la Universidad de Alcalá, sin obtener ningún título, salvo el de mejor galán de la ciudad, que no era poco. Por entonces, con veintiún años, era ya un poeta conocido y reputado y comenzaba a ser estimado como autor de comedias. Encarnaba, además, como pocos la unidad de las armas y las letras, de la pluma y la espada, que nosotros tanto habíamos idealizado en nuestra juventud. De hecho, acababa de participar como soldado en la expedición a la isla Terceira, en las Azores, a las órdenes del marqués de Santa Cruz, don Álvaro de Bazán, con la que se puso fin a la anexión definitiva del reino de Portugal a la pesada corona de Felipe II.

A pesar de la diferencia de carácter y de edad, Lope y yo congeniamos muy pronto y, con el tiempo, acabé ganándome su confianza. Fui yo, precisamente, el que lo convenció para que se dedicara con más intensidad a la escritura de comedias y, para ello, le presenté al empresario Jerónimo Velázquez. Este vivía a la entrada de la calle de Lavapiés, con su mujer, Inés Osorio, y sus hijos: Damián, que era abogado, y Elena, una joven muy hermosa de la que Lope quedó prendado de inmediato. Esta ayudaba a su padre en la compañía y llevaba varios años casada con otro comediante, Cristóbal Calderón, que casi siempre andaba de viaje a causa de su trabajo, por lo que Lope no tardó en seducirla y yacer con ella, lo que a punto estuvo de dar al traste con el negocio que yo perseguía. Así es que no tuve más remedio que mediar entre todos ellos, como una vulgar alcahueta, para que llegaran a un acuerdo tácito. La familia toleraría las relaciones de Lope con la joven a cambio de que este les diera en exclusiva las comedias que en el futuro fuera escribiendo, y siempre que eso no impidiese que ella pudiera tener, de forma puntual, otros pretendientes de mayor enjundia y provecho.

Con lo que yo no contaba, la verdad, era con que el empresario fuera luego a encargarle al propio Lope que arreglara las obras que le había comprado a Cervantes, con el fin de aligerarlas un poco y adaptarlas a los gustos del público, a lo que el otro no podía negarse, pues Elena, no hace falta decirlo, lo tenía bien agarrado por donde más gusto recibía. En un principio, a mí aquello no me pareció una buena idea, ya que podría suceder que ahora las obras de Cervantes tuvieran alguna aceptación gracias a los cambios efectuados por aquel, pero enseguida me di cuenta de que, en cuanto este se enterara de lo que pasaba, y no tardaría en hacerlo, pues era muy quisquilloso, se lo tomaría como una humillación, como en efecto así sucedió.

El caso es que, una tarde en la que por casualidad me

hallaba yo presente en el corral de comedias donde representaba la compañía de Jerónimo Velázquez, aunque oculto en un aposento con una de las actrices, Cervantes irrumpió en pleno ensayo de una de sus obras como una furia.

—¡¿Qué es lo que habéis hecho con mi obra?! —comenzó a gritar este desde la puerta.

—¡¿Vuestra obra?! —exclamó el empresario—. Yo más bien diría que es mía, pues hace algún tiempo que os la compré, ¿no es cierto?

—Pero eso no os da derecho a destrozarla —rechazó Cervantes.

—Tan solo la he peinado un poco —puntualizó el otro.

—¡¿Un poco, decís?! —replicó nuestro hombre, cada vez más colérico—. Por lo que me han asegurado, la habéis cambiado tanto que ahora no la reconocería ni el mismísimo padre que la parió, que, por si lo habíais olvidado, soy yo.

—Me temo que exageráis —rectificó el empresario—; simplemente, le he dado un corte por aquí, le he hecho un retoque por allá, cosa de poco.

—Lo suficiente para desnaturalizarla y convertirla en su contrario —le reprochó Cervantes—. Parece mentira que un hombre de talento como vos...

—Alguien tenía que hacerlo —se justificó—. En el teatro —añadió, abarcando con sus brazos todo el corral de comedias—, el público es el que manda.

—¿Y desde cuándo el vulgo ignorante decide lo que está bien y lo que está mal? —inquirió, con malicia, Cervantes.

—Desde que paga por ello —le explicó el empresario, haciendo un gesto alusivo a ello con la mano—, lo

cual le da derecho a protestar y a arrojar lo que le parezca oportuno al escenario, si la obra no le complace.

—Entonces, habrá que educarlo.

—Me parece muy bien —convino Jerónimo—. Pero
eso no es de nuestra competencia. Lo nuestro es darle
gusto.

—Como si fuéramos rameras, ¿no es así? —replicó
Cervantes, indignado.

—En efecto —concedió—, como bien sabéis, este es
un oficio de putas, y nuestros clientes lo que quieren es
distraerse y divertirse con versos sencillos y fáciles de
memorizar, tramas absurdas y enredadas, un requiebro
por aquí, una gracia por allá. Y, si no lo veis de este modo, deberíais dedicaros a otra cosa.

—¿Y qué es lo que ha pasado para que, de repente,
mis comedias ya no agraden al público? —quiso saber
Cervantes.

—Hubo un tiempo en que gustaron... algo —puntualizó él—, tampoco vamos a exagerar. Pero el caso es
que ya no satisfacen a nadie; los tiempos cambian, los
aficionados al teatro son volubles, sus gustos son capri-
chosos, y vuestras obras se han quedado demasiado antiguas, si es que no lo eran ya al nacer. Por otra parte,
cuando vos empezasteis, hace unos pocos años, apenas
teníais rival. Pero ahora hay autores jóvenes, más preparados y complacientes con el público.

—De modo que se trata de eso —exclamó Cervantes,
dolido.

—Así es —confirmó el empresario—. Pero vos no
debéis preocuparos. Podréis seguir trayéndome nuevas
obras, si ese es vuestro deseo, que yo sabré cómo arre-
glarlas, y todos contentos.

—Está bien —aceptó él con aire compungido.

—Vos confiad en mí —le recomendó Jerónimo—, y podréis seguir en este negocio, al menos durante un tiempo.

—Os doy las gracias por ello. No quiero entreteneros más, que siga la función, digo: el ensayo —añadió Cervantes, camino de la puerta, con la cabeza gacha.

—Id con Dios —dije yo para mí—, aunque más os valiera ir con el diablo, al que al menos podríais venderle vuestra alma.

La verdad es que lo vi tan abatido que hasta a mí me dio lástima, que ya es decir. En un principio, lo había tenido todo a su favor, y, de repente, le habían cambiado las reglas del juego, y el pobre se sentía perdido y desahuciado. Con algunas de sus comedias había creído poder tocar el cielo, y resulta que ahora quedaba a expensas de la caridad de un empresario, y así siguió durante varios meses de agonía, hasta que, movido por la piedad, consideré que había llegado el momento de dejar a Cervantes fuera de los escenarios de una vez por todas. De modo que le pedí a Lope que hablara con Jerónimo para decirle que ya no habría más arreglos, pues el tiempo que perdía en recomponer una obra ajena prefería emplearlo en escribir alguna de las suyas, y aún le sobraría. Naturalmente, esto no gustó nada al patrón, pero no tuvo más remedio que aceptar y dar su brazo a torcer. Sin embargo, su compañía siguió representando bajo cuerda algunas obras de Cervantes, remendadas por el propio Jerónimo, tal era la lealtad que este le tenía.

Yo, por mi parte, logré convencer a Lope de que dejara de cederle más comedias a Jerónimo Velázquez y comenzara a dárselas a Gaspar de Porres, con la condición, eso sí, de que su compañía no volviera a representar ninguna obra de Cervantes, a lo que este otro empresario accedió encantado. Para entonces, el joven autor ya se había hecho muy popular entre los madrileños, que, incluso, se aprendían sus versos de memoria y los soltaban a la menor ocasión que se les presentaba; al fin y al cabo, sus obras tenían mucho que ver con la vida diaria y contenían numerosas alusiones a sucesos y acontecimientos del momento. De modo que no es extraño que, con el tiempo, acabara imponiendo sus propias reglas para hacer comedias y fuera reconocido y admirado por su gran talento y fecundidad, incluso por Cervantes, que fue, sin duda alguna, la principal víctima de su triunfo. Y es que este fue tan rotundo y arrollador que apenas había sitio para los demás.

A pesar de todo, durante ese período, Lope y Cervantes tan solo llegaron a enfrentarse una vez en público, ya que apenas coincidían en ningún sitio, debido a que se movían en órbitas diferentes. No en vano el primero era uno de los grandes planetas, mientras que el segundo parecía un vulgar satélite. Además, hay que tener en cuenta que uno era muy orgulloso y el otro demasiado discreto como para reconocer su rivalidad delante de los que los rodeaban. La mencionada refriega tuvo lugar en una sesión de la Academia Imitativa. Ese día se habían reunido todos los miembros para asistir a la lectura de una nueva obra de Lope, que este declamó, como era habitual en él, con mucha gracia, fingiendo las diferentes voces y los distintos tonos, que daba gusto oírlo. Al final, los asistentes aplaudieron con entusiasmo, y muchos fueron a saludarlo y felicitarlo personalmente. El más frío de todos fue, sin duda, Cervantes, que, por lo visto, había acudido solo por cortesía, y Lope, que nunca perdía ripio, se dio enseguida cuenta de ello.

—A vos parece que no os ha gustado mucho —le espetó, sin poder evitarlo.

—Mentiría si os dijera otra cosa —reconoció Cervantes.

—Y yo faltaría a la verdad si diera a entender que eso me importa —replicó Lope.

—Entonces, no deberíais estar disgustado.

—Ni vos aquí.

—En eso tenéis razón. Precisamente, ahora me iba —anunció Cervantes, poniéndose el sombrero.

—De eso nada, os echaré antes yo —amenazó Lope, cortándole el paso.

A partir de ahí se enzarzaron en una discusión que hubiera acabado en un charco de sangre si, en lugar de intercambiar palabras, hubieran entrecruzado espadas la mitad de afiladas que aquellas. Al parecer, Cervantes acusó a Lope de vender su arte y de hablarle en necio al vulgo para darle gusto, y esto último lo dijo recalcando mucho las palabras y sin tartamudeo alguno. Y, a continuación, el otro le soltó que era mucho peor y más humillante dejar que otros te arreglaran las comedias, para así lograr obtener unas pequeñas migajas del reconocimiento ajeno. Cervantes se puso, entonces, muy digno y lo negó todo. Pero Lope aseguró que lo sabía de muy buena tinta, la suya propia, pues había sido él quien, durante un tiempo, había hecho el trabajo sucio, a lo que el otro no supo qué replicar, tan desconcertado y sorprendido estaba. De modo que se envainó la lengua y se marchó sin despedirse, corrido y avergonzado.

Desde ese día, Cervantes no volvió a pisar la Academia Imitativa ni, por supuesto, ningún corral de comedias de Madrid en el que reinara su rival, que, para su desgracia, era el gallo de casi todos. No obstante, en un primer momento, intentó resistir el embate haciéndose él mismo empresario; de esta forma podría seguir representando sus obras sin intervenciones ajenas y, tal vez, hacerse con un público propio, por pequeño que fuera. Con este fin pidió un préstamo a su esposa, que tuvo que vender un majuelo, con algunos olivos y otros árboles, en trescientos cincuenta reales, que, añadidos a los que ella tenía guardados para caso de necesidad, apenas sirvieron para las primeras gestiones. Como era de esperar, la cosa no salió adelante, y todo el dinero se perdió en el intento, con lo que a Cervantes no le quedó más remedio que hacer, de una vez por todas, mutis por el foro, mientras los aplausos a los que él aspiraba se los llevaba otro bastante más joven y con mucha más capacidad.

«Tuve otras cosas en que ocuparme —se limitará a decir años después, para explicar su abandono—; dejé la pluma y las comedias, y entró luego el monstruo de naturaleza, el gran Lope de Vega, y alzóse con la monarquía cómica.» Y ese fue un triunfo, debo confesarlo, que, para bien o para mal, yo viví como propio, puesto que al fin y al cabo tuve mucho que ver en ello, si bien soy consciente de que sin mí el resultado habría sido muy parecido. Lo importante era que, en el futuro, Cervantes tendría que contentarse con publicar las pocas comedias y entremeses que todavía escribió, sin poder verlas nunca representadas, y esa fue, como luego se verá, una de sus más grandes frustraciones.

Pero Lope tampoco estaba libre de problemas, dado que, por esas mismas fechas, tuvo que hacer frente a la ruptura con Elena Osorio, de la que yo era, en cierto modo, responsable, debido al acuerdo entre ellos que en su día había propiciado. A pesar de las desavenencias con su padre, él seguía, al parecer, muy enamorado y habría hecho lo que fuera por unirse a ella en matrimonio, si no hubiera estado ya casada. Pero ocurrió que Elena comenzó sus relaciones con don Francisco Perrenot de Granvela, sobrino del cardenal de ese mismo nombre, lo que le provocó unos tremendos ataques de celos que, de repente, lo llenaban de furia y, al poco rato, lo dejaban postrado y sin ganas de hacer nada. Como la cosa no tenía remedio, dado el acuerdo que tenía con Jerónimo Velázquez, el único desahogo que le quedaba era hablar de ello en sus poemas y comedias, algo que, como es lógico, Elena le reprochaba, pues no quería que su honra y la de su familia corriera de boca en boca por los mentideros y las calles de Madrid. Pero Lope no podía contenerse, y sus enrevesados amores pronto empezaron a adquirir gran popularidad, hasta que, un buen día, la joven le anunció que su relación había terminado, pues estaba harta de que esta fuera motivo de escándalo y «fábula de la Corte», como ella decía, a causa de sus versos, que, en su opinión, hacían que la gente considerara mucho más grave e imperdonable lo que sin ellos no lo sería tanto.

Pero la cosa no terminó ahí, ya que, poco después de la ruptura, comenzaron a circular por Madrid dos poemas, uno en castellano y otro en latín macarrónico, en los que se daba cuenta de todo el caso. Estos eran tan ofensivos para Elena y su familia que Jerónimo decidió querellarse contra Lope, por considerarlo autor de los libelos, lo que hizo que este fuera detenido, en olor de multitudes, en el Corral de la Cruz. En los interrogatorios, el acusado no solo negó ser el autor de los mismos, sino que tuvo el descaro de atribuírselos a otros, entre ellos a un antiguo compañero de estudios que, casualmente, ya había muerto. Una vez escuchadas las declaraciones de los testigos, del denunciante y del encausado, el tribunal condenó a Lope a cuatro años de destierro de la Corte, con una distancia mínima de cinco leguas —lo que constituía una pena muy grave para alguien como él—, y a dos años de expulsión del reino, con la advertencia, además, de que, si la quebrantaba, sería castigado con la muerte.

No obstante, Lope siguió escribiendo textos injuriosos contra la familia de Elena Osorio desde la propia cárcel, durante el proceso. Los agraviados lo denunciaron de nuevo, y el juez mandó registrar, entonces, la celda del sospechoso, con el fin de incautar todos los papeles que allí se encontraran, tuvieran o no que ver con el caso. Mientras lo hacían, Lope no dejó de protestar y, al final, pidió ser conducido de nuevo ante el juez para hacer una nueva declaración. Según parece, en ella, manifestó, más o menos, lo siguiente: «Como ya he confesado varias veces, yo quiero bien a Elena Osorio y por eso le di las comedias que hice a su padre, que con ellas ganó para comer. Y, por cierta pesadumbre que tuve, las que he hecho después se las he dado a Gaspar de Porres. Esa y no otra es la verdadera razón por la que ella me ha abandonado y Jerónimo Velázquez me persigue; que, si yo les hubiera dado mis nuevas comedias, no se habrían querellado contra mí.»

Por desgracia, este testimonio no se tuvo en cuenta, y, por los nuevos libelos, le incrementaron la pena de cuatro a ocho años de destierro de la Corte. Con el fin de cumplirla, salió Lope de Madrid en febrero de 1588, acompañado del empresario Gaspar de Porres y de un amigo de hazañas juveniles. Ese día, en el Corral de la Cruz, sus seguidores fueron vestidos de luto a la representación, en señal de protesta por tan gran pérdida, tal era el cariño y la devoción que le tenían. Sin embargo,

Lope no tardó en quebrantar la sentencia, no para acudir de incógnito al estreno de una de sus obras, como se dijo por ahí, sino para raptar a una mujer principal, doña Isabel de Urbina, con la que se casó por poderes, si bien pronto la dejó para alistarse como voluntario en la Armada que se estaba preparando contra Inglaterra.

XIII

Mientras tanto, Cervantes, en su forzado retiro de Esquivias, apartado del mundo y sumido en el tedio de la vida aldeana, se dedicó, durante algún tiempo, a añorar el bullicio de la Villa y Corte. Pero pronto empezaron las inevitables escapadas; en un primer momento, para atender algunos negocios familiares, ya que su suegra le había dado autorización para vender y comprar toda clase de bienes muebles y raíces, tanto en el pueblo como en la ciudad de Toledo; y, más adelante, para ir en busca de otro tipo de gloria, pues se había enterado de que se estaba preparando una importante Armada para combatir contra Inglaterra, en nombre de la pureza de la fe y de la unidad religiosa, y, al igual que Lope, quería alistarse en ella. El pretexto era que no quería seguir viviendo del dinero de su esposa, pero la realidad tenía que ver más bien con el hecho de que, una vez más, había sentido la llamada de la aventura. De ahí que en abril de 1587, delante de testigos, le otorgara a su mujer plenos poderes para poder moverse libremente y realizar gestiones sin necesidad de recurrir a él, ya que, en principio, iba a estar fuera durante mucho tiempo.

Sin embargo, muy pronto se le bajaron los humos, pues, a pesar de que lo intentó de manera reiterada, no le permitieron alistarse por estar lisiado y a punto de cumplir los cuarenta años; de modo que esas heridas de las que tanto se enorgullecía se habían vuelto definitivamente contra él. De todas formas, no se dio por vencido y se ofreció como espía, dada su acreditada experiencia en Argel y en Orán, pero de nuevo lo rechazaron, esta vez por no conocer la lengua inglesa ni estar familiarizado con los complejos asuntos de aquel reino. Intentó, entonces, ponerse en contacto con su amigo Mateo Vázquez, pero de nada le sirvió. El resultado fue un gran mazazo para él y un motivo de desengaño más que añadir a los que ya llevaba acumulados.

Así las cosas, decidió instalarse en Sevilla, que, además de otras muchas, era, sin duda, el lugar más apropiado para hacer fortuna o, al menos, para ponerse en camino hacia ello. No en vano esta era una de las ciudades más importantes de la Corona y el primer puerto en la ruta hacia las Indias, lo que la convertía en un gran emporio comercial. En ella estaban las oficinas de los encargados de supervisar los intereses españoles en aquellas lejanas tierras, y su puerto era el punto del que zarpaban o al que arribaban todos los barcos que viajaban a los territorios españoles de ultramar; de modo que los envíos anuales de oro y plata de esas lejanas tierras tenían que pasar necesariamente por la ciudad y, más en concreto, por la llamada Torre del Oro, a orillas del río Guadalquivir, o la de la Plata, no muy lejos de la anterior.

De entrada, la Corona se quedaba con una quinta parte del oro importado, lo que suponía una increíble fuente de ingresos, que, sobre todo, se destinaban a financiar las grandes campañas militares y los fastos reales. Esto quiere decir que una parte de los tesoros venidos de Indias atravesaban España como una exhalación y, por tanto, sin dejar fruto, para ir a parar directamente a manos de los banqueros genoveses, que Dios confunda, con quienes estaba endeudado el rey. De tal modo que lo que fácilmente entraba por la puerta más rápidamente aún salía por la ventana, hasta el punto de que, en tan solo veinte años, se había anunciado ya varias veces la quiebra del Estado, precipitando con ello al pueblo a la pobreza y a la mendicidad, para gran sorpresa de los reinos e imperios rivales, que no entendían cómo era posible que la nación más rica y poderosa de todo el orbe pasara hambre y necesidades.

Por supuesto, todo este trasiego de oro repercutía, de forma directa, en la prosperidad de una parte de Sevilla, y esto tenía su principal reflejo en el esplendor de sus obras civiles, en sus magníficos palacios privados, en la elegancia de sus numerosos conventos e iglesias y en el floreciente comercio local. También la hermandad de La Garduña, que, como cabía esperar, tenía su sede principal en la ciudad del Guadalquivir, se embolsaba su correspondiente ración de oro y otros productos, que en este caso servía para pagar salarios, sobornos y cohechos y dar cobertura a sus muchos otros negocios y actividades, lo que había hecho que afluyeran hacia Sevilla, en mucha mayor medida que hacia Madrid, toda clase de pícaros, mendigos, maleantes, prostitutas, rufianes y delincuentes, en busca, en este caso, de El Dorado sin salir de España.

Como siempre que iba a Sevilla, Cervantes se hospedó en el mesón de su viejo amigo Tomás Gutiérrez de Castro, en la calle de Bayona, frente a las animadas gradas de la catedral, donde nuestro hombre tenía crédito ilimitado. De más o menos la misma edad que Cervantes, a quien había conocido en Córdoba durante su niñez, Tomás era de complexión gruesa y carácter campechano; al parecer, había sido comediante, y no de los malos, antes de hacerse cargo de la posada. Esta tenía bastante nombradía, y en ella se hospedaba gente de cierto lustre, por lo que siempre estaba muy animada. La verdad es que Cervantes apenas permanecía en ella, pues se pasaba el día fuera, trajinando de un lado para otro y haciendo gestiones. Tras ser rechazado en la Armada, había decidido buscar algún oficio o cargo relacionado con la preparación de la campaña militar, algo, en fin, en lo que pudiera servir a la causa, pues, en el fondo, seguía considerándose un soldado. Y, mientras este llegaba, se pasaba las tardes en uno de los más de trescientos garitos que había en Sevilla jugando a los naipes para tratar de conseguir algún dinero para sus gastos, que afortunadamente no eran muchos, pues siempre fue muy sobrio en todo aquello que no fuera necesario.

Gracias a mis hermanos de La Garduña, yo estaba al cabo de la calle de todo lo que él hacía y, aunque a distancia, podía tenerlo vigilado. Por eso, cada vez que solicitaba algún empleo público, yo enseguida mandaba a alguien con el encargo de informar convenientemente sobre él, para que se lo denegaran. Pero él era tan tenaz que al final consiguió que, en junio de 1587, la Cámara de Guerra, dependiente del Tribunal de Cuentas, a través de su representante en Andalucía, el licenciado Diego de Valdivia, lo nombrara comisario encargado de sacar trigo, aceite y cuantos artículos fueran menester para el abastecimiento de la Armada dentro de la región andaluza. Claro que, más que un cargo o un empleo, aquello parecía un regalo envenenado, ya que los comisarios de abastos eran vistos, por lo general, como auténticos rufianes que, investidos de una autoridad más que dudosa, expoliaban de manera ruin y cruel a los sufridos campesinos, quitándoles de la boca el poco pan que tenían, mediante violencia y amenazas. De modo que, mira por dónde, el famoso héroe de Lepanto, el gallardo cautivo de Argel y el aspirante a poeta de la Corte tenía ahora que recorrer los pueblos de Andalucía con el encargo de extorsionar y confiscarle los bienes a la gente humilde por orden del rey. Más bajo, la verdad, no se podía caer.

En cualquier caso, él decidió ponerle al mal tiempo buena cara, y, para ello, comenzó por comprarse ropa nueva y adecuada, como correspondía a un funcionario real. De modo que ahora solía ir vestido con un jubón de terciopelo oscuro cerrado hasta el cuello, adornado con fina gorguera y cubierto con un sobretodo de paño. Me lo imagino, por otra parte, llegando a una venta, después de un largo y duro día de trabajo, lleno de peligros, decepciones y sinsabores, y pidiendo recado de escribir, no para componer un poema o una comedia o para redactar un capítulo, sino para intentar llevar al día las negras cuentas de su oscuro oficio, que si para algo le valió fue para descubrir la triste realidad de España.

Su primera comisión fue acopiar trigo en la villa de Écija, para después fabricar con él el bizcocho destinado a la Armada, lo cual llevaba aparejado un salario de doce reales diarios. En principio, la tarea parecía fácil; sin embargo, la cosa empezó con mal pie, pues el Concejo se negó a obedecer las órdenes del nuevo comisario de abastos, alegando que el rey aún les debía el importe de la última saca de trigo. Así es que tuvo que imponerse por la vía del embargo, ya que su superior lo presionaba desde Sevilla y a este, las altas instancias desde la Corte, debido a que el embarque en los navíos se había adelantado y todo eran prisas. Pero la fortuna quiso que, entre los vecinos afectados, estuvieran el deán y varios canónigos prebendados del cabildo de la catedral de Sevilla, que enseguida pusieron el grito en el cielo, nunca mejor dicho, y lo amenazaron con excomulgarlo. «Con la iglesia hemos dado, Sancho», escribirá años después, recordando este suceso. Sin embargo, nuestro hombre siguió adelante con la saca, y al vicario general de Sevilla no le quedó más remedio que proceder a su excomunión.

Y algo muy parecido le ocurrió luego en la localidad de Castro del Río, cuando se vio obligado a encarcelar al sacristán del pueblo, por no haber querido entregarle el trigo solicitado, si bien esta vez se cubrió las espaldas con una serie de documentos acreditativos de que actuaba en nombre del monarca, lo que no impidió que fuera duramente censurado por el vicario general de Córdoba. Por suerte para él, en ambos casos consiguió que se le perdonara y se le absolviera de la excomunión que pesaba sobre su persona, después de haber mostrado, eso sí, el oportuno arrepentimiento y de haber solicitado benignidad a las autoridades eclesiásticas correspondientes.

Lo peor fue que, después de tantos desvelos, luchas y dificultades, se produjo una demora en la salida de la Armada Invencible, pues en muchos navíos faltaba todavía galleta, debido a que el trigo había fermentado en las bodegas o se había podrido a causa de las humedades propias del mar, con el consiguiente enfado del rey, que no veía la hora de comenzar la batalla. Al final resultó que la Grande y Felicísima Armada fue diezmada por una tempestad, nada más ponerse en camino, y la aventura terminó, enseguida, en una sonada derrota, sin demasiado esfuerzo por parte de los ingleses, por lo que las naves indemnes tuvieron que regresar a puerto mucho antes de lo previsto. De todas formas, él siguió siendo comisario de abastos de Su Majestad. Esto lo obligó a volver, una vez más, a Écija, donde uno de los regidores, movido por un exceso de celo, simple ojeriza o ánimo de venganza, lo denunció por haber sacado una cantidad de cereal bastante mayor que la que aparecía en los libros de registro, lo que hizo que sus cuentas comenzaran a ser investigadas. Por entonces, se enteró también de la muerte de su suegra, con la que nunca había congeniado; por eso no le sorprendió saber que, en su testamento, le prohibía, de forma explícita, a su hija enajenar los bienes que le correspondían como tal, para que él no pudiera valerse de ellos, lo que suponía un nuevo desaire por parte de su familia política.

Una vez comprobado por un auditor que las cuentas de su comisión estaban en orden, Cervantes pudo cobrar por fin su salario y regresar a Sevilla, donde, además de liquidar sus deudas en el mesón de su amigo, empezó a vestir con cierta elegancia y dignidad y a mostrarse algo más rumboso de lo que era habitual en él. Esto le permitió alternar con gente de cierta alcurnia a la que había conocido en la posada y con algunas mujeres de la ciudad, entre ellas una muy misteriosa, llamada Jerónima de Alarcón y casada, al parecer, con un alguacil. Con ella se veía en una casa que tenía él alquilada cerca de la catedral. Por lo que sé, allí debieron de pasar buenos momentos, pero luego resultó que esta mujer no era trigo limpio, pues le pidió que fuera su fiador en un asunto relacionado con el arriendo de unas casas, lo que, al final, lo obligó a asumir sus deudas. En consecuencia, el dinero se le acabó más pronto de lo esperado y tuvo que volver al trabajo.

Harto ya de su infame oficio y, sobre todo, de tener que dar descuentos a sus superiores una y otra vez, Cervantes elaboró una nueva «Información» sobre su vida, calidad, méritos y servicios prestados, para apoyar la demanda de un oficio en tierras de ultramar, dirigida al presidente del Consejo de Indias. En esta ocasión, la petición fue rechazada con esta lacónica y disuasoria respuesta: «Busque por acá en qué se le haga merced», que Cervantes recibió como una bofetada y una prueba más de esa mano negra que, según él, enredaba los hilos de su miserable existencia.

En abril de 1591 le llegó inesperadamente el cese en su empleo de comisario de abastos. Parece ser que Felipe II se había enterado, por fin, de que el cereal almacenado en las naves de la Armada estaba ya podrido o a punto de pudrirse cuando fue embarcado, y esto lo puso tan furioso que hizo que rodaran varias cabezas, entre ellas la de su superior. El sustituto de este volvió a contar con él, pero, de entrada, le rebajó el sueldo en dos reales diarios. Por otra parte, le debían atrasos y no paraban de amenazarlo y denunciarlo por irregularidades encontradas en sus cuentas por la Real Hacienda. Todo esto hizo que cayera enfermo de unas extrañas fiebres, que lo tuvieron en cama durante varios días.

Cuando por fin se recuperó, la desesperación y las deudas lo llevaron a firmar un contrato absurdo con un tal Rodrigo Osorio, actor y director de una compañía. En él Cervantes se comprometía a componer para él seis comedias a cambio de trescientos ducados, con el acuerdo de que si, una vez estrenada cada una de ellas, esta no pareciese que era una de las mejores que se habían representado nunca en España, el comprador no estaría obligado a pagar nada por ella. Estaba claro, pues, que Cervantes no solo no se había resignado al fracaso como autor de teatro, sino que, además, tenía un elevado concepto de sí mismo y de sus obras, o, simplemente, había perdido la cabeza. Como cabía esperar, al final la cosa quedó en nada. No obstante, él no parecía dispuesto a claudicar y, siempre que podía, se retiraba a escribir a algún lugar tranquilo, como Castilblanco de los Arroyos, a mitad de camino entre Sevilla y Córdoba.

Reincorporado de nuevo a su trabajo, en septiembre de 1592, no tardó en dar con sus huesos en la cárcel de Castro del Río, por las supuestas fanegas de trigo de más que había sacado de Écija por cuenta de Su Majestad; y de allí no salió hasta haber pagado de su propio dinero la correspondiente fianza, lo que le permitió volver a su tarea como comisario de abastos. Para colmo de males, al año siguiente moría su madre Leonor de Cortinas. Esto lo afectó de manera profunda, pues sentía por ella no solo cariño y respeto, sino también gran admiración. No en vano había sido ella la que, con ayuda de sus hermanas, había sacado adelante a la familia, sobre todo en las peores circunstancias. Al contrario que su difunto padre, que era muy dado a soñar, ella había sido siempre una mujer muy sensata, con los pies sobre la tierra, y, a la vez, alegre y amigable. Es, pues, comprensible que, en ese momento, Cervantes pensara que su vida se desmoronaba por falta de raíces, al tiempo que el mundo se hundía bajo sus pies.

Por esas fechas, además, su amigo Tomás Gutiérrez se vio obligado a poner a prueba su lealtad. Al parecer, el mesonero quería ingresar en la Cofradía del Santísimo Sacramento del Sagrario de la Iglesia Mayor de Sevilla, pero no podía ser admitido sin escándalo, dado que había sido actor y empresario de comedias y, en el presente, tenía, además, un mesón en el que se alquilaban camas, todo lo cual iba en contra de la moral pública. Y, para más inri, era sospechoso de tener sangre judía. Cervantes no dudó, entonces, en cometer perjurio, para favorecer a su amigo, asegurando que este era un hombre de conducta intachable, y que, por tanto, respondía por él, ya que lo conocía desde niño, por ser ambos naturales de Córdoba. Así declaró.

De todas formas, ya había mentido otras veces sobre su lugar de nacimiento, si bien en esos casos lo había hecho para ocultar su lugar de procedencia, tal vez porque allí estaban sus oscuros orígenes, y no quería que se supiera mucho de ellos. Tampoco era esa la única falsedad de la que tenía que avergonzarse. Al parecer, sus famosas «Informaciones» sobre el cautiverio o sobre la limpieza de sangre estaban llenas de embustes; en la relación de sus méritos y servicios, por ejemplo, declaraba haberse alistado como soldado en 1568, con el fin de ocultar el incidente en el que se había visto envuelto conmigo y que tan graves consecuencias tuvo para los dos. De modo que no me sorprende que llegara a trabajar como espía, dado que fingir y engañar formaba parte de su naturaleza y manera de ser.

Sobre este asunto, él mismo sostenía que había muchos tipos de mentira y no todos podían considerarse pecado ni tenían por qué tener consecuencias morales. Por lo demás, no era el único miembro de su familia que recurría al engaño en sus declaraciones. Ya su madre, estando aún vivo su marido, había alegado ser viuda cuando solicitó amparo al Consejo de la Cruzada, para poder pagar el rescate de sus dos hijos, cautivos en Argel. Y algo muy parecido se podría contar de sus hermanas Andrea y Magdalena, que tan pronto estaban solteras como eran viudas, por lo que bien podría decirse que de casta le viene al galgo y de raza, al mentiroso. Pero volvamos a nuestro relato, que, sin ninguna duda, es mucho más veraz.

Fuera de algunos breves períodos, Cervantes siguió trabajando como comisario de abastos hasta mayo de 1594, fecha en la que cesó en el cargo; de ahí que, en el mes de junio, tuviera que entregar en Sevilla sus cuentas de liquidación. Se quedaba, pues, sin oficio ni beneficio, tras siete años de comisiones por tierras andaluzas, con las manos aparentemente vacías y algunas cuentas y fianzas todavía por pagar, lo que demostraba que, a la larga, esa ocupación no había sido un buen negocio, ni mucho menos, y ello sin entrar en ciertos asuntos que ponían en tela de juicio su honorabilidad. Sin embargo, esa ingrata experiencia no le sirvió de escarmiento y a los pocos días ya estaba solicitando un nuevo empleo público.

Gracias a la mediación de un amigo, se entrevistó con Agustín de Cetina, por entonces contador del rey, que logró que lo comisionaran para el cobro de atrasos de tercias y alcabalas en el reino de Granada. De modo que ahí lo tenemos convertido en un miserable recaudador de impuestos, que era ya lo que le faltaba para terminar de estropear su carrera. Al igual que el anterior, este puesto requería mano firme y grandes tragaderas e implicaba muchos riesgos, pues, además de conseguir un fiador que cubriera las posibles pérdidas, con frecuencia se veía precisado a adelantar el dinero que tenía previsto recaudar y que no siempre cobraba. Por otra parte, había que ser muy astuto, para no dejarse engañar por las argucias y triquiñuelas de los que no querían pagar, que eran casi todos, y algunos de ellos muy poderosos.

Pero, en su caso, lo peor vino cuando regresó a Sevilla, una vez realizado el trabajo, y tuvo que arreglar sus cuentas con la Real Tesorería. Al parecer, aún debía ingresar en ella un total de ciento treinta y seis mil maravedís. Con el fin de no aventurarse por Sierra Morena con el dinero recolectado, por temor a los bandoleros o salteadores de caminos, que allí campaban por sus respetos, Cervantes hizo entrega del mismo, más lo que correspondía a su propio sueldo, a Simón Freire de Lima, mercader de Sevilla, el cual le entregó una cédula que le sería abonada en Madrid a su debido tiempo. Y hacia allí se dirigió nuestro hombre, ignorante de lo que se le venía encima. En la Villa y Corte, se dedicó a visitar a la familia y a los viejos amigos y, por supuesto, a recorrer los mentideros. Allí le hablaron de nuevos escritores y nuevos gustos literarios, que no entendió o no quiso entender, pues tenía la cabeza puesta en otra parte. También palpó el descontento y la creciente picaresca y mendicidad que había por las calles, como resultado del mal gobierno.

Yo lo vi una tarde desde lejos, merodeando por la calle de los Tudescos, sin atreverse a entrar en la taberna de Ana Franca ni, desde luego, a llamar a su casa, lo cual, debo confesarlo, me conmovió un poco. Se conformaba con verla de lejos, así como a su hija, que tendría unos diez años y estaba ya hecha una moza. Esta, encima, había heredado el color del pelo de Cervantes y algunos de sus rasgos, o al menos eso era lo que a él le parecía, a juzgar por los ojos con los que la miraba, siempre empañados de lágrimas y a la vez alegres por haber engendrado una criatura así, aunque no tuviera derecho a abrazarla ni, desde luego, a decir que era su padre, lo cual constituía para él un motivo más de frustración. Si a esto se añade que, hasta la fecha, no había podido tener descendencia legítima con su esposa, a pesar de haberlo intentado —lo que, en parte, explicaba también su alejamiento de ella—, Vuestra Merced podrá hacerse una idea de lo mucho que nuestro hombre sufría cada vez que contemplaba a Isabel; de ahí que, a los pocos días, dejara de ir por allí.

Como el tiempo pasaba y el dinero no llegaba, Cervantes reclamó de nuevo la cobranza al mercader sevillano, que a los pocos días le contestó diciendo que, de momento, no tenía fondos, pero que había dado orden de pago a uno de sus socios, un tal Gabriel Rodríguez, residente en Madrid. Este, sin embargo, se lavó las manos, pues se olía que algo no iba bien, y no le faltaba razón. Según parece, lo que había ocurrido era que el negocio de Freire había quebrado y este había desaparecido, llevándose sesenta mil ducados que obraban en su poder. Naturalmente, esto dejaba a Cervantes al descubierto y en deuda nada menos que con el rey, ya que su fiador, un tal Francisco Suárez Gasco, tampoco quiso hacerse cargo de la misma, alegando que allí había gato encerrado. Y, mientras tanto, la Contaduría General no dejaba de reclamarle a nuestro hombre el dinero que aún debía.

XIV

De nuevo en Sevilla, Cervantes tuvo que justificar, con los documentos oportunos, la suma que, en efecto, le había entregado a Simón Freire, así como las fianzas correspondientes, los embargos realizados y las cantidades satisfechas con anterioridad, con el fin de que el asunto pudiera ser investigado y definitivamente aclarado. Pero, lejos de resolverse, este se volvía cada vez más enrevesado y confuso, entre otras cosas gracias a mí, que no quise perder la ocasión de sembrar cizaña y suscitar toda clase de sospechas, que ponían en entredicho su honradez e integridad. El caso es que este enredo lo tuvo empantanado durante mucho tiempo, a la espera de que se solucionara de alguna forma, pues el Tesoro todavía le reclamaba ochenta mil maravedís que él había dejado de recaudar en Vélez-Málaga, porque al parecer ya habían sido pagados con anterioridad.

Como por entonces no tenía medios propios ni quería seguir viviendo de la caridad de Tomás Gutiérrez, no le quedó más remedio que dedicarse a los oficios más peregrinos, como el de revendedor de géneros, comerciante de vinos, amanuense o pendolista, cobrador de deudas a comisión, en lo que se había hecho todo un experto, y algunos un poco más viles, como el de gancho o muñidor de una casa de tablaje, que tenía como misión llevar gente nueva al garito y animarla a participar en el juego, o el de encargado de descubrir y controlar a los fulleros, puesto que conocía muy bien las flores y los ardides propios de la *ciencia vilhanesca*, que era como también se conocía, entre los tahúres, el arte de jugar a los naipes, por ser Vilhán el nombre de uno de sus legendarios inventores.

Y así habrían continuado, probablemente, las cosas si una tarde no se hubiera presentado en la posada un criado vestido con una lujosa librea, para entregarle en mano una carta en la que una persona muy principal —recién llegada a Sevilla desde lejanas tierras y, al parecer, muy aficionada a la poesía— le pedía que fuese su secretario. Ni que decir tiene que, para Cervantes, eso fue como si lo hubiera venido Dios a ver, puesto que se trataba de un empleo muy adecuado a sus cualidades, y en el momento, además, en el que más lo necesitaba. A él desde luego se lo veía contento y animado cuando acudía al lujoso palacio de su señor, rodeado de jardines y de huertas y cercado por un enorme muro de obra, junto al río Guadalquivir. Pero poco fue lo que mis hermanos de La Garduña pudieron averiguar sobre el misterioso desconocido que allí habitaba, salvo su más que probable condición de extranjero y potentado, pues contaba con una pequeña guardia personal que no dejaba que nadie de fuera se acercara a la casa.

En los mentideros de Sevilla, circulaba, por supuesto, todo tipo de rumores sobre él: desde que era un antiguo esclavo de Argel que había hecho luego una gran fortuna hasta que se trataba de un importante espía de la Corona que, durante mucho tiempo, había vivido en territorio turco y ahora se había retirado para vivir de sus rentas. Otros decían que se trataba de un sobrino del sultán de de Fez, don Felipe de África, que después de la batalla de los Tres Reyes, se había exiliado en España y había abjurado del Islam. Incluso, había quien afirmaba que se trataba de una mujer, una cristiana conversa de origen musulmán. En ese caso, lo más probable es que fuera hija de algún prócer de Argel, tal vez un renegado con el que Cervantes podría haber tenido algún trato durante su cautiverio, y, si era así, cabía la posibilidad de que hubiera intimado con ella.

Lo cierto es que nuestro hombre cada vez pasaba más tiempo junto a esa persona tan misteriosa, sin apenas salir a la calle, como si se hubiera olvidado de todo, incluso de sus asuntos pendientes con la justicia, hasta que, de repente, en septiembre de 1597, un juez de grados llamado Gaspar de Vallejo ordenó a sus esbirros que, sin más consideraciones, encerraran en la Cárcel Real de Sevilla a Miguel de Cervantes, a quien exigía el pago no solo del dinero que aún le reclamaba el Tesoro —los ochenta mil maravedís de marras—, sino el total recaudado a lo largo de su comisión, nada menos que dos millones y medio. Enterado del asunto el rey, que era con quien Cervantes tenía la supuesta deuda, envió una misiva dirigida directamente al magistrado con instrucciones para que dejara en libertad al reo, con las fianzas legales que considerara oportunas, y le diera permiso para trasladarse a la Corte, donde el procesado daría satisfacción cumplida a todo lo que se le demandara. Pero el juez, siguiendo indicaciones de La Garduña, para la que trabajaba de manera encubierta desde hacía tiempo, interpretó a su manera el mandato del rey y, en un claro acto de prevaricación, mantuvo a Cervantes entre rejas durante siete meses, hasta bien entrado el mes de abril de 1598.

La Cárcel Real de Sevilla —permítame Vuestra Merced este nuevo excurso, pues es de gran interés— era la más importante de la ciudad; se encontraba al comienzo de la calle de las Sierpes, muy cerca de la plaza de San Francisco. En ella había tres puertas. La de entrada o rastrillo era la llamada puerta de oro, por ser esta la más provechosa para los guardias, ya que, desde allí, se repartía a los delincuentes según el lugar que merecieran sus culpas y el mucho o poco dinero que pudieran pagar. En el interior, se encontraba la de plata, en la que los porteros cobraban por quitarles a los presos que tenían dinero las penas que ellos mismos les habían impuesto; en ella, una aldabilla avisaba cuando llegaba un recluso nuevo. Por último, tras subir unas escaleras, se hallaba la de cobre, que conducía a varias galerías, donde de nuevo había que aflojar la bolsa.

En la planta baja, había un patio rectangular con una fuente en medio, una galería y catorce calabozos, que eran de alquiler o de pago, para uno o dos presos y los huéspedes que estos admitieran, incluidas sus mujeres legítimas o sus barraganas. Asimismo, disponía de cuatro tabernas y bodegones, dos tiendas donde, entre otras cosas, se podía comprar verdura, fruta, aceite, vinagre, papel y tinta, varias tablas de juego y algunas otras dependencias. A este patio podían bajar los de las galerías de arriba, salvo los que estuvieran incomunicados en los llamados aposentos fuertes. En él se formaban, durante el día, muchos corrillos para conspirar o conversar de sus cosas, y eran frecuentes las peleas. La comida, por lo general, venía de fuera, por lo que continuamente acudían mujeres, familiares y amigos con la pitanza. Los visitantes podían entrar y salir sin necesidad de autorización o salvoconducto, quedando todo a la memoria del portero, que solía ser un gran fisonomista, pero que también podía equivocarse, a veces de manera deliberada. De ahí que en el zaguán hubiera siempre un gran trasiego, al menos hasta las diez de la noche, que era cuando se cerraban las puertas, lo que facilitaba la huida de algunos presos y todo tipo de desmanes.

La Cárcel Real, como casi todo en Sevilla y en buena parte del reino, estaba controlada por La Garduña, a través de los llamados valientes. Estos constituían la aristocracia del patio y de los aposentos de la cárcel, mientras que los pobretes, miserables y andrajosos eran la clase vil, al servicio de los primeros; fuera quedaban los bondadosos, los débiles y los encogidos, que solían ser víctimas de las extorsiones, desdenes y amenazas de los otros. La hermandad era la encargada de mantener el orden y la disciplina y de controlar y gestionar todo lo que entraba en ella, pues el alojamiento y la manutención corrían a cargo del preso. De modo que los que no tenían medios de fortuna se veían obligados a prestar algún servicio o a realizar algún trabajo para poder comer algo y tener un hueco donde dormir. Asimismo, los valientes cobraban por los derechos de limpieza y de alumbrado del patio; y, a los que podían permitírselo, les alquilaban la compañía de mujeres para juergas y dormidas. Por supuesto, también tenían su propia cofradía religiosa y, con frecuencia, hacían procesiones en el patio, paseando una imagen de la Virgen y del Nazareno y pidiendo limosna a los demás presos a punta de cuchillo, que era algo muy digno de ver.

En la Cárcel Real, por otra parte, se ejercían numerosos oficios y ocupaciones: allí había abogados, procuradores de cualquier cosa, mensajeros o correos, médicos, barberos, prestamistas... Y en ella se realizaban, además, toda clase de trapicheos y transacciones; de hecho, un preso podía comprar todo lo que quisiera, siempre y cuando estuviera dispuesto a pagarlo, incluidas, naturalmente, las armas. Y de todo ello La Garduña y el alcaide, cuyo cargo se otorgaba en pública subasta al mejor postor, se llevaban su correspondiente porcentaje, a modo de tasas, gabelas o alcabalas. De modo que bien podía decirse que la cárcel, para algunos, era un suculento negocio. Por eso no era extraño que a ella se retiraran temporalmente algunos valientes y rufianes con problemas o que algunos no quisieran irse cuando terminaba su condena o que volvieran por su propia voluntad a la misma, después de haber salido durante unas horas para cometer un nuevo delito, pues ¡dónde iban a estar mejor y más seguros que en su seno! Alguno había, incluso, al que los alguaciles buscaban fuera para prenderlo, y resulta que llevaba tiempo refugiado en la celda de un amigo suyo, como si nada.

En esta verdadera representación del infierno en la tierra, se hacinaban entonces unos mil ochocientos presos, distribuidos en galerías con capacidad para trescientas o cuatrocientas personas. Con el fin de rebajar el número de encarcelados, el alcaide mandaba soltar de vez en cuando a algunos o eximía de entrar en sus dominios a otros, a cambio, eso sí, de una determinada cantidad. Pero, así y todo, seguían siendo demasiados, como sucede también en esta Cárcel Real de Madrid. Y, como muy bien sabe Vuestra Merced, esta situación se debe, sobre todo, al abuso de la prisión preventiva por parte de algunos jueces —como, sin ir más lejos, ha ocurrido en mi caso, dicho sea con todos los respetos—, y a que muchos acaban en la cárcel por el mero hecho de no haber saldado una deuda a su debido tiempo, lo cual es absurdo, ya que, de esta forma, se les priva de poder hacer frente a la misma. Por suerte, este tipo de presos suelen estar separados de los otros, en las cámaras altas, pero, al igual que los demás, deben pagar el rancho de su bolsillo, lo que incrementa todavía más su débito.

Cuando Cervantes ingresó en la Cárcel Real de Sevilla, acababa de cumplir cincuenta años, una edad a la que muchos no llegan, pues, por unas cosas u otras, la mayoría suele morir antes. Y, sin embargo, él había logrado sobrevivir a un duelo, varias campañas militares, cinco años de duro cautiverio, diversos ataques y agresiones, alguna que otra misión secreta y peligrosa, por no hablar de las numerosas desgracias, desventuras y desilusiones que había padecido. Pero, a esa edad, iba a ser muy difícil que saliera con vida de la prisión, y eso era lo que a él más pena le causaba, pues, a pesar de todos sus esfuerzos y por muchas ínfulas que se diera, aún no había hecho nada de lo que en verdad pudiera enorgullecerse, salvo, tal vez, de su participación en la batalla de Lepanto; de modo que, si hubiera fallecido en ese momento, lo único que habría dejado en este mundo eran dos hijos naturales y no reconocidos, que además no sabían quién era él, una esposa con la que ni siquiera cohabitaba y, por supuesto, una treintena de comedias, numerosos poemas y un libro en prosa de los que nadie se acordaría en el futuro, de los que, seguramente, nadie se acordaba ya. Eso era todo. Apenas nada.

Podría haber aprovechado, pues, la circunstancia para mandar que lo mataran de una vez, enmendándole así la plana a su maestro López de Hoyos y a todos aquellos que habían pronosticado que llegaría lejos. Para ello, habría bastado con pasarme la uña del dedo pulgar por la mejilla, que era uno de los signos que los miembros de La Garduña teníamos convenidos para esos casos; y nadie habría visto ni oído ni dicho nada, ni desde luego lo habría lamentado, pues allí una triste vida humana vale menos que la de una rata, ya que esta suele servir de alimento. Y, sin embargo, no lo hice. Podría argüir que quería ponerlo una vez más a prueba o que no estaba dispuesto a ahorrarle ningún sufrimiento. Pero lo cierto era que, después de casi treinta años de odio permanente, sabía de sobra que no iba a poder vivir sin él y que mi futuro dependía del suyo. Así es que, en lugar de pedir que lo mataran, lo que hice fue pagar para protegerlo, para que no le pasara nada malo estando dentro de la trena y pudiera salir de allí fortalecido y con ganas de seguir en la brega.

Por suerte, el capellán de la cárcel era Pedro de León, del que Cervantes había sido compañero de estudios en el colegio de la Compañía de Jesús de Sevilla; de modo que podía dormir muchas noches en la enfermería, que era donde el sacerdote tenía su aposento, y el resto, en uno preferente que yo le pagaba. La comida se la enviaba a diario su amigo el mesonero, que de cuando en cuando iba a charlar con él, después de haber untado convenientemente a los guardias. De lo demás me encargaba yo, quiero decir, mis hermanos de La Garduña. De tal forma que, durante todo el tiempo que estuvo allí, nadie le robó ni le tocó un solo pelo de la ropa. También velaron para que no le faltara de nada ni cayera gravemente enfermo, de lo cual era difícil librarse, dada la falta de higiene que allí había. Por otra parte, y como ya iba siendo habitual en él, se ganaba la vida como memorialista, esto es, redactando cartas y billetes de amor para aquellos que no sabían hacerlo, a cambio de favores o de una pequeña cantidad.

Cervantes encontró pronto, además, un asidero firme para permanecer a flote, algo con lo que mantenerse activo e ilusionado, y fue, cómo no, la escritura. En esta ocasión, quiso probar fortuna con un género de origen italiano que él había conocido cuando estuvo en Nápoles, la *novella*. Se trataba de un relato en prosa de mediana extensión en el que se contaban historias verosímiles y moralmente ejemplares, a la manera de Giovanni Boccaccio o Matteo Bandello, y no fantásticas e idealizadas, como las que se leían en los libros pastoriles, de aventuras peregrinas y de caballerías. Al parecer, era algo que no se había hecho antes en lengua castellana, y él se entregó a ello con todas sus fuerzas. Se pasaba, pues, una buena parte del día escribiendo en una mesa que se había fabricado con unas cuantas cajas de las que se utilizaban para transportar la comida, y, por las noches, después de cenar, les leía a algunos de sus compañeros de reclusión lo que había redactado durante el día, con una voz serena y sugerente, sin asomo de tartamudeo. Por lo visto, esto tenía un efecto balsámico sobre todos ellos y hasta los ayudaba a dormirse sin angustias ni sobresaltos, mientras que a él le servía para poner a prueba sus obras, y así poder mejorarlas, según fuera la reacción de sus oyentes.

Aunque hubiera ido a parar allí por sospechoso de desfalco o supuesta malversación de fondos públicos o, en última instancia, por deudas, él más bien se sentía como su admirado Garcilaso cuando fue desterrado por su amado césar, el emperador Carlos, a una de las islas del Danubio, cerca de Ratisbona, después de haber caído en desgracia. Y, al igual que él, esperaba salvarse y purgar sus muchos pecados entregándose a las letras, que era la mejor manera de purificar su alma y mantenerse al margen de la degradación que allí reinaba. Y la verdad es que lo consiguió con creces. No en vano fue en la trena donde se gestaron algunas de sus principales obras, y, entre ellas, la mayor de todas, como él mismo confesará en el prólogo, en el que recuerda que el *Quijote* «se engendró en una cárcel, donde toda incomodidad tiene su asiento y donde todo triste ruido hace su habitación». Y esos ruidos e incomodidades son, sin duda, los mismos que yo sufro ahora, mientras pongo negro sobre blanco su existencia, que es también la mía, en esta Cárcel Real de Madrid. La vida, ya lo hemos visto varias veces, es irónica y parece que se complace en este tipo de analogías o correspondencias.

Al parecer, la idea de escribir sobre un ingenioso hidalgo aficionado a los libros de caballerías se le ocurrió después de ver a dos presos pelearse, de forma violenta, por un ejemplar del *Amadís de Gaula* que uno de ellos había encontrado por casualidad debajo de un camastro, tal era la afición a esa clase de obras dentro y fuera de la cárcel. En principio, iba a ser una novela ejemplar más, como las que luego publicaría con ese título, que abarcaba solo la primera salida en pos de aventuras de don Quijote, de edad, por cierto, muy parecida a la que Cervantes tenía entonces, sobre poco más o menos, y en ella pensaba evocar lugares de la Mancha que conocía bien. El nombre del personaje lo había tomado de un antepasado de su mujer, Alonso Quijada de Salazar, un fraile muy piadoso y aficionado a la lectura de libros de caballerías.

En este caso, la ejemplaridad de la obra estribaba, precisamente, en el hecho de que se trataba de una invectiva contra ese género de libros, pues, al parecer, no era otro el deseo de Cervantes que poner en aborrecimiento de los hombres las fingidas y disparatadas historias que en ellos se contaban. Un objetivo, pues, muy loable, si no fuera porque, en ese momento, tales relatos estaban ya en franca decadencia, y muy pronto serían sustituidos, en el favor de los lectores, por otros, menos heroicos y más mundanos, que, en lugar de referir grandes gestas, hablaban de la miseria y la épica del hambre y estaban protagonizados por pícaros o mozos de muchos amos a los que les gustaba la vida libre, y que, por tanto, solían moverse entre la mendicidad y la delincuencia. De hecho, por la cárcel de Sevilla habían comenzado a circular ya, por entonces, copias manuscritas de algunos pasajes de una obra todavía inédita, titulada *Primera parte de Guzmán de Alfarache*, con la que se inauguraría el género, si bien este gozaba ya de ilustres precedentes. Después, cuando el libro se publicó, en 1599, se convirtió pronto en uno de los más vendidos y leídos en España desde que se inventó la imprenta.

Curiosamente su autor, un tal Mateo Alemán, y Miguel de Cervantes habían nacido el mismo año y, con el tiempo, habían ido a parar —por el mismo motivo, aunque en épocas diferentes— a las cárceles de Castro del Río y de Sevilla, donde, por cierto, había ejercido su oficio el padre del primero, que, como el del segundo, era también cirujano y rapabarbas, y converso, lo cual ya era mucha casualidad. De la Cárcel Real de Sevilla hablaba Mateo Alemán en su libro, lo que llenaba de orgullo a los presos que allí se hospedaban; de ella decía, por ejemplo, que era «paradero de necios, escarmiento forzoso, arrepentimiento tardío, prueba de amigos, venganza de enemigos, república confusa, infierno breve, muerte larga, puerto de suspiros, valle de lágrimas, casa de locos, donde cada uno grita y trata de sola su locura», y otras tantas lindezas por el estilo que resumen muy bien lo que yo he tratado de describir aquí.

Cervantes, por su parte, no fue ajeno a este tipo de obras, como puso de manifiesto en algunas de sus *Novelas ejemplares,* y muy especialmente en la titulada *Rinconete y Cortadillo,* así como en un entremés dedicado a la cárcel sevillana, de los que luego se hablará. Y es que, en el curso de su estancia en prisión, Cervantes llegó a conocer muy bien el funcionamiento de las cofradías de delincuentes, de las que la hermandad de La Garduña era norte y modelo supremo, así como la germanía o lenguaje de los rufianes y maleantes y todo lo referente a su vida, oficios y costumbres. No en vano la Cárcel Real de Sevilla, más que un lugar de castigo o de redención, era una escuela de delincuencia en la que uno podía entrar siendo un primo o pardillo y salir de ella licenciado y hasta doctorado en todo tipo de maldades. De hecho, eran muchos los reclusos que, gracias a esos conocimientos, podían buscarse la vida cuando salían a la calle, siempre y cuando solicitaran permiso, eso sí, a la germanía o hermandad correspondiente para poder ejercer el oficio y pagaran luego las tasas y porcentajes señalados al efecto. De ahí que, una buena parte del tiempo que los internos pasaban en la trena, lo emplearan en asistir a las clases que les impartían los más curtidos y veteranos; después, tenían que hacer prácticas entre ellos, y, una vez las habían superado, debían examinarse para obtener el título oportuno.

Por suerte, para Cervantes, ese lugar no fue tan solo escuela de malicia y delincuencia, sino también de compasión y sensibilidad hacia los demás. De hecho, allí pudo completar los conocimientos sobre la naturaleza humana que había ido adquiriendo por experiencia a lo largo de los años y en muy diferentes lugares. Entre otras cosas, le gustaba mucho conversar con los otros presos y saber cuál era su origen o procedencia y cómo habían ido a parar a allí. De modo que, lejos de hacerse un misántropo o un rencoroso o un cínico, Cervantes se volvió más comprensivo y piadoso con las debilidades ajenas, y tanto más tolerante y abierto cuanto más intransigente y dogmática era la sociedad española, amén de más sereno ante las adversidades. Lo que no quita para que, al mismo tiempo, se convirtiera en alguien más escéptico y desengañado, ya que allí terminó de darse cuenta de que todos aquellos ideales en los que había creído y por los que había luchado no valían nada, eran una falacia, una patraña, una filfa...

No es extraño, pues, que, tras su estancia en prisión, se derrumbara definitivamente, para él, esa España heroica y arrojada, íntegra y emprendedora, noble y discreta que él todavía había conocido o había creído conocer o simplemente había imaginado en su juventud, y que enseguida se había transformado en una especie de patio de vecindad lleno de miseria, corrupción y trapacerías, como consecuencia de ese torpe afán de enriquecimiento a cualquier precio que parecía haberse expandido por los diferentes reinos de la Corona. A este respecto, la Cárcel Real de Sevilla no era más que una muestra o representación de lo que ocurría en el resto de España, lo que explica que en ella hubiera gran inmundicia, tanta que hacían falta alas para no mancharse. Y, sin embargo, debo reconocer que él logró salir indemne, aunque, eso sí, con menos dientes, el pelo más ralo y canoso, la vista cansada y el resto del cuerpo algo deteriorado.

XV

El día en que Cervantes pudo dejar por fin la prisión debió de sentirse el hombre más feliz de la Tierra, ya que, según sus palabras, no había en el mundo contento que pudiera igualarse al de alcanzar la libertad perdida, y él lo sabía bien. Una vez fuera, lo primero que hizo fue ir a visitar a su amigo Tomás Gutiérrez. El mesonero lo puso al día de todo lo que había pasado en Sevilla durante esos últimos meses. Entre otras cosas, le contó que su protector o protectora ya no vivía en la ciudad, pues había vendido el palacio y regresado a su tierra, lo que contrarió mucho a Cervantes, que volvía a verse, una vez más, en la calle sin oficio ni beneficio. Por supuesto, no pensaba permanecer mucho tiempo en la posada de su amigo, dado que le debía mucho dinero, y a Esquivias no quería regresar, para no tener que dar explicaciones. Ni siquiera le había contado a su esposa que había estado encerrado, pues no quería apenarla más de lo que ya estaba por sus frecuentes huidas de casa, o espantadas, como ella las llamaba con expresión muy gráfica y certera. Lo malo era que, con sus antecedentes, no podría conseguir ningún empleo público ni un miserable préstamo para intentar emprender un negocio por pequeño que fuera.

Tampoco era ese un momento muy propicio que digamos para intentar retornar al teatro, en el caso de que hubiera querido, pues, desde que en noviembre de 1597 muriera en Turín doña Catalina, duquesa de Saboya e hija de Felipe II, este había dado orden de cerrar los corrales de comedias en todo el reino, mandato que, meses después, con la muerte del rey, sería declarado a perpetuidad, si bien la medida fue anulada al cabo de un tiempo a causa de las presiones de los aficionados. De todas formas, a esas alturas, no habría tenido nada que hacer. Y es que ya hacía mucho tiempo que los espectadores y los empresarios se habían olvidado de él. De ahí que las relaciones con su máximo rival se hubieran suavizado un poco.

La prueba era que Cervantes, por esas fechas, compuso un soneto para *La Dragontea* de Lope con la intención de congraciarse con él, aprovechando que andaba por Sevilla, y este, que estaba bien informado de todo, no solo condescendió a citarlo en su *Arcadia*, sino que también lo invitó a comer. Días después, Lope me envió una misiva en la que me contaba que, durante el almuerzo, Cervantes apenas despegó los labios, mientras él le hablaba de sus logros y de sus conquistas amorosas. Después, cuando se despidieron, Lope quiso darle unas monedas, pero Cervantes no se las aceptó. «Teníais que haberlo visto —concluía la carta—. Su ropa estaba llena de remiendos y sus anteojos parecían dos huevos estrellados mal hechos. Era la viva imagen de la derrota. Estoy seguro de que no volverá a levantar cabeza, ni siquiera para que se la golpeen de nuevo.»

Dadas las circunstancias, nuestro hombre comenzó a frecuentar los bajos fondos sevillanos, tal vez con la vaga idea de poner en práctica algunas de las cosas que, sin pretenderlo, había aprendido en la cárcel y pasarse definitivamente al otro lado de la ley, lo que indica su grado de necesidad, que, como diría el pícaro Guzmán de Alfarache, es enemiga de la virtud. De perdidos al río o, mejor dicho, al pozo, debió de pensar por entonces Cervantes. Al fin y al cabo, de poco le había servido ser honrado o, al menos, haberlo intentado hasta en las peores circunstancias; lo único que con ello había conseguido era que lo persiguieran, humillaran y encarcelaran como a un vulgar ladrón.

De modo que ahí lo tenemos convertido en un miembro más del hampa sevillana, de la que le iba a resultar muy difícil salir, pues, al igual que el pobre Sísifo, lo que ganaba de día realizando todo tipo de servicios lo perdía de noche en los peores garitos, tabernas y prostíbulos del Compás del Arenal. Lo cual, por cierto, no parecía importarle demasiado. También solía visitar a los grupos de gitanos que se habían establecido al otro lado del Guadalquivir. Le complacía mucho conversar con ellos y verlos cantar y bailar, en los corrales de sus casas, al son de una música para la que parecían estar muy dotados, incluso desde niños. Y es que, en el fondo, nuestro hombre admiraba mucho ese tipo de vida alegre, libre y desordenada, al margen de ataduras y de obligaciones sociales y religiosas, así como la que llevaban los miles de ociosos, pícaros y vagabundos que, en ese momento, erraban por España.

Gracias a todo ello, Cervantes pudo completar la escritura de *Rinconete y Cortadillo* y del entremés de *La cárcel de Sevilla*, cuyos ambientes y personajes fueron copiados fielmente del natural, hasta el punto de que en ellos se revelaban aspectos que La Garduña habría preferido que se mantuvieran en secreto, ya que tenían mucho que ver con el funcionamiento de la hermandad dentro y fuera de la cárcel de Sevilla. No es extraño, pues, que ambos manuscritos y algunos más relacionados con este asunto desaparecieran de su casa de forma misteriosa, si bien es cierto que, para entonces, ya habían comenzado a circular por la ciudad y otros lugares algunas copias algo edulcoradas de los mismos. Por suerte, esto fue lo que permitió que, pasado un tiempo, Cervantes pudiera recuperar algunos de esos textos. El entremés de *La cárcel de Sevilla*, sin embargo, no quiso reclamarlo, pues, al parecer, le disgustaba mucho su tono y la crudeza de su lenguaje; de ahí que, con el tiempo, le fuera atribuido a Lope de Vega, que no le hacía ascos a nada, y, como tal, se representó con gran aceptación y hasta se publicó en algún tomo de las obras del llamado Fénix de los Ingenios, lo que a mí se me antoja tremendamente sarcástico.

El caso es que, a pesar del robo y de las amenazas que recibió luego por parte de La Garduña, Cervantes se mantuvo en sus trece, como si no le tuviera miedo a nadie o no le importara nada la vida; de hecho, no se sabe qué podría haber pasado si, por entonces, no hubiera recibido una carta de su hermana Magdalena en la que esta le comunicaba el fallecimiento repentino de Ana Franca, su añorada amante, la madre de su hija... Le faltó tiempo para dejarlo todo y dirigirse de inmediato a Madrid. Quería rendirle un último homenaje, rezar por ella y, desde luego, saber qué iba a pasar con la niña.

Cuando, por fin, pudo dejarse caer por la taberna de la calle de los Tudescos, unas vecinas le contaron que, poco antes de morir, Ana Franca había preguntado por él y, al ver que no aparecía, había rogado que lo avisaran, para que pudiera hacerse cargo de su hija Isabel, que a la sazón tenía catorce años y quedaba en total orfandad, puesto que su marido ya había muerto hacía unos años. La otra hija que tenía la había dejado a la guarda de un procurador madrileño. Cervantes, desconcertado, miró a la muchacha sin saber muy bien qué decir. Naturalmente, no podía llevársela a Sevilla, dado su modo de vivir, ni pedirle a su esposa que se ocupara de ella, si no quería que esta se enterara de la verdad ni que la muchacha fuera objeto de la comidilla del vecindario. De modo que lo que hizo fue ponerla como criada en casa de su hermana Magdalena; de esta forma, la acogía en la familia sin necesidad de reconocerla legalmente, si bien es cierto que, antes de irse, le otorgó el apellido de Saavedra, que, como ya dije, él venía utilizando desde hacía un tiempo. Se trataba, en fin, de una solución ambigua y a medias, destinada, sobre todo, a guardar las apariencias, un apaño más dentro de una familia que ya tenía mucha experiencia en este tipo de trances.

De nuevo en Sevilla, en septiembre de 1598 se vio sorprendido por la noticia del fallecimiento de Su Majestad Felipe II. El último trance tuvo lugar, cómo no, en su bendito mausoleo de San Lorenzo de El Escorial, después de una larga y tremenda agonía; al parecer, murió pidiendo perdón por todas las maldades que, según él, había cometido a lo largo de su existencia, que eran muchas y muy variadas, si bien ninguno de sus secretarios llevaba la cuenta de ellas ni había tenido la indiscreción de ponerlas por escrito. En cualquier caso, lo que está claro es que su muerte fue muy acorde con su vida y con muchas de sus obras. Yo mismo fui testigo de cómo sus heridas abiertas y ulcerosas supuraban de continuo, llenando al cabo del día varias jofainas de sangre e inmundicia. El hedor, por otra parte, era espantoso; olía a podredumbre y descomposición, por todo el monasterio, más que nunca convertido en mausoleo. No obstante, él quiso seguir mandando hasta el último suspiro; de ahí que el tránsito hacia la otra vida se produjera mientras firmaba un real decreto. Así entregaba su alma el hombre más poderoso de todo el Orbe, Dios se apiade de ella, que debía de tenerla más negra y purulenta que el interior de su cuerpo.

En cuanto a Cervantes, no hace falta decir que la noticia no le entristeció, pero tampoco le causó ninguna alegría. Ya era un poco tarde para eso, como para casi todo; no en vano era de la opinión de que las cosas siempre llegan a destiempo. Sin embargo, le dedicó unas quintillas laudatorias que guardan un curioso parecido con las que había escrito treinta años antes con motivo de la muerte de Isabel de Valois. Y todavía hoy sigo preguntándome si es que le faltó la inspiración o se trataba de un guiño dirigido a aquellos que lo conocíamos desde la juventud. De todas formas, no faltan alusiones incisivas y mordaces a algunos desastres causados por su forma de gobernar:

Quedar las arcas vacías
donde se encerraba el oro
que dicen que recogías,
nos muestra que tu tesoro
en el cielo lo escondías.

Asimismo, compuso un soneto con estrambote dedicado al túmulo funerario que los sevillanos levantaron en honor del rey muerto y que, por lo visto, era muy aparatoso y desmesurado. Se trataba, sin duda, de una buena muestra de esa ambigüedad tan característica de Cervantes, que algunos, los más suspicaces, consideraban hipocresía y otros, los más benévolos o mejor pensados, calificaban de fina ironía o habilidad en el manejo de las medias palabras, fruto, en cualquier caso, de esa actitud cada vez más desengañada y, a la vez, tolerante y respetuosa con los demás. El caso es que, con la coartada de ridiculizar a un fanfarrón, llevaba a cabo un astuto ajuste de cuentas con aquel al que consideraba responsable de las crueles muertes del príncipe Carlos y de Isabel de Valois, de la incipiente decadencia de España, a causa de sus numerosos errores políticos y militares, y, por último, de su propio destino, por haberle negado sistemáticamente las mercedes a las que tenía derecho por los muchos servicios prestados a la Corona.

«¡Voto a Dios que me espanta esta grandeza
y que diera un doblón por describilla!
Porque, ¿a quién no suspende y maravilla
esta máquina insigne, esta braveza?

¡Por Jesucristo vivo, cada pieza
vale más de un millón, y que es mancilla
que esto no dure un siglo, oh gran Sevilla,
Roma triunfante en ánimo y riqueza!

Apostaré que el ánima del muerto,
por gozar este sitio, hoy ha dejado
el cielo, de que goza eternamente.»

Esto oyó un valentón y dijo: «Es cierto
lo que dice voacé, seor soldado,
¡y quien dijere lo contrario miente!»

Y luego, encontinente,
caló el chapeo, requirió la espada,
miró al soslayo, fuese, y no hubo nada.

Al parecer, fue leído *in situ*, durante las honras fúnebres, por el propio Cervantes, lo que causó cierto revuelo. El poema se hizo enseguida muy popular, y nuestro hombre siempre lo tuvo por la «honra principal» de sus escritos. Por algo sería.

XVI

Después de andar un tiempo oculto en compañía de sus amigos los gitanos del otro lado del río —tal vez por miedo a posibles represalias—, abandonó Sevilla al año siguiente, tal vez huyendo de la peste que, en ese momento, estaba asolando la ciudad y que muchos vieron como un aviso de la destrucción inminente de esa cueva de ladrones, amparo de pobres y refugio de desechados, también conocida como el paraíso del hampa y la Babilonia de España, a causa de sus numerosos delitos y graves pecados. Faltaba poco para el nuevo siglo, y, como siempre, la gente temía la llegada del Apocalipsis; de ahí que hubiera aumentado el fatalismo y abundaran los malos augurios, y no solo a orillas del Guadalquivir. Por esas mismas fechas, una célebre visionaria predicaba en la Villa y Corte «que las cosas de España iban perdidas», y la verdad era que, miraras donde miraras, se percibían señales de miseria, ruina y decadencia.

Cervantes aprovechó la circunstancia para vagabundear, durante unos meses por los pueblos de la Mancha, un poco al azar de los caminos, como si fuera un pícaro, a la espera de que las cosas se calmaran un poco, mientras en sus alforjas iba creciendo la historia del ingenioso hidalgo, que, por lo visto, había retomado para convertirla en un relato mucho más extenso, tal era el cariño que le había tomado a su personaje. Por el camino, se enteró con cierto retraso de que, en los festejos celebrados en Valencia con motivo de las bodas del nuevo rey, Felipe III, con Margarita de Austria, se había representado una comedia de Lope de Vega titulada *Los cautivos de Argel*, que, por lo que le dijeron, se parecía mucho a la que él había escrito años atrás, solo que refundida según las nuevas reglas impuestas por su rival, lo que le causó una gran amargura. Por entonces, tuvo noticia también de la muerte de su hermano Rodrigo en la batalla de las Dunas de Nieuport, después de haber participado en numerosos combates: en Lepanto, Italia, las Azores, Flandes..., sin haber pasado del grado de alférez. Un héroe anónimo como tantos otros.

Harto ya de pasar frío y de mancharse de barro, nuestro hombre reapareció por Madrid a comienzos de 1601. Allí descubrió que la justicia, que nunca olvida, salvo si se trata de gente poderosa o bien relacionada, todavía le reclamaba ciertas deudas pendientes con la Real Tesorería, amenazándolo con enviarlo a la cárcel si no ingresaba los famosos ochenta mil maravedís de Vélez-Málaga, como si no hubiera pasado ya siete largos meses en la de Sevilla por ese supuesto delito. Gracias a mis espías de La Garduña y a las cartas que Cervantes le enviaba a su amigo el mesonero de Sevilla —que eran interceptadas y copiadas para mí antes de llegar a su destinatario—, supe que había sido llamado a la Corte, justo en los días previos a que esta se trasladara a Valladolid. Por eso, cuando acudió a su cita, se encontró con que en los pasillos del Alcázar había un gran revuelo, pues todavía estaban preparando la mudanza. En un despacho a medio desmontar, fue recibido por el mismísimo don Francisco de Sandoval y Rojas, duque de Lerma y valido del rey.

Este tenía esa mirada rapaz propia de los animales de presa, los labios carnosos y sensuales y los mostachos largos y espesos, como si con ellos quisiera ocultar o disimular el gesto, para que nadie supiera lo que sentía y pensaba en cada momento. De él se decía que era muy ambicioso, ávido de riquezas y poder e inclinado, por naturaleza, a repartir cargos y prebendas entre sus amigos y familiares. Esto hizo que el nepotismo, el soborno, las donaciones interesadas, el cohecho y la corrupción se instalaran en la Corte de tal forma que todas las decisiones que allí se tomaban eran siempre para beneficio de unos pocos, mientras el resto de los súbditos pasaba hambre o se desangraba en las calles. El monarca, por su parte, solía mirar para otro lado, sin darse cuenta de que su hombre de confianza le estaba haciendo la cama, a pesar de que la reina, que no se fiaba nada del valido, ya lo había puesto en alerta varias veces. Pero Felipe III no tenía las luces ni el valor necesario para enfrentarse como es debido a quien algunos llamaban ya, con gran acierto, «el rey del rey». Y es que a Su Majestad le causaba repugnancia el ejercicio del poder. «¡Ay, que me temo que le han de gobernar!», había vaticinado ya su padre con gran clarividencia.

Después de ofrecerle una silla, el de Lerma comenzó su discurso recordándole la enorme deuda que, supuestamente, tenía contraída con la Real Tesorería y que, de ningún modo, había prescrito. Cervantes pidió entonces permiso para decir algo. Pero el valido le aseguró que no necesitaba justificarse, ya que él había descubierto una forma de saldarla que sin duda le agradaría. Se trataba de volver a realizar labores de espía o de informador, aunque esta vez sin necesidad de salir fuera de la Península. Lo único que tenía que hacer era introducirse entre los moriscos del reino de Valencia, donde estos contaban, por cierto, con el apoyo de sus respectivos señores, y elaborar *in situ* un informe sobre su situación en ese momento, sus prácticas religiosas y sus costumbres, su actitud hacia el rey y la Corona y, sobre todo, sus posibles contactos con los turcos y los corsarios berberiscos. El motivo era que algunos agoreros y oportunistas, de esos que nunca faltan, habían aprovechado la llegada del nuevo siglo para profetizar una segunda destrucción de España, a causa de una nueva invasión musulmana, con ayuda, por supuesto, de los moriscos, lo que en ciertos lugares había provocado una airada reacción contra estos, a los que, cómo no, se acusaba de ser infieles y traidores. Y, al parecer, esto había hecho que se planteara, una vez más, la expulsión de los mismos como única solución posible del problema, algo que, por así decirlo, había quedado en suspenso desde la época de Felipe II.

—Debo pensarlo —se limitó a decir Cervantes, para ganar tiempo, pues de ninguna forma quería verse involucrado en ese turbio asunto.

—Me temo que no estáis en condiciones de elegir —le advirtió el de Lerma.

—Menos aún de llevar a cabo misiones como esa —replicó él con tranquilidad—. Yo ya soy demasiado viejo para estas cosas.

—Quien ha sido espía una vez lo es ya para siempre, aunque para ello tenga que cambiar de bando. En este caso, tan solo tendréis que cambiar de superior —añadió con una sonrisa irónica—. Por lo demás, el trabajo es muy fácil.

—Entonces, ¿por qué no se lo pedís a vuestros agentes habituales? —se resistió Cervantes.

—Porque no se trata de una misión oficial —le confesó el duque—. De momento, lo que os pido es tan solo para mis ojos, y lo usaré luego según mi conveniencia, cuando me parezca oportuno. Por supuesto, tenemos todo tipo de informes y declaraciones sobre el asunto, pero, en su mayoría, son interesados y, por lo tanto, muy poco fiables. Por eso quiero saber qué hay de cierto en ellos, y, para esta cuestión, lo mejor es compulsarlos con la realidad.

—¿Y por qué yo? —inquirió Cervantes.

—Porque estáis en deuda con la Corona y os sobra experiencia y preparación, y porque, dejando aparte vuestros problemas con la Real Tesorería y algunas otras cosillas de las que prefiero no hablar, tenéis fama de ser persona honrada.

A Cervantes le hubiera gustado saber a qué *cosillas* se refería, pero no se atrevió a preguntar. Dadas las circunstancias, optó por quedarse con el halago que le había hecho el valido. No obstante, había algún detalle que sí quería conocer:

—¿Y por qué ahora? ¿Por qué no cuando me ofrecí en su día de manera reiterada?

—Porque entonces no era yo el que ocupaba este despacho. Ahora gobierna otro rey, y yo soy su valido. Por otra parte, la Corona suele llamar a sus súbditos cuando los necesita, no en el momento en que a ellos les place. En este caso, pedí una lista de aquellos que hubieran trabajado eventualmente y de manera oficiosa para la Corona en este tipo de misiones, y aparecisteis vos, que, mirad por dónde, da la casualidad de que tenéis graves problemas con la Real Tesorería.

—Si tan informado estáis —replicó Cervantes con cierto retintín—, deberíais saber que ese asunto ya está arreglado y que, en todo caso, ya pagué por él, sin haber motivo para ello.

—Eso tendrán que decidirlo los jueces, ¿no creéis? Y, teniendo en cuenta vuestros muchos antecedentes, yo no apostaría ni un solo maravedí por vos.

A Cervantes aquello le sonó a amenaza. Naturalmente, él estaba convencido de su absoluta inocencia y, por lo tanto, de que se trataba de un farol. Pero, por otra parte, no quería correr el riesgo de volver de nuevo a la cárcel, por ese u otro motivo, y menos ahora, que tenía una hija que atender y un libro muy ambicioso que terminar. De modo que no le quedó más remedio que aceptar la misión, por la que iba a cobrar, además, una importante suma en concepto de dietas y gastos. Antes de irse, el de Lerma le dio un anticipo y le deseó suerte. Al final de su carta, Cervantes le comentaba a su amigo Tomás Gutiérrez que, tras su entrevista en la Corte, se sentía espiado, por lo que le rogaba que guardara, en lugar seguro, todas las cartas que él le fuera enviando, con el fin de que pudiera utilizarlas en el caso de que le sucediera alguna desgracia.

Al día siguiente, alquiló un caballo de posta y emprendió viaje por diferentes lugares del reino de Valencia, donde tuvo la oportunidad de convivir con los moriscos, como uno más, esto es, compartiendo su comida, participando en sus ritos y costumbres e, incluso, realizando algunas tareas para ganarse el sustento o como forma de agradecer su hospitalidad. Por supuesto, no todos ellos eran iguales, pues cada uno era hijo de sus obras y de su padre y de su madre, como cualquier cristiano viejo. Por lo demás, era evidente que algunos de ellos estaban muy resentidos con la Corona. No en vano habían sido expulsados de su tierra, tras las revueltas de las Alpujarras granadinas, y repartidos por diversos reinos, donde, una vez más, habían sido recibidos con creciente desconfianza por sus nuevos vecinos, que enseguida los culpaban de cada desgracia o tragedia que pudiera ocurrir, como un brote de peste, una mala cosecha, un período largo de sequía, una repentina inundación tras varios días de lluvia, la muerte de algunas ovejas, la enfermedad de un niño, la desaparición de una muchacha...

Como es natural, esto había hecho que los moriscos se volvieran, a su vez, más recelosos, menos abiertos, más suyos, y, por lo tanto, no se sintieran españoles ni quisieran serlo. Pero la mayoría de los que Cervantes había ido conociendo eran buenos conversos, aunque muchos de ellos hubieran sido forzados a cambiar de religión, y tan españoles como cualquier cristiano viejo, puesto que habían nacido en estas tierras y aquí se habían criado, sin meterse con nadie, y, de manera muy especial, los que vivían en el Valle de Ricote, no muy lejos de Murcia, por los que Cervantes llegó a sentir una gran estima y simpatía, tras haber pasado con ellos algún tiempo.

Para Cervantes, la principal diferencia entre los moriscos y sus vecinos —ya fueran nobles o plebeyos— consistía en que los primeros solían ser mejores trabajadores, pues para ellos no suponía ningún desdoro ni deshonra desempeñar los oficios más humildes o trabajar con sus propias manos o dedicarse a las artes mecánicas, al comercio o a prestar dinero; tampoco se creían más que nadie ni se creaban grandes problemas con el honor o la hidalguía. Por otra parte, eran más prolíficos y, siempre que podían, eludían alistarse en el ejército, pues las empresas del rey no tenían nada que ver con ellos. Por no mencionar otras virtudes muy extendidas en sus comunidades, como la frugalidad, el ahorro, la hospitalidad y la caridad espontánea con el prójimo. Sin embargo, lejos de ser vistos como un buen ejemplo o como un acicate o un estímulo para la mejora, los cristianos viejos los consideraban sus enemigos naturales y los culpaban de todos los males que padecía España, cuando la realidad era bien distinta.

Entre otras cosas, se les acusaba de conspirar contra la Corona, proporcionar avisos a los enemigos y mantener contactos con los turcos, los corsarios berberiscos y los moros de allende, con el fin de pasarles información sobre nuestras defensas y animarles a que vinieran a invadir estos reinos; de controlar el comercio o tráfico de mercancías, algunos gremios de artesanos y una buena parte de los préstamos, ahora que no estaban los judíos; de mantener sus antiguos ritos, normas y ceremonias, como la circuncisión o el ayuno durante el mes de Ramadán; y, por supuesto, de no haberse convertido o de no querer instruirse en la nueva fe o de continuar a escondidas con sus viejas prácticas religiosas, lo que iba en contra de la Iglesia católica y de la plena unidad religiosa preconizada por el rey.

Pero Cervantes aportaba, en su informe, numerosas pruebas que negaban o matizaban muchos de esos cargos y que, por lo tanto, desaconsejaban una medida tan injusta y desproporcionada como la de la expulsión. Esta implicaría, además, según él, graves consecuencias de todo tipo para España, como el empobrecimiento de aquellas regiones en las que, en ese momento, había más concentración de moriscos, debido al abandono en que iban a quedar las tierras y ciertos oficios; o el aumento del corso en nuestras costas, como consecuencia de la llegada masiva de moriscos a algunas ciudades berberiscas, lo que, sin duda, empeoraría uno de los problemas que con la expulsión se quería solucionar. En cuanto a la pretendida unidad religiosa, estaba claro que, si algo había aprendido Cervantes, durante su cautiverio en Argel, era a valorar la libertad de culto y la tolerancia de creencias como bienes supremos. Lo importante, al fin y al cabo, era amar y respetar al prójimo y, con mayor motivo, al Creador, y lo de menos era en nombre de qué confesión se hacía o cuáles eran sus dogmas o cómo se llamaba, en fin, aquel a quien se dirigían las oraciones y plegarias, ya fuera Dios, Alá o Yahvé.

Cuando Cervantes terminó de redactar su informe sobre los moriscos y con él su misión, se dirigió a Valladolid para presentárselo al duque de Lerma. Allí tuvo que pedir cita y aguardar su turno durante varios días. Mientras esperaba, tuvo ocasión de comprobar por sí mismo lo mucho que había cambiado la vieja ciudad castellana desde que era sede de la Corte, tanto que resultaba irreconocible. Aquella ciudad llena de «pícaros, putas, pleitos, polvos, piedras, puercos, perros, piojos y pulgas» —como la describía, con muy mala intención, un viajero flamenco unas décadas antes—, se había convertido en una próspera capital.

El cambio de sede había sido idea, cómo no, del duque de Lerma, que adujo para ello todo tipo de razones, entre ellas algunas históricas; no en vano Valladolid había sido la capital del reino de Castilla hasta 1469 y el lugar de nacimiento del rey Felipe II en 1527. El caso es que, a finales del año 1600, se decidió trasladar la Corte a Valladolid, lo que trajo consigo muchos inconvenientes, innumerables daños y consecuencias nefastas. La mudanza se hizo pública poco antes de la Pascua de Navidad, y en enero de 1601 salió el rey don Felipe III y, cuatro días más tarde, la reina Margarita de Austria, dejando esta Villa de Madrid sin Corte ni nadie que la quisiera, sumida en la tristeza y la desolación. El Consejo de Castilla, con el sello real, se trasladó en mayo, y luego lo hizo el de Indias. Por lo demás, no hace falta decir que fue necesario realizar un gran desembolso para poder pagar los costes de la mudanza a ministros, secretarios, presidentes, consejeros, relatores, escribanos de cámara y otros oficiales y empleados, con lo que el quebranto de las arcas públicas fue enorme.

Por otra parte, hay que decir que, mientras en Valladolid se construían numerosas casas y palacios y se abrían posadas y mesones, Madrid se fue quedando tan maltrecha que no solo se cedían las casas de balde a quienes las quisieran habitar, sino que se pagaba a los inquilinos para que las tuviesen limpias y evitar así su ruina y menoscabo. Y es que el valor de las mismas se redujo a la mitad de la noche a la mañana, y, con ello, disminuyeron las rentas y los salarios y mucha gente se quedó sin empleo, con lo que aumentaron la picaresca y la mendicidad; muchos precios, además, crecieron de forma considerable por falta de abastecimiento. De modo que lo que a unos enriquecía y hacía prosperar a otros los arruinaba y condenaba a la miseria. Pero lo más sangrante era que el más beneficiado de todos se llamaba don Francisco de Sandoval y Rojas, que, además de embolsarse el dinero con el que lo sobornaron las autoridades vallisoletanas, se lucró con la compra y la venta de terrenos y de casas y con las concesiones de obras, favoreciendo así a sus amigos y protegidos y esquilmando a sus rivales y enemigos, con lo que se afianzó todavía más su posición. ¡Si hasta se decía, incluso, que le había vendido el palacio al propio rey! Y parece ser que era verdad.

Cuando, por fin, Cervantes fue recibido, el duque de Lerma lo saludó con bastante frialdad, como si fuera un desconocido o una visita molesta. Ni siquiera le mandó que se sentara. Después de todo lo que había oído acerca de él, nuestro hombre esperaba verlo muy cambiado, no sabía exactamente cómo, tal vez convertido en una especie de monstruo depravado, con la tez macilenta y los ojos bañados en sangre. Pero su rostro seguía siendo insulso e insignificante, impropio, por tanto, del ser más poderoso de su tiempo, el rey en la sombra, el dueño de España. Tampoco sus gestos lo delataban. Lo que, una vez más, venía a demostrar que el mal era, por lo común, algo anodino, vulgar e intrascendente, por lo que no tenía ningún semblante concreto, podría esconderse detrás de cualquiera, y, de esta forma, pasar inadvertido.

Por fin, el de Lerma se dignó a mirarlo, y Cervantes le hizo entrega del informe. Pero el otro, sin ni siquiera abrirlo, lo dejó sobre un rimero de papeles que había en la mesa, se supone que el de los asuntos pendientes; después, le dio una cédula para que pudiera cobrar el dinero prometido y lo invitó, con un gesto de apremio, a que abandonara la cámara.

—¿Es que no vais a leerlo? —se atrevió Cervantes a preguntar.

—¡¿Cuándo?! ¡¿Ahora?! ¡¿Estáis de broma?! ¡¿Acaso no habéis visto lo ocupado que estoy?!

—¿Tampoco vais a preguntarme nada? —insistió Cervantes.

—¿Y para qué? —replicó el de Lerma—. Supongo que el informe será lo suficientemente claro y elocuente, ya que vos sois escritor, ¿no es así?

—¿Y qué se supone que vais a hacer con él? —quiso saber.

—Eso ya no es de vuestra incumbencia —le advirtió el valido—. Ya os dije que haré uso de él, cuando más me convenga, en un sentido u otro, según lo que las circunstancias me aconsejen.

—¡No os entiendo! —exclamó Cervantes, sin poder dar crédito a lo que oía.

—Si estuvierais en mi lugar, seguro que me comprenderíais —le explicó el valido—. El arte de gobernar es algo muy complejo.

—Pero se basa o debería basarse en un principio muy elemental: la búsqueda del bien común, y no del provecho propio o de unos pocos —puntualizó Cervantes.

—¿Y quién decide cuál es el bien común?

—Supongo que, en este caso, el rey —reconoció Cervantes.

—Pues ¿entonces? —concluyó el valido—. Y ahora si me lo permitís...

—Está bien, quedad con Dios.

—Id vos con Él, que lo necesitáis más que yo. Y, por vuestro propio interés, os aconsejo que no habléis de esto con nadie y procuréis estar disponible para futuras misiones —le advirtió—. Si lo hacéis así, podréis contar con la protección real. Y, si no, deberéis ateneros a las consecuencias.

—¿Qué queréis decir?

—De momento, no tenéis por qué preocuparos.

A juzgar por lo que le contó a su amigo en una nueva carta, Cervantes abandonó el palacio real lleno de zozobra e incertidumbre. Por un lado, no quería volver a saber nada del duque de Lerma, pues no deseaba ser cómplice de sus fechorías ni hacer informes que luego no servían para nada. Pero, por otra, le daba miedo, dado su carácter y su inmenso poder. Se fue, pues, de Valladolid con la idea de no regresar en mucho tiempo, salvo que fuera necesario.

XVII

Tras abandonar la Corte, Cervantes viajó a Esquivias y Toledo, donde se ocupó de la administración de las tierras de su esposa y, en los pocos ratos que le quedaban, de la redacción de su libro, hasta que se hartó de nuevo de los comentarios de su familia política y regresó a Sevilla. Durante su estancia, volvió a alojarse en el mesón de su amigo, que se alegró mucho de verlo, después de lo que le había contado en sus últimas cartas. En la ciudad, Cervantes coincidió varias veces con Lope de Vega, que, al parecer, ya se había enterado de que estaba escribiendo un nuevo libro, mucho más ambicioso que el anterior, lo que hizo que se reavivara un poco la vieja rivalidad. Por entonces, Lope frecuentaba la academia de escritores y artistas que se reunía en torno al ilustre caballero don Juan de Arguijo, donde tenían por costumbre burlarse del pobre Cervantes, de su pobreza, su desaliño y su continuo fracaso, mientras que este asistía a la academia fundada por su amigo el poeta Juan de Ochoa Ibáñez, en la que hacían lo propio con Lope, aunque por razones contrarias.

Hastiado de todo eso, Cervantes volvió de nuevo a la

paz y libertad de los caminos, pues con un pedazo de pan y poco más se contentaba para pasar el día, sin tener que rendir cuentas a nadie. De vez en cuando, eso sí, paraba en alguna venta escondida o en la posada de algún pueblo pequeño para escribir, sin detenerse demasiado tiempo en ninguno, para no crearse ataduras, por lo que cabe decir que su gran obra fue compuesta en tantos sitios diferentes como lugares recorre su personaje a lo largo de sus andanzas; de ahí que todos ellos puedan presumir de haberle dado albergue y de haber inspirado su libro, sin que ninguno pueda llevarse la palma en exclusiva.

De lo que no cabe duda es de que su reino de fábula era la Mancha, esa llanura inmensa en la que él se sentía como suspendido entre la tierra y el cielo, el escenario, por tanto, perfecto para un personaje que se movía entre lo vulgar y lo sublime, lo real y lo idílico, lo cotidiano y lo fantástico. Y es que, más allá de su aparente uniformidad, en él había pueblos, ventas, molinos, sierras, bosques, lagunas, cuevas profundas..., todo lo que una imaginación tan inflamada y desbordante como la suya necesitaba para construir un mundo nuevo y maravilloso, como decían que eran las Indias aquellos que las habían visto alguna vez.

Por esas mismas fechas, yo caí gravemente enfermo, tanto que decidí otorgar nuevo testamento sin dilación. En él daba instrucciones muy precisas sobre mi entierro, nombraba los correspondientes albaceas y dejaba como herederos a mi esposa, María de Liébaña, y a nuestros hijos Melchor, Úrsula y María. También ordenaba algunas mandas para misas por mi alma, y las de mis padres, mi primera mujer, Pascuala de Roa, los hijos que tuve con esta: Ana, Gabriela y Juan, mis hermanos Cristóbal, Hernando, Bernarda y Catalina y mis cuñados, así como por las benditas ánimas del Purgatorio, lo que indicaba a las claras que, por entonces, sentía próxima la muerte y, por lo tanto, tenía miedo de no ver cumplida mi venganza.

Curiosamente, durante la convalecencia, no paraba de pensar en Cervantes. Se me aparecía a todas horas para pedirme explicaciones por mi comportamiento; otras veces, sin embargo, me decía que me echaba de menos, que me necesitaba. En los momentos de mayor fiebre, él era el principal protagonista de mis delirios. Y, cuando por fin lograba dormirme, no había noche en que no soñara con su persona. Fue entonces cuando descubrí que mi único mal se llamaba Cervantes; esta y no otra había sido mi verdadera enfermedad durante todos esos años; y, al final, esta sería la que acabaría definitivamente conmigo si Dios no lo remediaba. De hecho, mi mujer llegó a pensar, con razón, que yo había perdido el juicio o que estaba poseído por otro y, por lo tanto, fuera de mí.

Tenía, pues, que librarme de esa obsesión, si no quería que fuera ella la que se deshiciera de mí. No cabía otra posibilidad. Y había de ser cuanto antes. Así es que puse todo mi empeño en recuperar mi salud, sin escatimar ningún esfuerzo ni gasto por mi parte. Y, por si eso no fuera suficiente, me pasaba los días y las noches rogándole a Dios que me concediera un aplazamiento, no necesariamente muy largo, lo justo para concluir la tarea que me traía entre manos, y así poder luego morir en paz. Ya fuera porque mis plegarias fueron atendidas, ya fuera porque los remedios hicieron su efecto, el caso es que logré restablecerme; ahora tan solo faltaba combatir el origen de mi enfermedad, con el fin de no volver a caer en ella.

Estábamos ya a comienzos de 1604, cuando mis espías me comunicaron que Cervantes se disponía a abandonar en unos días la ciudad de Toledo, donde había pasado los últimos meses, para dirigirse a Madrid, por lo que estimé que ya habría concluido su libro y querría negociar su publicación. Le pedí, pues, a varios rufianes que le salieran al paso, para robarle el manuscrito y deshacerse luego del autor. Aún no había pensado qué iba a hacer con la obra; de momento, solo tenía mucha curiosidad por leerla y saber en qué había acabado aquella historia sobre el ingenioso hidalgo.

Al parecer, los matones dieron con él a pocas leguas de Madrid, en el camino real. Pero este debió de olerse el peligro enseguida; de modo que agarró con fuerza las riendas de la mula y trató de huir campo a través. Por suerte, sus perseguidores contaban con mejores cabalgaduras y no tardaron en darle alcance en medio de un claro. No obstante, Cervantes se defendió con tanto ahínco que consiguió herir gravemente a uno y poner en jaque a otro. Al final lograron reducirlo, tras darle una estocada en una pierna. Después de arrebatarle el manuscrito, que llevaba en unas alforjas, se dispusieron a darle su merecido, pero, entonces, uno de ellos dio el aviso de que se acercaba una cuadrilla de la Santa Hermandad y decidieron abandonarlo a su suerte.

Cuando, horas después, me lo contó uno de los matones, no sé por qué, me invadió una gran desazón. Me sentía culpable por lo que pudiera haberle sucedido y, al mismo tiempo, frustrado por no saber con certeza si había muerto. Me preguntaba qué le habría pasado, dónde estaría y si, a esas alturas, lo habrían descubierto. De todas formas, tenía cosas más urgentes que hacer. Esa tarde, toda la noche y buena parte del día siguiente las pasé leyendo el manuscrito, a ratos, divertido; en ocasiones, conmovido y emocionado; unas veces, con envidia; otras, con admiración; aquí, con desasosiego e inquietud; allá, con calma y serenidad; siempre con interés, y a veces con impaciencia, a causa de las novelas intercaladas o impertinentes, como las llamo yo.

Y es que *El ingenioso hidalgo don Quijote de la Mancha,* que era como en verdad se titulaba la obra, era algo completamente nuevo, nunca hecho hasta ese momento. Era como si la vida, con todas sus grandezas y sus miserias, hubieran irrumpido por primera vez en un relato de ficción. Y lo mismo podría decir de su personaje principal, que era su mayor logro, sin olvidarnos de su inseparable compañero Sancho Panza. En cuanto a don Quijote, enseguida se me vino a la cabeza que se trataba de un retrato del propio autor, con sus luces y sus sombras, sus virtudes y sus defectos. Al igual que Cervantes, su héroe era capaz de arriesgar su vida por aquello en lo que creía; y, como él, sabía aceptar los reveses y las desgracias; por eso, nunca se rendía ni cedía ante la derrota, como si el fracaso lo hiciera renacer.

El caso es que, conforme leía el manuscrito, me sentía cada vez más interesado por saber cómo se iba a resolver la lucha entre los ideales del personaje y la tozuda realidad, hasta que, de repente, descubrí con horror que ¡Cervantes aún no había terminado su libro! ¡No podía creerlo! Una y otra vez, miré y rebusqué en las alforjas, pero en ellas no había ¡ni un solo papel más! Y, sin embargo, estaba claro que ese no podía ser el final de la historia, pues don Quijote se encontraba en mitad de su aventura con los cuadrilleros y una buena parte de la hoja estaba, además, en blanco. «¿Y si resulta que Cervantes ya está muerto? ¿Y si lo he matado sin darle tiempo a finalizar su obra?», me preguntaba yo con creciente angustia. Para tratar de salir de dudas, mandé a buscar de inmediato a los matones. De los cuatro, tan solo apareció uno; el segundo estaba reponiéndose de las heridas que le había causado Cervantes y los otros dos habían huido, vaya Vuestra Merced a saber por qué.

—Está bien —le dije al que se había presentado—; tenemos que ponernos en marcha de inmediato.

—¿Se puede saber qué sucede? —protestó él con tono desabrido.

—Debemos encontrar al hombre que atacasteis ayer y devolverle el manuscrito —le expliqué.

—¿Y por qué, si puede saberse? —replicó él con cierta insolencia.

—Porque aún no está acabado —le informé, mostrándole la última hoja.

—¿Y para qué tanta prisa? Lo más probable es que él sí lo esté —me soltó el matón con descaro.

—¡No es posible! Tenemos que encontrarlo como sea —insistí.

—Pues yo no pienso acompañaros —anunció—. Estoy ya más que harto de vuestro amigo; si vuelvo a topármelo, no sé lo que voy hacer con él.

—Para empezar, no es amigo mío —rechacé yo—, y, para terminar, os diré que, si le ponéis la mano encima, tendréis que véroslas conmigo.

—Pero ¡¿en qué quedamos?! —protestó—. Ayer queríais que lo matáramos y hoy, que lo busquemos para devolverlo a la vida.

—¡Yo no os pedí exactamente que lo matarais! —puntualicé yo.

—Nos dijisteis que nos deshiciéramos de él —me recordó—, ¿qué diferencia hay? Además, ese fulano se revolvió contra nosotros e intentó matarnos; de hecho, con uno de mis compañeros casi lo consigue.

—¿Y qué esperabais que hiciera? ¿Dejar que lo atacarais sin defenderse?

—No sé qué clase de relación tendréis con ese tipejo, pero tened por seguro —me amenazó— que mañana mismo daré cuenta de vuestro extraño comportamiento a la hermandad.

—Mañana podéis hacer lo que queráis, pero hoy os vendréis conmigo a buscar a ese hombre, esté donde esté, a fin de curarlo y devolverle el manuscrito. No puede andar muy lejos de donde lo dejasteis. Vos mismo me dijisteis que lo heristeis en un muslo y se había quedado sin su mula, ¿no es así?

—Está bien, os acompañaré. Pero sabed —me advirtió— que, si al final lo encontramos, acabaré con él.

—No haréis tal. Debemos darle tiempo para que termine de escribir su obra, ya os lo he dicho.

—¡Mirad lo que hago yo con vuestro manuscrito! —exclamó el valentón, ensartando un buen fajo de papeles con la espada y arrojándolo luego, con violencia, a la chimenea de la cámara.

—¡Maldito hijo de puta! —grité yo, lanzándome sobre ellos para rescatarlos del fuego.

Por suerte, este no era muy vivo y tan solo se quemaron un poco los bordes, sin afectar apenas a lo escrito. Una vez puesto a salvo, saqué la daga que siempre llevo encima y se la puse al matón en la garganta hasta hacerlo sudar. Después, lo amenacé con clavársela, si no me prometía que me iba a obedecer.

—Está bien, os lo ruego. Haré lo que queráis —concedió, por fin.

—Y mucho cuidado con volver a tocar estos papeles.

—¿Tanto os importan? —quiso saber.

—Uno solo vale más que vos y toda vuestra parentela junta —le contesté yo.

—Entonces, ¿ya no queréis deshaceros de él?

La pregunta me dejó paralizado por un instante. El rufián tenía razón. El día anterior me había mostrado totalmente convencido de que quería acabar con él; y así lo habían interpretado los matones. Pero ahora ya no estaba tan seguro; de momento, lo único que deseaba era que siguiera con vida para que pudiera terminar su obra. ¿Y qué pasaría cuando la acabara? En verdad, no lo sabía. Pero lo que sí tenía claro era que no iba a permitir que lo mataran, ni, desde luego, pensaba ordenar que lo hicieran, no después de haber leído lo que Cervantes había escrito en esos últimos años; no después de conjeturar lo mucho que aún le quedaba por escribir. Tal vez pudiera denigrarlo y acosarlo y hacerle la vida imposible, como había hecho hasta entonces, pero ya nunca más mandaría que acabaran con él, al menos mientras yo viviera.

Después de mucho buscar, encontramos a Cervantes en una frágil cabaña, acompañado por dos pastores. Al parecer, se había refugiado allí para intentar protegerse del frío, y los otros lo habían encontrado, hambriento y aterido, unas horas después. También había perdido algo de sangre, a pesar de los vendajes que él mismo se había preparado con parte de su ropa. Uno de los samaritanos le había lavado la herida y le había puesto un ungüento para que cicatrizara. Según me dijo, había pasado una mala noche y se encontraba medio inconsciente, pero sin duda se curaría. Nosotros les contamos que éramos amigos de la víctima y que llevábamos varios días buscándolo. Entre mi acompañante y yo lo subimos luego a uno de nuestros caballos y, después de rogarles a los pastores que no contaran nada, para evitar que los padres del herido llegaran a enterarse, lo llevamos a una venta próxima, donde pagué por adelantado para que lo atendieran y cuidaran hasta que estuviera totalmente recuperado. El ventero, al ver las monedas, decidió no hacer ninguna pregunta y me dio su palabra de que así lo haría. Por último, antes de irnos, dejamos en su aposento algo de ropa, dinero, enseres de escritura, varios pliegos de papel y las alforjas con el manuscrito.

—¿Y ahora qué? —me preguntó el matón, cuando volvimos al camino.

—Ahora os toca rendir cuentas a vos.

—¿Se puede saber de qué habláis? —preguntó él, sorprendido.

Por mi parte, no había nada más que añadir. Sin darle tiempo a defenderse ni a bajarse del caballo, le clavé varias veces la espada hasta acabar con su vida. Luego lo puse como un fardo sobre su montura y me adentré en el bosque para enterrarlo como es debido. Aunque no hubo testigos del hecho ni motivos para sospechar de mí, desde ese día mis hermanos de La Garduña comenzaron a mostrarse más recelosos que de ordinario y a tratarme con bastante cautela y desconfianza. Naturalmente, no tenían pruebas de que yo los hubiera traicionado, pero lo cierto era que uno de sus matones había desaparecido sin dejar rastro y yo me comportaba de una manera cada vez más extraña.

Por lo que luego supe a través del ventero, Cervantes se repuso pronto de sus heridas. Según parece, durante los primeros días, no hacía más que preguntarle por los dos hombres que lo habían socorrido, pero este no quiso darle señas de ellos, como yo le había ordenado. Después, debió de aprovechar la convalecencia para rematar las aventuras de don Quijote con relativa tranquilidad, hasta que un día el dueño le dio a entender que su crédito en la venta ya se había terminado, y no tuvo más remedio que preparar su equipaje y alquilar una mula, para dirigirse a Madrid, donde, entre otras cosas, se enteró de que su gran amigo Tomás Gutiérrez había muerto unos meses antes. Por unas razones u otras, cada vez se estaba quedando más solo.

XVIII

En Madrid estuvo apenas unos días, que dedicó, sobre todo, a llorar a su amigo y a lamentar su pérdida, pues sin duda había sido su más generoso benefactor. Luego puso rumbo a Valladolid, con el fin de iniciar los trámites, que eran muchos, y realizar las gestiones necesarias para poder publicar su libro. Por entonces, su hermana Andrea, que se había casado con un tal Santi Ambrosio y había vuelto a enviudar, llevaba ya un tiempo residiendo en Valladolid junto a su hija Constanza. Ambas se dedicaban a coser para algunas familias de la nobleza, y, al parecer, no les iba nada mal, por lo que Cervantes decidió concentrar allí a toda su familia, incluida su hija Isabel. De modo que convenció a su hermana Magdalena para que se trasladara con ella a la vivienda que acababa de alquilar en la ciudad del Pisuerga. Esta estaba situada en el piso principal izquierda de un edificio de reciente construcción, justo encima de una taberna muy concurrida, en la calle que iba de la Puerta del Campo al Rastro de los Carneros —el matadero del Concejo—, a la altura de un puentecillo que atravesaba el río Esgueva, pegada al hospital de la Resurrección.

Curiosamente, en este mismo inmueble vivía Juana Gaitán, antigua conocida de Cervantes, por ser la viuda de Laínez, que, aparte de haber acogido a una hermana y a una sobrina solteras, tenía alojadas también a varias jóvenes agraciadas, por lo que aquello parecía un asilo de viudas, huérfanas y solteronas. Según algunos vecinos, se trataba más bien de una casa de muy dudosa reputación, ya que en ella entraban y de ella salían hombres a todas horas, siempre con aire receloso, mirando a un lado y a otro de la calle, como si tuvieran miedo a ser descubiertos o pillados en falta. No es extraño, pues, que al poco tiempo aquellas pobres mujeres fueran conocidas en el vecindario como las pupilas del padre Cervantes o, simplemente, las Cervantas.

Mientras tanto, mi situación se volvía cada vez más difícil y complicada. Como ya he dicho, los de La Garduña ya no se fiaban de mí y, por lo tanto, no dejaban de vigilarme y acosarme día y noche, hasta el punto de que apenas podía salir de casa. Las relaciones con mi familia se habían deteriorado de tal forma que mi mujer y yo hacíamos vidas separadas. Ella parecía convencida de que no solo no estaba en mis cabales, sino que, además, la engañaba y andaba metido en asuntos turbios; y yo le reprochaba su falta de apoyo y de confianza. Mi carrera como arquitecto, por otra parte, se había estancado desde la llegada del nuevo rey y su maldito valido, que, como cabía esperar, se había dedicado a favorecer a los suyos, dejando fuera a la mayoría de los que habíamos trabajado para el anterior monarca. No obstante, debo confesar que esto era algo que, en cierto modo, yo me había buscado, puesto que hacía tiempo que ya no me ocupaba como es debido de mi trabajo. Por eso a veces pienso que si hubiera dedicado todo mi esfuerzo y talento a la arquitectura, como quería mi padre, ahora sería considerado un segundo Juan de Herrera. Pero, al final, lo eché a perder todo: el talento, la posición, la familia, las ilusiones, los ideales, las oportunidades y la mayor parte del dinero que había ganado, por la oscura pasión que me dominaba.

Mi situación se veía agravada, además, por los crecientes rumores, lanzados por La Garduña, de que yo era descendiente de moriscos, justo en un momento en que el futuro de estos volvía a estar en entredicho; no en vano, en los mentideros de Madrid, se comentaba que el rey tenía preparado ya un decreto de expulsión, esperando el momento más oportuno para ponerlo en marcha. Y esto a mí me inquietaba mucho, pues bastaba una denuncia realizada por alguno de aquellos que con sus palabras se dedicaban a hacer y deshacer reputaciones, para perder el honor y convertirte en un sospechoso, tal era la importancia que, a este respecto, se daba a la opinión de los demás. Y ya luego el tormento se encargaría de conseguir del reo las confesiones oportunas.

El caso es que el ambiente estaba cada vez más caldeado y a los moriscos volvía a acusárseles de haber cometido sacrilegios, profanaciones, secuestros de niños y otros horrendos crímenes. Asimismo, se les tenía por traidores, dispuestos a abrir las puertas del reino a los corsarios berberiscos y, cómo no, a los invasores musulmanes, como en el pasado había hecho el conde don Julián, de infausta memoria. Todo esto hizo que la llamada gente de bien le exigiera a Su Majestad un escarmiento, lo que dio lugar a numerosos debates y polémicas discusiones en el Consejo de Estado sobre si era o no conveniente que el rey firmara el decreto de expulsión, dejando al margen lo que dijeran algunos informes. Y, mientras tanto, en algunos lugares, aumentaban los robos, las agresiones y las amenazas contra los moriscos; de tal modo que muchos decidieron adelantarse al decreto y marcharse de España, tras malvender todos sus bienes y propiedades.

Para mí, había llegado también el momento de abandonarlo todo y desaparecer. Solo así podría librarme de La Garduña, de mi familia y del deshonor. De modo que comencé a vender algunas de mis casas y a reunir todo el dinero que pude en una pequeña finca situada a las afueras de Madrid, donde pensaba vivir el resto de mis días con la sola compañía de dos fieles criados; de esta forma podría dedicar todo mi tiempo a la gran obsesión de mi vida, a aquello a lo que me había consagrado desde hacía unos cuarenta años. Por último, a comienzos de octubre de 1604 pedí añadir un nuevo codicilo a mi testamento; en él revocaba algunas mandas anteriores, como las misas que había ordenado por el alma de algunos familiares, pues no creía que fueran a servirles de mucho, e introducía leves modificaciones en las otras, al tiempo que nombraba nuevos albaceas. Cuando ya lo tuve todo listo, empecé a fingir que desvariaba, y debí de hacerlo tan bien que todo el mundo a mi alrededor llegó a pensar que, en efecto, me había vuelto loco.

Pocos días después, salí de casa para atender unos asuntos y ya no volví a entrar en ella. Mi mujer esperó algún tiempo, a ver si daba señales de vida y, al comprobar que no regresaba ni mandaba ningún aviso, comenzó a alarmarse y puso el caso en manos de los alguaciles. Estos le dijeron que mandarían hacer un pregón con mis señas personales y el ruego de que, si alguien conocía mi paradero, lo pusiera en conocimiento de la justicia. Asimismo, enviaron providencias a algunas otras ciudades, como Valladolid, Sevilla o Toledo, por si me habían visto por allí. Pasadas varias semanas, mi mujer empezó a impacientarse, pues quería hacer efectiva la herencia y rehacer su vida, supongo que con otro hombre, y conste que no la culpo por ello. Pero esto no podía llevarse a cabo hasta que apareciera mi cuerpo o transcurriera el plazo oportuno.

Una tarde del mes de octubre llamaron a su puerta unos alguaciles para pedirle que fuera a ver un cadáver que habían encontrado en una encrucijada y que, al parecer, guardaba cierta semejanza con su esposo. Mi futura viuda se puso enseguida un velo negro y los acompañó de muy buena gana. Cuando levantaron el lienzo de percal que cubría al finado, ella dio un grito y fingió desmayarse, dando a entender que, en efecto, se trataba de su marido. Desde luego, este tenía la misma altura y complexión que yo, pero saltaba a la legua para cualquiera que me conociera que no había entre nosotros ningún otro parecido. Se trataba, en realidad, de un cadáver que uno de mis criados había encontrado en un muladar. Este tenía la cara completamente destrozada, lo que hacía muy difícil el reconocimiento. No obstante, lo había vestido con la misma ropa que yo llevaba el día en que deserté y le había hecho marcas en aquellos lugares donde yo tenía una cicatriz, con el fin de ponérselo fácil a mi viuda. De ahí que, en cuanto se repuso, asegurara, entre lágrimas y de forma indubitable, que ese fulano era yo, Antonio, su amado esposo, que, a buen seguro, estaría esperando a que su cuerpo fuera enterrado como es debido, para poder abandonar este mundo y acceder por fin a la gloria eterna.

Dado el estado en que se encontraba el cadáver, se iniciaron de inmediato los preparativos del funeral. Y, a este respecto, bien puede decirse que, salvo el famoso Pedrarias Dávila, que Dios tenga en su gloria, yo he sido el único cristiano que, hasta la fecha, ha tenido el privilegio de asistir a su propio entierro, una experiencia que, por otra parte, no le recomiendo a nadie. Tal y como había dejado ordenado en mi testamento, en el traslado del cadáver fui acompañado por mis hermanos de la cofradía del Santísimo Sacramento de la parroquia de San Martín, de la que yo era miembro, así como por doce clérigos, los niños de la doctrina y los hermanos de Antón Martín, todos con sus correspondientes velas. Además de la misa ordinaria, se rezaron por mí otras cuatro, una en San Martín y las restantes en los conventos de San Felipe el Real, el Carmen Calzado y Nuestra Señora de la Victoria, que con el tiempo deberían completarse con un novenario y otras doscientas misas rezadas, que tal vez a algunos se les antojen muchas, pero que, a buen seguro, resultarán insuficientes para la salvación de mi pobre alma.

Por lo demás, fui sepultado en el crucero de la iglesia de San Martín, en un lugar de mi propiedad, bajo una lápida de piedra berroqueña con mi nombre, que por cierto está mal escrito, ya que el maldito cantero puso Sigura, en lugar de Segura, y este sincero epitafio, que yo mismo había indicado en mi testamento: QVOD POTVI FECI, FACIANT MELIORA POTENTES, o lo que es más o menos lo mismo: «Yo hice lo que pude, que lo hagan mejor los que tengan más capacidad.» Gracias le sean dadas, en todo caso, a ese pobre hombre que, desde entonces, descansa en paz dentro de mi tumba, mientras yo he seguido vagando como un alma en pena por esté valle de lágrimas, durante más de diez años, a la espera de mi verdadero fallecimiento, que no ha de tardar.

A comienzos del mes siguiente, mi querida viuda procedió a establecer el inventario de los bienes que yo dejaba, muchos menos de los que ella creía, pues, como ya dije, algunos los había vendido meses antes sin comunicarle nada. No se imagina Vuestra Merced lo que habría dado por poder ver su cara cuando se enteró. Supongo que fue, en ese momento, cuando por fin cayó en la cuenta de que mi supuesta muerte formaba parte de un plan preconcebido y que, por tanto, me había reservado para mí lo que faltaba de la herencia. Pero lo mejor era que no podía denunciarme, pues, si lo hacía, tendría que confesar que el que se encontraba en mi sepultura era un desconocido al que ella misma había reconocido como su esposo, con lo que el proceso quedaría en suspenso hasta que dieran conmigo o con mi verdadero cadáver. Por otra parte, seguía recibiendo, en calidad de viuda, la pensión que, en su día, me había otorgado el rey y que, cuando muriera, le sería trasferida a nuestra hija María de Segura, por lo que no le convenía remover el asunto.

Por desgracia para ella, la cosa no terminó ahí, pues enseguida comenzaron los pleitos por la parte de la herencia que correspondía a nuestras hijas, ya que mi viuda quería excluir de la misma algunas propiedades, concretamente unas casas sitas en Madrid y otros bienes inmuebles ubicados en la villa y término de Ontígola, aduciendo que eran de su exclusiva propiedad, dado que procedían de su primer matrimonio, por lo que no entraban en el reparto. Sin embargo, Úrsula y María no opinaban lo mismo; no en vano, en ese aspecto, habían salido a la madre. Y, al final, se acabaron peleando con ella, lo que me llevó a pensar que habría sido mejor para todos no dejarles nada.

Yo, mientras tanto, me dedicaba a observar el mundo desde esa atalaya privilegiada que me brindaba el anonimato. Cervantes estaba a punto ya de publicar su libro, y yo sentía gran curiosidad por saber cómo sería recibido, especialmente por Lope, que por esas fechas había llegado ya a la cumbre de su buena fortuna, quiero decir que se había convertido en un autor y poeta aclamado y famoso; de ahí que, en ese mismo año de 1604, comenzara a publicar sus comedias ya estrenadas, con el fin de que nadie pudiera apropiárselas ni representarlas como suyas, ahora que le pagaban quinientos o seiscientos reales por pieza, mucho más que a cualquier otro hijo de vecino. Pero no solo era rico en dinero, sino también en amistades, partidarios y protectores, que no dudaban en recompensarlo o en otorgarle todo tipo de prebendas y privilegios, aunque para ello tuviera que realizar, a veces, algunos servicios humillantes, como el de adulador profesional o, incluso, el de alcahuete, pues, al parecer, ayudaba en sus galanteos al duque de Sessa, de quien era secretario y confidente; entre otras cosas, escribía las cartas de amor que su amo enviaba a las mujeres que quería conquistar.

Por otra parte, se había hecho tan célebre que su retrato colgaba de los muros de muchos hogares, desde lujosos palacios a humildes moradas, y sus versos se aducían en toda clase de debates y conversaciones, como si fueran citas de la *Biblia*. Y es que, para la mayoría, Lope era más popular que el propio Jesucristo, dicho sea con todos los respetos y sin ningún ánimo de ofender a nadie ni, menos aún, de blasfemar, tanto era así que alguien puso en circulación, por esas mismas fechas, una parodia del credo dirigida a él: «Creo en Lope todopoderoso, poeta del cielo y de la tierra...», que, por supuesto, fue prohibida de inmediato por la Inquisición. Su nombre se empleaba, además, para designar la excelencia de cualquier cosa y hacer encarecimiento de lo mejor, por parte de todo el mundo y, sobre todo, de mercaderes y comerciantes. «Como si fuera de Lope», «esto es digno de Lope», o, simplemente, «es de Lope», se decía de todo lo que fuera muy bello, sonara muy bien o tuviera un sabor exquisito. Su nombre, en fin, se hizo proverbial de todo lo bueno de este mundo: la tela más rica y vistosa, el vino de mejor calidad, la comedia o el soneto más perfecto, el palacio más lujoso, la mujer más hermosa..., pues existía la creencia de que todo cuanto él hacía o a él se refería resultaba bueno de por sí.

Su paseo diario por las calles de Madrid era como el de un rey generoso y amante de su pueblo, saludando a las gentes que le rendían pleitesía y se inclinaban ante él, acariciando el pelo de los niños, dirigiendo miradas cómplices a las mujeres... ¡Y qué decir de lo que sucedía cuando regresaba del hospital adonde solía acudir para cuidar enfermos y moribundos! Entonces, las gentes se volvían, a su paso, para contemplarlo o se apiñaban a su alrededor para besarle la mano y solicitar su bendición, como si fuera un santo, sí, san Lope de Vega, el patrón de los galanes y los comediantes y el protector y defensor de las mujeres descarriadas. Pero no solo se trataba de las personas humildes y sencillas, también los nobles y los prelados se lo disputaban para entablar conversación con él y sentarlo a su mesa. Eran muchos, por otra parte, los que venían del extranjero para comprobar si ese hombre del que tanto habían oído hablar en su país existía y si, en efecto, era de carne y hueso, y, con este fin, lo tocaban y le pedían alguna prueba de su talento y divinidad. Todo un símbolo viviente, en definitiva, del poderío, la altivez y la gloria de la heroica España, esa que para muchos ya no existía o, en el mejor de los casos, estaba a punto de desaparecer.

Sin embargo, Lope no estaba enteramente satisfecho; al parecer, había algo que aún no había conseguido; unos decían que su anhelada protección real; otros, que el favor de algunos grandes de España. Pero lo que yo creo que le pasaba era que tenía miedo de no haber hecho, hasta la fecha, una obra en verdad perdurable, y no porque no hubiera escrito algunas dignas de serlo, que las había, y varias, solo que a veces ocurre que el bosque no nos deja ver bien los árboles más importantes, ni los árboles, las hojas más logradas. Tal vez si no se prodigara tanto o si no escribiera con tanta facilidad o, al menos si no fuera tan complaciente.

En cualquier caso, nadie podría disputarle la gloria de la que ya estaba gozando en vida, ni, desde luego, el favor del público ni, mucho menos, el apoyo incondicional de algunos poderosos. Y eso que rivales y enemigos no le faltaban. Como ya se ha visto, Cervantes vendría a ser el más notorio, aunque este no lo manifestara abiertamente y Lope no quisiera reconocerlo como tal. En este caso, además, la enemistad era mutua y contradictoria, pues se admiraban y se despreciaban a partes iguales. Lope, desde luego, sabía que Cervantes valía mucho, pero no estaba dispuesto a admitirlo, ya que había algo en él que le disgustaba profundamente y le producía cierta incomodidad y desazón. Cervantes, por su parte, estaba deslumbrado por el talento de Lope, pero no podía perdonarle que lo dilapidara de esa forma ni que fuera tan fatuo y engreído y acaparador. Se trataba, en fin, de dos talantes y talentos muy diferentes unidos por una gran rivalidad, por lo que era normal que colisionaran, sobre todo si había alguien azuzándolos con mala intención por detrás.

XIX

Meses antes de que se publicara el *Quijote*, comenzaron a circular por Madrid varias copias manuscritas de algunos capítulos del mismo, que muy pronto se multiplicaron. Es muy posible que estas procedieran de la imprenta de Juan de la Cuesta o que las hiciera circular el propio Cervantes para crear expectación, lo cual era una práctica bastante habitual, sobre todo entre algunos autores. Sea como fuere, una de ellas llegó a manos de Lope de Vega, junto con alguna noticia sobre el libro, y este debió de leerla con cierta envidia y mucho malestar, porque a los pocos días le escribió a un amigo suyo lo siguiente: «De poetas no digo: buen siglo este; muchos están en ciernes para el año que viene, pero ninguno tan malo como Cervantes, ni tan necio que alabe a *Don Quijote.*» En la carta, por cierto, también habla de la maledicencia, de la que dice que le resulta más odiosa que sus comedias a Cervantes. Dejando aparte la mezquindad y la mala idea que de esas declaraciones se desprende, resulta bien claro que el Fénix de los Ingenios conocía ya, de alguna forma, la obra de su rival y no se molestaba en disimular su desprecio por ella. Y lo peor era que a esa primera descalificación, de carácter privado, se fueron sumando luego otras, de viva voz o por escrito, en verso o en prosa, de bromas o de veras.

Por otra parte, no era el único. También en las academias y en los mentideros se atacaba y ridiculizaba a Cervantes, hasta el punto de que bien podría hablarse de una especie de conjura contra él. Y es que, por lo visto, había muchos que se la tenían jurada, ya fuera por su carácter soberbio y orgulloso, por su moral relajada y su dudosa genealogía, por alguna discrepancia política, o vaya Vuestra Merced a saber por qué. Pero, sin duda, el motivo más importante era el propio libro, su carácter insólito, inconcebible, por tanto, para la mayoría, pues ya se sabe que, en un mundo tan cerrado y pacato como el nuestro, lo nuevo suele provocar rechazo e incomprensión.

Todo esto hizo que, en el mundillo literario, se desatara una campaña contra el *Quijote* mucho antes de que este viera la luz, lo que no tardó en producir algunos efectos. El primero fue el intento por parte del duque de Béjar de retirar su nombre del libro. Por lo visto, este le había dado permiso para aparecer en la dedicatoria como su protector. Pero, según parece, algún alma piadosa, de esas que nunca faltan, al enterarse de su propósito, le habló al duque de las muchas sospechas que todavía pesaban sobre nuestro hombre, con el fin de menoscabar su reputación, y el de Béjar, que era una persona más simple que discreta, debió de darlas por buenas. Esto explicaría su inesperada negativa, cuando ya todo estaba acordado, si bien es cierto que Cervantes logró convencerlo, en el último momento, para que no se echara atrás. A la hora de escribir la dedicatoria, eso sí, no se molestó mucho en complacerlo. Se limitó a copiar, de mala gana y sin ninguna sinceridad, parte de la que Fernando de Herrera había puesto al frente de su recopilación anotada de las obras de Garcilaso —que seguramente era el libro que tenía más a mano—, lo que demuestra que, a esas alturas, ya no tenía muchas esperanzas de obtener el patrocinio del duque. Y, por si esto fuera poco, parece ser que no encontró a nadie de prestigio que quisiera escribirle un soneto o cualquier otra composición laudatoria para situar al comienzo de su obra, como es costumbre en esa clase de libros, pues, por unas razones u otras, nadie deseaba figurar en él.

Por supuesto, Cervantes no guardó silencio. Cansado ya de oír lo que decían de su libro sus enemigos y detractores, cuando este todavía no se había publicado, aprovechó el prólogo del mismo para ajustarle bien las cuentas a toda esa camarilla. Para ello recurrió a la argucia de inventarse un amigo ficticio, que, ante sus dudas, le explica lo que tiene que decir. Y de sus palabras se deduce con toda claridad que Cervantes sospechaba que Lope estaba detrás o en el centro de esa supuesta conspiración; de ahí los guiños, las alusiones y las pullas dirigidas contra él, con el fin de ridiculizar no solo su manera de escribir, sino también su pretendido origen nobiliario, aunque, eso sí, sin mencionar su nombre. En este sentido, lo primero que hace, después de reconocerse viejo y olvidado por los lectores tras veinte años sin publicar, es señalar al Fénix de los Ingenios, como paradigma de los escritores pedantes y de los falsos eruditos, cuyos libros están «tan llenos de sentencias de Aristóteles, de Platón y de toda la caterva de filósofos, que admiran a los leyentes, y tienen a sus autores por hombres leídos, eruditos y elocuentes».

Frente a ellos, Cervantes confiesa que el *Quijote* está

exento de «toda erudición y doctrinas, sin acotaciones en las márgenes y sin anotaciones al final del libro, como veo que están otros, aunque sean fabulosos y profanos». Sabedor, además, de lo mucho que le agrada a Lope adornar sus libros al comienzo con sonetos y otra clase de versos laudatorios salidos de plumas ajenas y encumbradas, reconoce que el suyo carece «de sonetos al principio, a lo menos de sonetos cuyos autores sean duques, marqueses, condes, obispos, damas o poetas celebérrimos, aunque si yo los pidiese a dos o tres oficiales amigos, yo sé que me los darían, y tales que no les igualasen los de aquellos que tienen más nombre en nuestra España». Pero lo cierto era que los solicitó, y nadie respondió a su demanda, por lo que tuvo que escribirlos él mismo y firmarlos con nombres inventados.

Con ese prólogo, la mencionada dedicatoria y tales poemas como único escudo protector, y tras obtener y estampar el correspondiente privilegio y licencia de impresión, el testimonio de las erratas y la tasa que fijaba el precio de cada ejemplar —no así la aprobación de la censura, pues al parecer se extravió—, Cervantes dio a la luz *El ingenioso hidalgo don Quijote de la Mancha* a comienzos de 1605, en la imprenta de Juan de la Cuesta, que se encontraba en la acera izquierda de la calle de Atocha, más abajo del Hospital de Antón Martín. Aunque en un principio se había previsto una tirada de quinientos ejemplares en papel barato, al final se lanzaron entre mil doscientos y mil quinientos, y, a juzgar por las numerosas erratas y descuidos que en ellos se contenían, resulta evidente que fue publicado con cierta precipitación, tal vez para que saliera antes que *Los entretenimientos de la Pícara Justina*, donde ya aparecía, por cierto, una clara alusión a don Quijote.

Por la cesión de la licencia para imprimir y vender la obra en los reinos de Castilla recibió Cervantes de manos del librero Francisco de Robles, hijo del anterior propietario, unos mil quinientos reales, que apenas le sirvieron para pagar algunas deudas. Por fortuna, fue tan buena la acogida que muy pronto empezaron las reimpresiones, algunas de ellas fraudulentas, como las dos que se publicaron en Lisboa ese mismo año. Y, aunque Cervantes obtuvo un nuevo privilegio para Portugal y los reinos de la antigua Corona de Aragón y el librero madrileño mandó hacer enseguida nuevas impresiones para atender la demanda, las falsas siguieron apareciendo en otros lugares.

Curiosamente, el tipo de obras con las que el *Quijote* tenía que competir no eran ya los libros de caballerías, de capa caída en esos últimos años, sino los de un género bien distinto que, en poco tiempo, se había hecho muy popular; me refiero a los protagonizados por un pícaro o mozo de muchos amos, de los que ya se ha hablado aquí, y, de manera muy especial, al escrito por Mateo Alemán, cuya *Segunda parte de la vida de Guzmán de Alfarache, atalaya de la vida humana* se había publicado con gran notoriedad el año anterior. Y es que, según parece, a los lectores españoles ya no les interesaban las fabulosas aventuras de los caballeros andantes, combatiendo por grandes ideales en lugares exóticos e imaginarios, sino lo contrario, esto es, las desventuras y adversidades de unos pobres pícaros, luchando por su supervivencia en lugares por todos conocidos.

Con gran pericia, Cervantes había encontrado una especie de vía intermedia entre uno y otro género de relatos, que consistía en agarrar a un supuesto caballero andante y ponerlo a vagar, en busca de aventuras, por los caminos polvorientos de la Mancha y a hacer noche en ventas llenas de chinches y de moscas, junto a gañanes, arrieros y gentes de mal vivir, con el fin de que esa fantasía desatada propia del género caballeresco se sometiera a las riendas de la realidad y el buen juicio, pero sin caer en la amargura y en la sordidez del *Guzmán de Alfarache*. Y así lo vieron muchos lectores, para quienes la única tacha de la obra eran las famosas novelas intercaladas, que rompían con la comicidad y el estilo llano predominantes en el resto del libro.

Sin embargo, la mayoría de sus colegas recibieron el *Quijote* con estupor e incomprensión, pues, al parecer, no querían o no eran capaces de calibrar ni de reconocer lo que Cervantes había hecho en solitario y cuando ya nada se esperaba de él. De modo que hubo como un acuerdo tácito para silenciar la aparición del libro, cosa imposible, o, en todo caso, para ningunearlo y restarle méritos, así como para descalificar a su autor. Lope, por su parte, no pudo evitar escribir varios sonetos burlescos contra su rival, que sus amigos y seguidores se encargaron luego de poner en circulación. Uno de ellos llegó, incluso, a manos de Cervantes en una carta anónima, de la que, para colmo, su sobrina tuvo que pagar los portes, como él mismo contaría, años después, con mucha gracia, en la *Adjunta al Parnaso*. Se trataba, claramente, de una respuesta a las andanadas lanzadas contra él en el famoso prólogo, en la que, a falta de mejores argumentos, el muy ruin ponía en cuestión la pureza de sangre de Cervantes. En algunas academias de Madrid, además, tanto la obra como el autor eran objeto de continuo vituperio. Y es que la envidia es muy mezquina, si lo sabré yo, que, al verme reflejado en todos esos indeseables, comencé a sentir vergüenza de mi debilidad, si bien es cierto que este servidor, al menos, tenía motivos personales para ello y en el pecado, además, llevaba la penitencia.

Mientras tanto los ejemplares de su libro seguían multiplicándose y difundiéndose por todos los lugares y reinos, dentro y fuera de la Corona. Entre otras cosas, a Cervantes le agradó mucho saber que cerca de quinientos llegaron a las Indias en el primer año de su publicación, con lo que bien podía decirse que el *Quijote* había conseguido lo que, por fortuna, no había logrado su autor, a pesar de haberlo intentado en dos ocasiones, pues, si entonces se hubieran cumplido sus deseos, seguramente no habría escrito su obra. Rara era, por otra parte, la venta o el mesón donde no había un ejemplar para solaz y disfrute de los viajeros y lectura de sobremesa. En algunas, incluso, había carteles que decían, más o menos: «En esta venta estuvieron alojados don Quijote y su escudero Sancho», lo cual servía de reclamo para mucha gente curiosa.

Al final, resultó ser verdad aquello de que la realidad imita el arte, al menos tanto como lo de que el arte imita la realidad. Todos los pueblos de la Mancha competían, además, por ser la patria de don Quijote, y muchos eran los lugares que presumían de haber albergado en algún momento a su autor, todos menos Esquivias, donde, al parecer, este no era muy apreciado, ya que muchos de sus habitantes pensaban que, en el dichoso libro, se hacía burla del pueblo y de algunos de sus vecinos. De ahí que su esposa no hiciera más que reprochárselo durante el resto de su vida. Él trató de arreglarlo, a última hora, en el prólogo del *Persiles,* donde dice con ironía que el lugar de Esquivias es «por mil causas famoso», aunque solo menciona dos: «una por sus ilustres linajes y otra por sus ilustrísimos vinos».

Pero del renombre de esta singular obra nos da cuenta, sobre todo, la popularidad alcanzada por sus dos protagonistas, presentes desde muy pronto en toda clase de fiestas, mascaradas, carnavales, concursos y diversiones, ya fuera encarnados por actores, ya fuera caricaturizados en carteles y muñecos de trapo, en solitario o acompañados de una comparsa, como el propio autor pudo comprobar, muy tempranamente, en los festejos celebrados en Valladolid con motivo del nacimiento del príncipe Felipe en abril de 1605, cumpliéndose así lo que profetiza el propio libro, cuando habla de «andar con buen nombre por las lenguas de las gentes, impreso y en estampa».

Sin embargo, a nuestro hombre esto no terminaba de gustarle, pues era consciente de que tanto don Quijote como Sancho se habían convertido en una especie de bufones; de ahí que ambos fueran objeto de burla y de chacota por parte de todo el mundo, incluidos los niños. Y lo peor era que él no podía hacer nada para remediarlo; de hecho, tenía la impresión de que, a esas alturas, sus personajes ya no le pertenecían ni, desde luego, estaban bajo su control, suponiendo que alguna vez lo hubieran estado, cosa que dudaba, pues lo más probable era que, en su día, cuando los estaba creando, sin que él mismo se diera cuenta, se le hubieran escapado ya de las manos, para acabar imponiendo su santa voluntad, dentro y fuera de la obra, en contra, incluso, de los designios de su autor.

Hasta ese momento, Cervantes lo había probado todo para conseguir la gloria literaria, mas esta siempre le era esquiva. Cuando vio que no podía triunfar en la poesía, lo intentó en el teatro; y, al descubrir que este también se le resistía, probó con el relato pastoril; y, en cuanto comprobó que este tampoco funcionaba, se inventó un nuevo género y le dio las reglas que él quiso. Y ello, curiosamente, le aportó muchos lectores. Sin embargo, la mayoría de estos se empeñaba en considerarlo una mera farsa, una simple burla, una vulgar parodia, un libro de risa, en definitiva, sin darse cuenta de la mucha tristeza que había en él, de la gran tragedia que latía por debajo.

Don Quijote, en efecto, podía ser ridículo, grotesco e, incluso, mendaz, y, por supuesto, soberbio, arrogante, colérico... Pero, sobre todo, era un héroe de carne y hueso, con sus luces y con sus sombras, capaz de sobreponerse a las adversidades con dignidad y orgullo y luego volver fortalecido a la pelea. No en vano este era un trasunto de su autor, del mismo modo que esa infame legión de envidiosos encantadores que acechaban e importunaban a don Quijote desde las sombras, no era más que una representación de sus propios enemigos, esos que nos confabulábamos con total impunidad, para impedir, con nuestras malas artes y nuestras alevosas trampas, que sus nobles intentos y sus esforzadas obras llegaran a buen puerto y consiguieran por fin el merecido galardón.

Lo cierto es que, a pesar de la celebridad del libro y de sus personajes, la fama y la gloria que Cervantes tanto anhelaba no acababan de llegar; de hecho, él cada vez se sentía más preterido y ninguneado dentro del mundo literario. Y eso lo contrarió y entristeció sobremanera, mucho más que si su libro hubiera fracasado, por lo que no debe sorprendernos que, en un principio, reaccionara como lo hizo: abandonando la escritura y abandonándose él mismo al vino y al juego. De hecho, podía vérsele a cualquier hora en toda clase de garitos, tal y como puede comprobarse en un libro titulado *La Fastiginia,* del magistrado portugués Tomé Pinheiro da Veiga, que por entonces circuló en copias manuscritas por Valladolid. De modo que no había noche en la que Cervantes no regresara a su casa desplumado y con una buena trompa.

Todo esto hizo que tuviera que volver a los chanchullos y trapicheos dentro y fuera de casa, con la consiguiente deshonra y desprestigio para él y para toda su familia. De modo que lo que no habían conseguido el fracaso ni el infortunio ni la adversidad lo iba a lograr, paradójicamente, el triunfo. Al verlo tan acabado y derrotado, llegué, incluso, a arrepentirme de no haber dejado que muriera en aquella humilde choza en medio del monte o de no haber mandado matarlo cuando tuve oportunidad. «¡Y en el futuro qué va a ser de mí sin él!», me lamentaba yo. «¡Para eso me he sacrificado y hasta he dejado de existir, para que luego este zopenco se retire y lo eche todo a rodar, justo cuando ha encontrado su camino y tiene todavía tanto que escribir!» Ironías de la vida. Yo, que lo había perdido todo intentando que Cervantes fracasara, ahora que por fin lo había conseguido, no estaba dispuesto a dejar que se hundiera. Tenía que hacer algo para que despertara y reaccionara, pero no sabía muy bien qué.

El caso es que, una noche del mes de junio, ya acabadas las fiestas con motivo del nacimiento del príncipe Felipe, estaba yo espiando la casa de Cervantes, muy cerca del puentecillo de madera que atraviesa el río Esgueva, cuando acertó a pasar por allí un hombre con mucha prisa. Al verme tan escondido, sacó su arma y se dio la vuelta, pues debió de pensar que lo estaba esperando en las sombras para matarlo. Yo traté de disuadirlo, pero la cosa se complicó y no tuve más remedio que defenderme. Después de mi célebre experiencia con Cervantes, había tenido la oportunidad de practicar mucho con la espada y de asistir a algunas clases de esgrima con un conocido maestro. De modo que no me costó demasiado asestarle un par de cuchilladas y dejarlo malherido. El sujeto en cuestión, que según supe luego se llamaba Gaspar de Ezpeleta, comenzó, entonces, a dar grandes voces pidiendo auxilio y tratando de huir de mí. Al final, fue a refugiarse en el zaguán de una de las casas que estaban más próximas y que, por azar, era aquella en la que vivían Cervantes y sus mujeres. Y, en cuanto vi que bajaban a atenderlo, crucé el puente y me escabullí, para no verme comprometido en el asunto.

Después supe que algunos vecinos habían denunciado el caso ante la autoridad. El encargado de las correspondientes averiguaciones fue don Cristóbal de Villarroel, alcalde de Casa y Corte y miembro del Consejo Real, que, enseguida, procedió a interrogar a la víctima y a los testigos. Ezpeleta, que estaba ya en las últimas, se limitó a decir que había sido atacado, sin mediar palabra, por un desconocido vestido de negro. Cuando le tocó el turno a Cervantes, como vecino del inmueble, este declaró que conocía de vista a la víctima y que, tras descubrirla en el portal chorreando sangre, la había conducido hasta su vivienda para que fuera atendida por un barbero de la vecindad, que le curó como pudo una herida que tenía encima de la ingle. Cervantes le preguntó luego al agredido quién se la había hecho, pero este no quiso responder. Dada la gravedad de la situación, nuestro hombre mandó que le prepararan una cama en la sala y envió a buscar a un confesor.

El agredido murió en la madrugada del 27 de junio, reconfortado espiritualmente por una de las hermanas de Cervantes, Magdalena, que declaró que el fallecido se había obstinado en decir que ni sabía ni quería saber quién lo había matado, un rasgo de caballerosidad muy propio de alguien que se dedica al galanteo. Una vecina llamada Isabel de Ayala puso buen esmero en lanzar, a este respecto, toda clase de rumores, sospechas y maledicencias contra Cervantes, sus familiares y las otras mujeres del edificio, dando a entender que aquello parecía «una casa pública». Andrea, por su parte, argumentó que su hermano recibía muchas visitas por ser «un hombre que escribe y trata de negocios», sin llegar a precisar qué clase de negocios eran esos que atraían a tantos hombres a su morada a cualquier hora del día ni qué era lo que este escribía.

Todo esto llevó al alcalde a la conclusión de que la muerte de don Gaspar de Ezpeleta tenía algo que ver con las galanterías de que eran objeto la hija y la sobrina de Cervantes por parte del finado, y, por lo tanto, a la detención de nuestro hombre y de toda su parentela femenina, excepto su esposa Catalina, que por suerte para ella no estaba, y a su inmediato ingreso, en su caso con casi sesenta años, en la cárcel de Valladolid, la misma en la que ya habían estado su padre y su abuelo muchos años antes, con lo que se cerraba así el círculo familiar y quedaba claro que una oscura maldición pesaba sobre él.

Aunque el homicidio había sido en legítima defensa y yo estaba arrepentido de haber matado al tal Ezpeleta, no podía presentarme ante don Cristóbal de Villarroel para sacar a Cervantes de la trena, si no quería que se descubriera todo el asunto. Lo que hice fue enviarle una carta en la que le explicaba lo que había sucedido, pero sin dar detalles ni, por supuesto, revelar mi nombre. Gracias a ello, se abrieron nuevas diligencias, con lo que los encarcelados quedaron libres y a la espera del desarrollo del proceso. La identidad del matador, eso sí, nunca se supo o, mejor dicho, no se quiso averiguar, ya que el único sospechoso resultó ser un escribano real cuya esposa tenía relaciones adúlteras con don Gaspar de Ezpeleta.

XX

De nuevo en la calle, las Cervantas desmontaron la casa y se dirigieron a Madrid, pues corrían rumores de que la Corte iba a trasladarse de nuevo a orillas del Manzanares. De hecho, los nobles, que siempre eran los primeros en enterarse, habían aprovechado la llegada del verano para cerrar sus palacios, lo cual hizo que cundiera el pánico y se produjera una desbandada general, con lo que los caminos volvieron a llenarse de gente que a pie, en mula, jumento, carro o carreta alquilada se dirigía hacia la tierra prometida, que ya estaba preparada para recibirlos con los brazos abiertos. Y, por fin, a mediados de enero de 1606, la familia real abandonaba la ciudad de Valladolid, para cubrir las casi cuarenta leguas de malos caminos que la separaban de la nueva y antigua sede de la Corte. Naturalmente, el Concejo de Madrid había tenido que pagar una fuerte suma de dinero al duque de Lerma, para que lograra convencer al rey de que esa era ahora la mejor decisión.

Cervantes, por su lado, se dirigió a Salamanca. Allí encontró alojamiento en una posada que había en una de las calles de la antigua judería, la de la Veracruz, donde, felizmente, volvió a escribir. Por las tardes, después de la siesta, se dedicaba a pasear por las orillas del río con un ejemplar de *La Celestina* o del *Lazarillo,* dos obras muy vinculadas a la ciudad del Tormes, o por los alrededores del Estudio, para contemplar el ambiente universitario, del que, por desgracia, nunca había llegado a participar. Uno de esos días, al pasar por las Escuelas Mayores, se topó de golpe con dos jóvenes que se habían caracterizado de don Quijote y de Sancho Panza, con el fin de animar las fiestas del Colegio Mayor de San Bartolomé, y estos, como no sabían de quién se trataba, comenzaron a perseguirlo por las calles con la intención de mantearlo, como era costumbre, para disfrute de los estudiantes, lo que hizo que nuestro hombre saliera corriendo como alma que lleva el diablo, hasta que consiguió refugiarse en la posada, tal vez arrepentido de haber engendrado esas temibles criaturas.

El resto del tiempo se lo pasó jugando en algunos garitos de la ciudad. También se dejó caer alguna vez por la Casa de la Mancebía, más por conocer el ambiente que por hacer uso de los servicios que allí se brindaban. A decir verdad, no era Cervantes muy partidario del amor venal ni había recurrido con demasiada frecuencia a él, y menos aún cuando era joven, ya que mujeres nunca le faltaron, si bien tenía cierta predilección por las casadas, no sé muy bien por qué, tal vez por su afición al riesgo, pues todo el mundo sabe que está permitido que el marido ultrajado pueda matar impunemente a la esposa infiel y al amante cómplice cuando son sorprendidos *in fraganti.* Ahí estaban, para confirmarlo, Isabel de Valois, Simonetta Bonardi, Ana Franca, Jerónima de Alarcón y algunas más, que ya he olvidado o cuyo nombre no llegué a saber.

Pero ahora, a su edad y con el tipo de vida que llevaba, tenía que recurrir de cuando en cuando a alguna de
esas samaritanas, a las que, por otra parte, respetaba e
incluso admiraba y en las que últimamente se reconocía, pues, en efecto, el suyo podía considerarse también
—como en su día le había asegurado Jerónimo Velázquez, con respecto al teatro, y ahora él hacía extensivo a
las letras en general— un oficio de putas. La única diferencia consistía en que ellas alquilaban su cuerpo y los
escritores, su ingenio y su talento, a cambio de unas monedas, y eso cuando les pagaban sus respectivos rufianes,
que en su caso eran, por un lado, los libreros, y, por otro,
los mecenas y protectores. Y la verdad es que tenía razón. Ya sé que alguno puede pensar que comento esto
por envidia y despecho, y que, al igual que la zorra de la
famosa fábula, intento consolarme de mi propio fracaso
diciendo que estaban verdes las uvas. Pero mucho me temo que la cosa era así. Y de ello tomó conciencia Cervantes, sobre todo, tras la publicación del *Quijote,* que a
algunos hizo más ricos de lo que ya eran, mientras que a
él lo confirmó como pobre.

Tanto que seguía viviendo a salto de mata. De buena
gana se habría quedado a residir en Salamanca, ciudad
que, según dejó escrito en *El licenciado Vidriera,* «enhe-
chiza la voluntad de volver a ella a todos los que la apaci-
bilidad de su vivienda han gustado». Pero era culo de
mal asiento y, además, no podía permitírselo. De modo
que pronto volvió a los caminos, donde era mucho más
fácil para él buscarse la vida y sentirse libre. No obstante, parecía haber algo que lo inquietaba, que lo hacía sentirse perseguido y que lo obligaba a ir más deprisa que de
costumbre, como si huyera de alguien o de algo, sin saber de qué o de quién; de ahí que ahora no le gustara de-

morarse en el recorrido para contemplar un valle o charlar con un labriego ni permanecer demasiado tiempo en el mismo sitio; de hecho, en las posadas, mesones y ventas nunca estaba más de dos días seguidos, y siempre con la cuenta ya pagada y las alforjas preparadas, por si tenía que salir a uña de caballo.

Todo esto lo sé porque ahora era yo el que lo seguía a todas partes, convenientemente disfrazado, e inspeccionaba sus aposentos con gran sigilo, mientras estaba fuera. Entre otras cosas, quería saber qué era lo que escribía, qué hacía, con quién hablaba, cuáles eran sus proyectos, después de haber dado a la imprenta una obra tan extraordinaria como la que relataba las aventuras del ingenioso hidalgo, del que, de forma implícita, se había comprometido a contar su tercera y última salida en un nuevo volumen, ya que el primero terminaba con la promesa de buscar y sacar a la luz nuevos papeles que completaran la historia de don Quijote. Pero el tiempo pasaba, y él no parecía muy dispuesto a iniciarla. Y eso que no cesaban de llegar noticias sobre el libro que hablaban de su renombre fuera de España, como el hecho de que se estuviera traduciendo ya al inglés, debido a la curiosidad que la obra había suscitado entre algunas personas notables de Londres, como el conde de Southampton, quien ya en agosto de 1605 había donado un ejemplar de la obra a la Universidad de Oxford; o que, en las fiestas celebradas en honor del nuevo virrey del Perú, en la localidad de Pausa, se representaran varias escenas de la misma protagonizadas por don Quijote y Sancho, lo que significaba que su libro seguía estando por ahí, en boca de todos, aunque eso a él no le reportara ninguna gloria ni ningún beneficio inmediato.

Cervantes, mientras tanto, no hacía más que huir y

huir, como quien pretende escapar de su propia sombra. Y así habríamos estado, uno detrás del otro, de acá para allá, hasta el final de los días del primero que muriera, si no hubiera sido por lo que sucedió una tarde en la que, claro está, yo iba tras él, camino de Toledo, y, de pronto, estalló una espantosa tormenta, con gran aparato de truenos y relámpagos. En cuanto vi que él desaparecía de mi horizonte y la tempestad se me echaba encima, comencé a darme prisa, con la intención de refugiarme en algún pueblo, venta o alquería, pero la lluvia era tan recia y el camino estaba tan enfangado que el caballo apenas podía avanzar. De repente, uno de los rayos hizo que este se asustara y se pusiera de manos, con lo que me tiró al suelo, sin que yo lo pudiera evitar. Dolorido y cubierto de barro, me levanté con gran esfuerzo y traté de acercarme al pobre animal, pero este me rehuía. Intenté, entonces, calmarlo con gestos y palabras amables, y siguió retrocediendo, hasta que una descarga cayó sobre él y lo derribó. Cuando me aproximé, comprobé que estaba muerto y abrasado. Fue todo tan rápido que no daba crédito a lo que me mostraban los ojos.

Despavorido, empecé a andar, sin saber hacia dónde ir. Caía tanta agua y el cielo estaba tan oscuro que no fui capaz de recuperar la senda que llevaba. Cada vez estaba más persuadido de que había llegado mi hora. No obstante, no me detuve. Caminé encorvado y desorientado bajo el temporal, observando cómo los rayos destruían los pocos árboles que había a mi alrededor. La situación era tan angustiosa que pronto acabaría por envidiar la suerte de mi caballo. «¿A qué viene todo esto? ¿Y cómo es que a mí no me matan?», me pregunté, aterrado. Hasta que por fin lo entendí. Estaba claro que Dios quería que me arrepintiera sinceramente de mis pecados y cambiara, de una vez, de vida. Solo así tenían sentido la caída en mi particular camino de Damasco, la visión anticipada de los terrores del infierno y la amenaza continua de la muerte. Y no hice más que pensar en ello cuando apareció a mi lado el espectro de don Gaspar de Ezpeleta.

—Ya sabía yo que volveríamos a vernos —me dijo a modo de saludo.

—Dejadme en paz —le pedí yo—. ¡Es que no veis que estoy apurado!

—¿Y por qué no me dejasteis vos en paz a mí? —me replicó él—. No teníais que haberme matado.

—Fuisteis vos el que me atacó a mí —le recordé.

—Pero vos no teníais que haber estado en aquel momento en aquel lugar.

—Ni vos deberíais haber pasado por allí a tales horas.

—Si vos no os empeñarais en perseguir con tanto ahínco a ese tal Miguel de Cervantes, que por cierto conmigo demostró ser un buen cristiano, para que lo sepáis, no habría sucedido nada.

—Y si vos no os hubierais dedicado a seducir mujeres casadas, no estaríais ahora donde os encontráis, ¿no os parece?

—En eso lleváis razón —reconoció.

—En buena parte vos también la tenéis.

—De todas formas, dejadme que os diga, que lo que hacéis no está nada bien —me reprochó—, pues buscándolo a él, lo habéis perdido todo, os habéis perdido vos y, sobre todo, habéis perdido a Dios Nuestro Señor.

—Entonces, ¿qué debo hacer?

—Buscar una nueva senda y enmendar vuestros errores.

—Eso se dice fácil.

—Confiad en Dios y Él os ayudará.

—¿Os ayudó a vos, por casualidad? —pregunté yo con segundas.

—Es Él el que me ha encargado esta tarea —me confesó.

—¿Estáis seguro?

—¿Lo estáis vos? —repuso él, misteriosamente—. Y ahora, si me lo permitís, debo irme.

—Un momento, esperad, os lo ruego —le grité, pero ya había desaparecido, como si se hubiera disuelto en la lluvia, que otra vez había vuelto a arreciar.

A esas alturas, caminar se había hecho casi imposible, pues yo estaba completamente empapado y con la pierna izquierda cada vez más dolorida; además, a cada paso que daba, los pies se me hundían en el barro hasta por encima del tobillo. Pero debía continuar. Si eso era una prueba, y todo parecía indicar que sí, yo no podía decepcionar a Dios; y, si no lo era, lo mismo daba. Tenía que intentar aprovechar, como fuera, esa oportunidad de enderezar mi vida, aun a riesgo de perderla, si es que no lo estaba ya. En todo caso, decidí no pararme a pensar. Debí de andar durante cerca de una hora, sin ningún criterio, de manera casi instintiva. Ya era de noche cuando me pareció ver a lo lejos una casa. En realidad, se trataba solo de una mancha más oscura que el resto, lo suficiente para seguir adelante y no acabar de desfallecer.

Me dirigí hacia allí con las últimas fuerzas que me quedaban, y resultó ser una pequeña ermita. Por fortuna, la puerta no estaba cerrada y pude guarecerme en ella. En el interior, tan solo había una pila de agua bendita, unos cuantos bancos corridos, un pequeño altar y, detrás de este, un Cristo crucificado, iluminado por un par de cirios. Después de persignarme, me acerqué a la imagen y me postré ante ella en señal de respeto y agradecimiento por haberme brindado ese refugio. Luego traté de rezar con el debido fervor. Sin embargo, por más que lo intentaba, no me venía ninguna oración a la memoria, lo que indicaba hasta qué punto de impiedad había llegado. Me sentí tan mezquino y avergonzado que, por un momento, decidí abandonar la ermita y salir de nuevo a la intemperie, que era donde merecía estar. Pero de pronto se me ocurrió algo mejor: de allí no me movería hasta que compusiera una oración que reflejara todo lo que sentía yo en ese instante. No se trataba solo de mostrar agradecimiento, pedir perdón y manifestar mi voluntad de cambiar, sino de ir mucho más lejos, mucho más allá, hasta conseguir expresar un amor a Dios puro y generoso, ni interesado ni forzado.

Y, entonces, se produjo el milagro. Las primeras palabras salieron solas, como si me las hubiera dictado Dios, y detrás vinieron las otras, hasta componer el primer cuarteto casi de corrido, sin apenas esfuerzo, como cuando de niño iba a pescar con mi padre al río Cárdenas algunos domingos; había tantos peces que bastaba con lanzar la caña y tirar del hilo, con mucho cuidado, eso sí, para que la trucha no se soltara del anzuelo y acabara escapándose. Los repetí luego, emocionado, para fijarlos bien en la memoria:

No me mueve, mi Dios, para quererte
el cielo que me tienes prometido;
ni me mueve el infierno tan temido
para dejar por eso de ofenderte.

Lo único malo de un cuarteto así era cómo continuarlo, sin que perdiera fuerza. Buscando inspiración, dirigí la mirada al Cristo crucificado que tenía delante, y, tras contemplarlo durante un rato, con los ojos llenos de lágrimas, comencé a hablar directamente con Él, a declararle el amor que su figura me provocaba:

Tú me mueves, Señor; muéveme el verte
clavado en esa cruz y escarnecido;
muéveme el ver tu cuerpo tan herido;
muévenme tus afrentas y tu muerte.

Después de esas palabras, la conclusión del primer terceto tenía que ser neta y clara. No en vano era el amor de Dios el que movía a amar a Dios, y a proclamarlo:

Muéveme, al fin, tu amor, y en tal manera,
que aunque no hubiera cielo yo te amara,
y aunque no hubiera infierno te temiera.

Y ahora venía lo más delicado: el remate del soneto y, con él, el culmen de la oración. Se trataba, en definitiva, de querer sin pedir nada a cambio:

No me tienes que dar porque te quiera,
pues aunque lo que espero no esperara,
lo mismo que te quiero te quisiera.

Nada más terminar de decir estos últimos versos, me arrojé al suelo, como prueba de humildad y de devoción. Pero estaba tan rendido que debí de quedarme traspuesto. Cuando me desperté horas más tarde, no sabía dónde me encontraba. Me incorporé y comprobé que se trataba de una ermita y que mis ropas, sorprendentemente, estaban ya secas. Salí fuera y vi que había cesado del todo la tormenta y comenzaba a amanecer. Caminé un poco para desentumecerme y descubrí de pronto, al otro lado de lo que resultó ser el río Tajo, la ciudad de Toledo, bajo un cielo tan intenso como yo no lo había visto nunca. Antes de irme, volví a entrar en la ermita para dejar unas monedas en el cepillo de piedra que había junto a la pila. Entonces, me vino a la memoria la oración que yo mismo había concebido esa noche. «¿Y si todo lo que he vivido esta noche no ha sido más que un sueño o el producto de mi imaginación alterada?», me pregunté, un tanto confuso. En cualquier caso, la oración estaba en mi cabeza; y, para confirmarlo, la repasé de nuevo, esta vez en voz alta.

A pesar de su aparente simplicidad, había que reconocer que era un poema de una gran belleza en el que todo estaba perfectamente engarzado y las palabras fluían con pasmosa facilidad, sin violencia alguna. Ni Dios mismo, con su infinito saber, lo habría expresado mejor. Era un milagro de la poesía. De modo que era más que evidente que yo no podía haberlo compuesto, salvo que, por algún misterio u oscura razón, hubiera sido Él quien, en aquel momento, había hablado a través de mí. Pero, entonces, ¿por qué había elegido a alguien tan miserable como yo, y no a un poeta probado? Y es que tan vanidoso me parecía creer que yo lo había creado como pensar que yo había sido el instrumento de Dios. Desde luego, yo no quería firmarlo ni reclamarlo como mío. Al fin y al cabo, se trataba de una oración cuyo tema era el amor desinteresado, con lo que el anonimato era casi obligatorio.

Sin embargo, tenía que darlo a conocer a todo el mundo, ya que guardármelo solo para mí podría considerarse como un acto de egoísmo y de soberbia. De modo que, cuando regresé a Madrid, comencé a hacerlo circular en copias manuscritas, y, al poco tiempo, me llegó la buena nueva de que las monjas de un pequeño convento ya lo estaban rezando como si fuera una oración popular. En todo caso, lo más importante era que, con todo aquello, Dios me había dado una gran lección. Y esta era que, al contrario de lo que yo siempre había creído, Él no solo había despertado en mí una vocación, sino que también me había concedido el talento necesario para desarrollarla, pero tenía que ser a costa, eso sí, de renunciar a la autoría de mis poemas y, por lo tanto, a la fama y a la gloria y a cualquier otra muestra de vanidad. Lo importante, en todo caso, es que, a partir de entonces, y después de treinta años sin hacerlo por miedo a fracasar, volví a escribir poesía, aunque fuera de forma anónima, como, por otra parte, venía haciéndolo el pueblo llano desde época inmemorial.

En cuanto a Cervantes, ya no tenía objeto perseguirlo. Pero tampoco podía abandonarlo sin más. Si algo había aprendido en esos últimos años, era que no se le podía dejar solo, que había que estar detrás de él, no para acosarlo o hacerle daño, naturalmente, sino para ayudarlo y protegerlo de sí mismo. Había llegado el momento de trocar la envidia, el odio y el deseo de venganza, por la amistad, el perdón y la generosidad. Y la ocasión para ello no tardó en presentarse. Agobiado por las deudas, Cervantes tuvo que volver a Madrid, donde pronto se vio envuelto en enredos familiares. Al parecer, su hija se había casado con un tal Diego Sanz del Águila, pero seguía manteniendo trato carnal con su protector, don Juan de Urbina, con el que, por lo visto, nuestro hombre tenía contraídas algunas deudas, que de inmediato quedaron canceladas a cambio de su consentimiento. De esas relaciones adúlteras nació una niña, Isabel Sanz, la primera y única nieta de Cervantes, con lo que la situación vivida por él y Ana Franca volvía a repetirse, como una maldición.

Y lo peor es que la cosa no terminó ahí, ya que al año siguiente Isabel quedó viuda, y su padre y su amante, de común acuerdo, le concertaron un nuevo matrimonio de conveniencia, esta vez con un tal Luis de Molina, del que Cervantes quiso sacar también algún beneficio. Con este fin hizo que, en la carta de pago de la dote, su hija apareciera por primera vez como legítima, con el nombre de Isabel de Cervantes y Saavedra. Sin embargo, esta, lejos de agradecerle el detalle, aprovechó la ocasión para lanzarle toda clase de reproches por su miserable comportamiento. Cervantes, dolido y avergonzado, se retiró a su casa, una vivienda en ruinas que alguien le había dejado, de donde no salió en varios días. En cuanto me enteré de su situación, le hice llegar algún dinero con una carta en la que le decía que se lo enviaba un protector que, de momento, prefería permanecer en el anonimato y que, con ello, quería animarlo a escribir la segunda parte del *Quijote*, al que era muy aficionado. Cervantes trató de averiguar quién estaba detrás de ello, y, como no lo consiguió, debió de pensar que se trataba de una persona muy encumbrada. Con parte de lo recibido, alquiló una casa más decente y se puso manos a la obra. Pero enseguida surgió algo que torció mis designios.

XXI

El caso es que, una vez más, nuestro hombre fue convocado a palacio por el duque de Lerma. De ello yo me enteré tiempo después por una carta sin remite enviada a su hermana Magdalena en la que, entre otras cosas, le relataba el encuentro. En esta ocasión, el valido lo mandó sentarse, si bien tuvo que aguardar a que terminara de escoger un color para las nuevas libreas de sus lacayos y demás sirvientes, que, según se decía en los mentideros, superaban en número a los del propio rey. Y es que, a esas alturas, el de Lerma había logrado amasar ya una inmensa fortuna y se había convertido en el centro de una enorme red de corrupción, basada en el nepotismo, el cohecho, la prevaricación, el intercambio de favores, la venta de cargos públicos y la compra de voluntades. Pero lo peor era que, frente a ello, tan solo se escuchaban las tímidas protestas de unos pocos, que, de vez en cuando, se atrevían a recordarle a Su Majestad que el rey es para el reino, y no el reino para el rey, o, mejor dicho, para su valido y hombre de confianza. En esos pensamientos estaba Cervantes, cuando de repente descubrió en una esquina de la mesa un ejemplar del

Quijote sobre un cartapacio, algo que, como es lógico, le intrigó.

—¿Sabíais que el rey está encantado con las aventuras de don Quijote y Sancho? —le comentó de pronto el de Lerma, como si le hubiera leído el pensamiento—. Incluso, me ha comentado que algún día querría conoceros; de momento, me ha pedido que os pregunte si habéis empezado a escribir ya la continuación. Y, en tal caso, os ruega que hagáis que Sancho llegue a ser por fin gobernador de una ínsula, tal y como su señor le ha prometido tantas veces, para que el común de las gentes sepa lo complicado y difícil que es llevar las riendas del Estado.

—Desde luego, eso que decís es muy halagador para mí y un inmerecido honor —confesó Cervantes, sorprendido—. En cuanto a la posible continuación, debo reconocer que no la he empezado aún, pero, si algún día me pongo a ello, cumpliré con gusto su deseo.

—Así se lo diré. Ah, y un consejo —añadió como quien no quiere la cosa—: si la escribís, no se os ocurra hablar en ella bien de los moriscos ni cuestionar, de ningún modo, su expulsión.

—¿A qué expulsión os referís? —quiso saber Cervantes.

—A la que ahora estamos preparando.

—Yo pensaba que vos estabais en contra —le recordó.

—Así ha sido hasta hace poco —reconoció—. Pero las cosas han cambiado, y puede que ahora nos sirva para desviar la atención de otros problemas más importantes. Ya veremos. De todas formas —le explicó—, el motivo por el que os he llamado no es hablar sobre vuestro famoso libro ni sobre su hipotética segunda parte. Como podéis ver —añadió, mostrándole el cartapacio—, aquí tengo una copia manuscrita de una obra que, al parecer, habéis escrito vos, aunque vuestro nombre no figure en ella, ya que la mencionáis en el capítulo XLVII del *Quijote*. Se trata de la *Novela de Rinconete y Cortadillo, famosos ladrones que hubo en Sevilla*. Es vuestra, ¿no es así? —preguntó de forma retórica.

—Eso me temo —admitió Cervantes—. Lo que no entiendo es cómo ha llegado hasta vos. ¿Me permitís? —preguntó, señalando el cartapacio.

—Adelante —le indicó el valido—. Os sorprendería saber lo bien informado que estoy de todo lo que sucede en la república de las letras —continuó—. En este caso, además, lo tenía fácil, pues me la envió no hace mucho mi buen amigo Francisco Porras de la Cámara, racionero de la catedral de Sevilla. ¿Sabíais que la ha incluido en una miscelánea de textos compuesta para la lectura de su señor, el cardenal arzobispo de Sevilla Fernando Niño de Guevara?

—Jamás lo habría imaginado —confesó Cervantes, mientras le echaba un vistazo al texto.

—Pues, por lo visto, al cardenal le divirtió mucho vuestra novela sobre esos dos jóvenes aprendices de ladrones, a pesar de los excesos que hay en ella —añadió con otro tono—, que según él ponen en duda su ejemplaridad.

—En este caso, hay que leerla como ejemplo de lo que no se debe hacer —repuso Cervantes con tono socarrón.

—Muy ingenioso; se lo diré. Por supuesto, ese manuscrito —le informó, cambiando de tono—, en el que por cierto se encuentran también la *Novela del celoso extremeño* y otra titulada *La tía fingida*...

—Esa no la he escrito yo —interrumpió Cervantes.

—Me alegra mucho saberlo —comentó el de Lerma—, pues me parecía demasiado procaz para vos. Como os decía —prosiguió—, ese manuscrito es para uso privado del arzobispo en su tiempo de ocio, lo que no quita para que el racionero me lo haya prestado a mí para hacer una copia. Espero que no os importe.

—Al contrario. ¡No sabéis qué alegría me dais! —exclamó Cervantes—. Hace tiempo que la había dado ya por perdida.

—No os entiendo.

Cervantes le explicó, entonces, que el original de esa novela le había sido robado hacía años, junto con el de otras obras, y que si la había mencionado en el *Quijote* era justamente para reclamar su autoría, pues la tenía en gran aprecio.

—De modo que, si a vos no os importa —concluyó—, me gustaría hacer una copia de la misma para mí.

—Desde luego, podréis contar con una, siempre y cuando —le advirtió— no incluyáis en ella ninguna referencia a la hermandad de La Garduña y sus actividades.

—¿Y eso por qué? —quiso saber Cervantes.

—De eso es precisamente de lo que quería hablaros —le explicó con un tono más confidencial—. He visto que en ella mencionáis una cofradía de delincuentes de Sevilla. ¿Puede saberse de dónde habéis sacado esa información?

—Son cosas que oí contar en la Cárcel Real de esa ciudad, donde, como ya sabéis, estuve alojado siete meses.

—¿Y habéis comprobado luego su existencia?

—La verdad es que no me he parado mucho a averiguar si era algo cierto o no —mintió—. Para mí, son solo historias ejemplares, si bien intento que, a la vez, sean verosímiles. Lo demás me importa poco.

—¿Y dónde oísteis hablar de La Garduña?

—Ya os he dicho que en la cárcel, que es donde mejor se aprende este tipo de cosas. No en vano dicen que la de Sevilla es la principal universidad que existe para pícaros y delincuentes, más famosa aún que las de Salamanca y Alcalá, con la única diferencia de que en estas se estudian Leyes y en aquella se enseña a burlarlas y quebrantarlas.

—Y vos, ¿qué grado alcanzasteis en ella?

—El más bajo, supongo, puesto que ya me pilló muy viejo y sin ninguna gana de estudiar. Además, como no ignoraréis, yo fui a parar allí por error.

—Eso dicen todos —replicó el de Lerma.

—Solo que a veces es cierto. Por experiencia, puedo aseguraros que, en la cárcel, no son todos los que están ni están todos los que son. En mi caso —aclaró—, fue por una decisión injusta y arbitraria, revocada luego por el propio rey, y os recuerdo que me encerraron por unas supuestas deudas, no por robarle a nadie o por cosas aún peores.

—Está bien. Volvamos a La Garduña —ordenó el de Lerma—. Decidme: ¿quién está detrás del nombre de Monipodio?

—Que yo sepa, nadie.

—¿Estáis seguro? —insistió—. Entonces, ¿por qué utilizasteis ese nombre?

—Esa palabra tiene en Castilla el mismo sentido que monopolio, de la que sin duda procede, y por eso me serví de ella —le explicó Cervantes—. Pero el personaje es una invención. Es posible que su descripción coincida con algún delincuente de Sevilla. Si es así, se trata de una coincidencia.

—¿Y qué me decís de la hermandad? Hay muchos

que piensan que no existe, que es una pura leyenda. ¿Qué opináis vos? —quiso saber el de Lerma.

—Que, sin duda, se equivocan, aunque es posible que el león no sea tan fiero como lo pintan algunos.

—Estoy con vos —señaló el valido—. No obstante, sabemos que, entre sus filas, tienen personas importantes y poderosas, incluso gente de la Corte. Lo que quiero ahora es que averigüéis qué hay de verdad en todo ello.

—¿Y por qué yo?

—Porque vos conocéis bien el paño y, a la vez, sois persona de confianza —admitió—; por otra parte, huelga decir que tenéis sobrados recursos y experiencia para moveros por esos mundos.

—No sé si tomármelo como un halago.

—Por supuesto que lo es —confirmó el valido—. Además, quiero que sepáis que os pagaré bien; así podréis seguir escribiendo vuestros libros sin tener que preocuparos por nada. Es eso lo que queréis, ¿no es cierto?

—Así es. Pero no necesito de vuestra munificencia para ello; sé bien cómo ganarme la vida.

—Conmigo no es necesario que disimuléis. Por lo que sé, tenéis tantas deudas que no os ha quedado más remedio, para poder saldarlas, que ejercer de alcahuete de vuestra propia hija, como antes lo fuisteis de vuestra hermana Andrea. Y conste —añadió con un gesto tranquilizador— que no está en mi ánimo ofenderos y, menos aún, censuraros. Bastante habéis hecho con reconocerla, cuando no teníais ninguna obligación legal, puesto que nadie sabía que vos erais el padre.

—Esas son cosas que a vos no os incumben.

—Tan solo quiero que me digáis cómo os habéis ganado la vida de un tiempo a esta parte —le recordó—.

No iréis a decirme que con el juego, ¿verdad? Según tengo entendido, este lo único que os ha producido son deudas, y bien que lo lamento. Pero el juego es así. Yo también soy aficionado, ¿lo sabíais? Y por eso sé que, a la larga, son los fulleros y, sobre todo, los dueños de los garitos los únicos que ganan. Con todo y con eso, uno siempre tiene la ilusión de poder llevarse el gato al agua; de ahí que el juego mueva tanto dinero.

—Si es tan nocivo, ¿por qué no lo perseguís? —quiso saber Cervantes.

—No se pueden poner puertas al campo —se justificó—. Además, ¿para qué lo vamos a prohibir si puede proporcionarnos grandes beneficios? De hecho, tengo previsto que el Consejo del Reino apruebe una nueva ley para que la Corona pueda controlar todos los garitos y quedarse con una buena parte de las ganancias. Pero volvamos a vos. Si ahora, por lo que yo sé, no tenéis oficio ni beneficio, entonces, ¿de qué vivís?

—De mis escritos y de mis protectores, y de algún que otro negocio.

—Perdonadme, pero no os creo —rechazó el de Lerma, esbozando una sonrisa—. Decidme: ¿qué os han pagado por vuestro dichoso libro? ¿Dos mil reales? —concretó, al ver que Cervantes no respondía—. ¿Menos? —añadió, tras comprobar que seguía sin soltar prenda—. En ese caso, permitidme que os diga que Francisco de Robles os estafa. Debería haberos pagado por lo menos tres mil. En cualquier caso, estos habrían sido insuficientes para manteneros, a vos y a vuestra hija, pues ya sé que vuestra esposa tiene sus propios medios. Por último, es evidente que, en este momento, no tenéis ningún protector. No sé qué le habréis hecho, la verdad, pero el duque de Béjar no quiere ni oír hablar de vos; os trata como si estuvierais tiznado, y conste que no lo digo con segundas.

—Tengo un nuevo protector —se aventuró a decir Cervantes.

—¿De quién se trata? —se interesó el de Lerma.

—No sé su nombre.

—¿Queréis decir que es anónimo?

—Así es —reconoció él.

—Dios os libre de los protectores anónimos —le advirtió—. Podría ser un enemigo que os quiere tener controlado. En cuanto a vuestros negocios —añadió—, no me constan, salvo que no sean legales, y, en ese caso, también lo sabría. Respondedme, entonces, con sinceridad: ¿qué otros recursos os quedan?

—Ninguno, a decir verdad —reconoció él—. Pero al menos conservo la vida. Por lo que sé, la gente de La Garduña es peligrosa.

—Si sois discretos, no os pasará nada —replicó el duque de Lerma—. En cualquier caso, sabréis cómo libraros de ellos; ya lo hicisteis en una ocasión. Además, se os pagará bien.

Cervantes se quedó pensativo y algo pesaroso. Estaba claro que el de Lerma tenía razón. Le había sorprendido, por otra parte, lo bien informado que estaba, y la verdad es que no parecía muy dispuesto a aceptar una negativa. De modo que, una vez más, no le quedaba otra opción que aceptar la propuesta.

—Está bien —concedió por fin—, haré lo que me habéis pedido, pero solo si me aseguráis que este será el último encargo que realizo para vos.

—Prometo que no volveré a molestaros —aseveró el valido, poniéndose en pie—. Ya podéis, pues, empezar. Supongo que no hace falta deciros que no podéis contarle nada a nadie acerca de esta misión. Si lo hacéis, lo consideraré alta traición, y podríais pagarlo muy caro, ¿entendido?

—No hace falta que insistáis.

—Tomad —le dijo el de Lerma, entregándole unos legajos que acababa de sacar de un armario—; por si os sirve de algo, aquí os confío esta documentación. Tened cuidado con ella, nadie más que vos debe verla, y, en el caso hipotético de que alguien intentara robárosla, deberéis protegerla con vuestra vida. Si no lo hacéis así, seré yo el que acabe con vos.

Cervantes los tomó en sus manos como quien recibe una cesta llena de serpientes venenosas, y luego se despidió del valido, que se limitó a hacer un gesto con la mano en dirección a la salida, tal vez para indicarle que su presencia comenzaba a ser enojosa.

Cuando, poco después, llegó a casa, comenzó a examinar los papeles. El primero era una lista de nombres de sospechosos, dentro de la Corte, de pertenecer o haber pertenecido a La Garduña, y sus correspondientes domicilios conocidos. Entre ellos había uno que enseguida debió de llamar su atención; me refiero, claro está, al de Antonio de Segura, al que no veía desde hacía casi cuarenta años. Tras leerlo de nuevo, se preguntaría qué habría sido de su antiguo amigo y cómo era posible que hasta la fecha no se lo hubiera encontrado en ninguna parte. Él, desde luego, no había mostrado ningún interés en buscarme ni en saber nada de mí, supongo que por aquello de no reabrir viejas heridas, ya que yo era una parte de su pasado con la que no quería volver a cruzarse. Y es que ojos que no ven corazón que no siente. Tampoco los conocidos y los amigos comunes de antaño le habían querido dar razón de mi persona, como si me hubiera tragado la tierra.

Imagino, pues, la enorme sorpresa que se llevaría al verme en esa lista tan comprometedora. ¡Cuántos recuerdos debió de remover la simple lectura de mi nombre! ¡Cuántas emociones debieron de agolparse, entonces, en su pecho! ¿Había llegado la hora de enfrentarse, de una vez, con su pasado o volvería a pasar página, como había hecho tantas veces? Es posible que ni siquiera se lo planteara. De todas formas, su reacción no fue ignorarme o pensar que podría tratarse de otro, sino interesarse por mí, pues fue mi caso el primero que investigó, no sé muy bien con qué intenciones. De modo que ahí lo tiene Vuestra Merced, dispuesto a averiguar qué había sido de mi persona y en qué situación me hallaba ahora; de perseguido convertido en perseguidor, justo cuando yo había decidido comenzar a ayudarlo, aunque eso él, claro está, no podía saberlo. Me lo figuro delante de la puerta de la que fue mi casa, haciendo sonar la aldaba con esa autoridad que da el hecho de hacerlo en nombre del rey o por orden de su valido. Ante la insistencia, saldría a abrir mi viuda, preocupada.

—¿Vive aquí Antonio de Segura? —preguntaría él con un leve tartamudeo, fruto de las circunstancias, que enseguida se le pasaría.

—Aquí vivía, pero ya no está con nosotros —respondería ella con cierto recelo.

—Os ruego, entonces, que, aunque con retraso, aceptéis mis condolencias.

—Os lo agradezco. ¿Lo conocíais?

—Lo traté hace mucho tiempo —confesaría él, sin entrar en detalles—. ¿Y cómo murió?

—No lo sabemos con certeza —contestaría mi desconsolada viuda—. Su cuerpo apareció totalmente destrozado en un cruce de caminos, a pocas leguas de aquí.

—¿Quiere eso decir que lo mataron? —indagaría él.

—Eso parece.

—¿Y hubo algún sospechoso?

—No, que yo sepa.

—¿Sabéis si pertenecía a alguna hermandad secreta? —le preguntaría de pronto Cervantes con la intención de pillarla desprevenida.

—¿Qué insinuáis?

—Veréis —le explicaría por fin—. Su nombre figura en un informe como miembro de la hermandad de La Garduña.

—En mi vida oí mentar ese nombre —rechazaría ella.

—Tal vez no os lo mencionara, pero es posible que notarais algo, no sé...

Al llegar a este punto, me imagino que mi viuda comenzaría a preguntarse si no sería verdad lo que ese hombre le estaba contando, pues ello explicaría mi extraño comportamiento durante todos esos malditos años en los que había convivido conmigo. Y, al final, le confesaría, con lágrimas en los ojos, que yo casi nunca estaba en casa y que, cuando volvía, nunca le comentaba nada y andaba siempre a hurtadillas, por lo que siempre había creído que tendría por ahí una mujerzuela o algún vicio secreto. Asimismo, le diría que, en los últimos tiempos, parecía como ido, como si estuviera muy obsesionado con algo o, peor aún, poseído por alguien, y que lo más probable era, añadiría como conclusión, que me hubiera vuelto loco.

—No obstante, tengo entendido que, en esos años, ganó mucho dinero —apuntaría luego Cervantes.

—Eso no puede ser cierto —rechazaría ella, muy digna—. ¿Creéis que yo viviría como vivo si hubiera sido así?

—A lo mejor lo heredaron otras personas.

—En el testamento tan solo aparecíamos los miembros de su familia.

—¿Y si se lo entregó en vida a esas otras personas o lo ocultó, en alguna parte, para que pudieran disponer de él más adelante?

En ese momento, ella volvería a recordar aquel cadáver que de forma vaga se parecía a mí, pero que obviamente no era yo, aunque ella así lo diera a entender a las autoridades, pues sin duda era lo que en aquel trance más le convenía. Y eso la llevaría a preguntarse si ese hombre que tenía delante no tendría razón, y, por lo tanto, yo había estado disfrutando de una especie de doble vida, de tal forma que era muy posible que solo hubiera muerto para unos, esto es, para su familia legítima, pero no para otros, fueran los que fuesen, lo que, desde luego, significaría que su desaparecido esposo era mucho peor de lo que ella siempre había imaginado, un auténtico monstruo, un verdadero hijo de Satanás. Dudaría, pues, por un momento, si contarle toda la verdad a ese hombre enviado por la Corte. Pero luego se lo pensaría mejor y decidiría dejarlo correr, para evitar males mayores. No obstante, es muy posible que dejara caer algo, aunque no lo suficiente como para despertar serias sospechas en Cervantes.

El caso es que lo primero que este hizo, tras abandonar la casa, fue ir a visitar mi tumba, en el crucero de la iglesia de San Martín, no sé si como despedida y postrero homenaje a mi persona o para comprobar que, en efecto, estaba muerto y enterrado; de hecho, leyó mi nombre varias veces para asegurarse de que era yo y hasta llegó a pasar la mano por la hendidura de las letras, como santo Tomás, solo que al revés, pues se ve que no acababa de fiarse y necesitaba alguna evidencia más o menos tangible. Por otra parte, le llamó la atención mi epitafio, que supongo que él interpretaría a su manera, tal vez de forma irónica y maliciosa. Luego permaneció un buen rato frente a la lápida, me gustaría pensar que rezando por el eterno descanso de mi alma o, incluso, pidiéndome perdón, aunque fuera a destiempo, pero es posible que preguntándose aún si sería verdad que mis restos se encontraban en esa tumba, como indicaba la inscripción.

Después, se olvidó de mí y siguió con las pesquisas, vigilando a posibles miembros, interrogando a algunos testigos y examinando montones de expedientes, con el objetivo de encontrar algún rastro, por pequeño que fuera, de las actividades de La Garduña, o algún indicio que lo condujera a los hermanos mayores o adalides de esta singular cofradía, tarea harto difícil, pues su nombre tan solo lo conocían unos pocos, y ellos nunca dejaban constancia escrita de sus resoluciones ni de sus actos ni de sus ingresos. Era, pues, como si no existieran, que era la única forma de subsistir en unas circunstancias como esas, ya sabe Vuestra Merced a lo que me refiero. Por último, Cervantes viajó a Sevilla y otras ciudades, visitó algunos de los lugares en los que supuestamente se reunían y se adentró en un par de cárceles, como un delincuente más, para intentar sonsacar a los presos, me imagino que con mucho miedo de que los guardias se olvidaran de él y lo dejaran allí recluido, como, sin ir más lejos, me ha pasado a mí, que, desde que ingresé en esta Cárcel Real, nadie ha vuelto a acordarse de mi persona, si no es para sacarme las pocas monedas que me quedan.

Lo importante, en todo caso, es que, gracias a su carácter meticuloso y a su gran tenacidad, Cervantes consiguió elaborar un informe —en el que por cierto no se me menciona por ninguna parte— que confirmaba la existencia de La Garduña, a la que definía como un árbol con las raíces bien asentadas en terreno abonado; el tronco recio y firme, ya que estaba constituido por todos los que trabajaban para ella: *punteadores, floreadores, soplones, fuelles, chivatos, encubridoras, sirenas...*; y, por último, una serie de ramas que se extendían cada vez más hacia arriba, que era donde daba su mejor fruto. A juzgar por los pocos rastros que había encontrado y ciertas deducciones que él mismo había ido haciendo, algunas de estas ramas apuntaban hacia las más altas instancias de la Corona; de hecho, daba a entender que, en ese momento, había dos bandos, dentro de la Corte, en feroz disputa por hacerse con el mando y los beneficios de La Garduña, lo que, por primera vez, estaba poniendo en peligro la supervivencia de la misma.

En una de las facciones, se situarían los opositores al duque de Lerma, incluidos algunos hombres de confianza del anterior rey, que no se resignaban a perder sus privilegios, mientras que, en la otra, estaría el entorno del valido, compuesto por parientes, allegados, amigos, colaboradores y, por supuesto, su brazo derecho, don Rodrigo Calderón, marqués de Siete Iglesias, a quien muchos apodaban «el valido del valido», pues era el que solía dar la cara por el duque. De él se decía que andaba envuelto en varias muertes violentas y que podría ser el hermano mayor de La Garduña, seguramente con la aquiescencia de su superior, que se llevaría una buena parte de los beneficios. Para otros, sin embargo, era un simple testaferro del de Lerma, que era quien en realidad controlaba el negocio, dentro y fuera de La Garduña, lo que, entre otras cosas, le daba derecho a recibir un tercio de todas las ganancias que obtenían sus miembros por sus robos, trapicheos, extorsiones, secuestros, agresiones, muertes... En cualquier caso, parecía evidente que uno de los dos era el Monipodio de ese patio de picaresca y delincuencia en que se había convertido España entera, si bien es cierto que Cervantes no disponía de ninguna prueba que pudiera incriminarlos.

Lo que no había logrado adivinar era la razón por la que el valido le había mandado investigar ese asunto ni cuáles eran sus intenciones al respecto; lo más probable es que quisiera utilizar la información para afianzar su poder en La Garduña o dar un golpe de timón o acabar con los traidores y con el bando rival o vaya Vuestra Merced a saber qué. En cualquier caso, todo esto colocaba a Cervantes en una situación muy delicada y comprometida. De ahí que, en un primer momento, nuestro hombre se planteara si incluir o no todo lo que había averiguado en el informe que tenía que presentar, pues, si lo hacía así, demostraría saber demasiado, con lo que estaría firmando su sentencia de muerte, pero, si se guardaba algunas cosas, y el duque de Lerma se daba cuenta de ello, tampoco se libraría de ser ejecutado.

A Cervantes esta encrucijada le recordaba mucho una historia que una vez le había contado su padre. Se trataba de un puente que cruzaba un caudaloso río, y, al otro lado, había un juez que tenía la potestad de imponer la ley del señorío a todo aquel que lo atravesara. Para ello le preguntaba adónde y a qué iba por ese camino, y, si el viajero decía la verdad, lo dejaba seguir, mientras que, si mentía, lo condenaba a ser ejecutado en una horca que allí había, sin remisión alguna. Entonces, acertó a pasar por allí un hombre que, a la pregunta de marras, respondió que iba a morir en aquella horca, y no a otra cosa, con lo que al juez se le planteó un tremendo dilema y una curiosa paradoja, pues, si lo dejaba seguir, resultaría que había mentido y, conforme a la ley, debería ser colgado, pero, por otra parte, si lo ahorcaba, habría que concluir que había dicho la verdad, y, por lo tanto, tendría que dejarlo libre, para lo cual ya sería demasiado tarde. De modo que no había solución; lo mirara por donde lo mirara, el resultado era el mismo: el pobre hombre tendría que morir, aunque hubiera dicho la verdad o, precisamente, por haberla dicho, como, probablemente, le iba a pasar a él.

Así las cosas, decidió entregarle el informe completo al duque de Lerma, pero, al mismo tiempo, le hizo llegar una copia a los miembros más relevantes de la facción contraria, para que los dos bandos en liza acabaran enfrentándose abiertamente entre ellos por el control de la hermandad, y así él pudiera quedar al margen. De hecho, a los pocos días, el valido inició una purga en la Corte para acabar con sus rivales, mientras que estos, por su parte, iniciaron una campaña contra Rodrigo Calderón, en la que fueron apoyados por la reina Margarita y el confesor real fray Luis de Aliaga, que lo tenían bien calado, al igual que al valido.

Todo esto ha provocado que, en este momento, el hombre de confianza del duque tenga ya los días o, como mucho, los años contados, y, detrás, a buen seguro irá el de Lerma, aunque por ahora se resiste con uñas y dientes; de hecho, se dice que, ante la inminente muerte de su tío, el cardenal de Toledo, ha solicitado ya a Roma el capelo cardenalicio, para poder abandonar la política de una manera digna y verse libre así de demandas y procesos. En cuanto a La Garduña, lo último que he sabido es que está muy debilitada y a punto de desmantelarse y dividirse en pequeñas cofradías, si bien es muy posible que las aguas vuelvan a su cauce no tardando mucho. En todo caso, hay que reconocer que ha sido un triunfo en la guerra contra la corrupción. Y todo ello a causa de la feliz estratagema de Cervantes, a quien, por desgracia, nadie podrá agradecérselo, pues su nombre no apareció por ninguna parte ni él quiso hacerse acreedor de ningún mérito ni, por lo tanto, reclamó recompensa alguna.

XXII

Después de terminar su misión, Cervantes se refugió en un convento franciscano, no muy lejos del Alcázar, donde a buen seguro al duque de Lerma no se le ocurriría buscarlo. Allí se hizo pasar por un hermano que estaba de paso por Madrid y necesitaba descansar unos días, a causa de una enfermedad. Durante el día, hacía la misma vida que los otros frailes, salvo que, en lugar de trabajar, se dedicaba a reflexionar y a ponerse al día con Dios. Cuando llegó la hora de irse, decidió dar un giro a su vida y consagrarse solo a la escritura, que era su verdadera religión. Para ello, se afincó definitivamente en la Villa y Corte —que para entonces ya había alcanzado las cien mil almas—, pues, a su edad, no podía seguir dando tumbos por los caminos y posadas. Y de Madrid ya no se movió, salvo para un breve viaje, como oportunamente señalaré, o alguna escapada a Esquivias. Pero lo cierto es que, cada dos por tres, se mudaba de casa con toda su parentela, como si todavía continuara huyendo de alguien o de algo o no fuera capaz de permanecer mucho tiempo en el mismo sitio.

El caso es que, tras varios cambios de domicilio, se fue a vivir con sus *mujeres* a la calle de la Magdalena, no lejos de los talleres de Juan de la Cuesta, donde el *Quijote* se reimprimía regularmente, y de la librería de Francisco de Robles, en la que este todavía se vendía a buen ritmo, hasta el punto de que, cuando se sentía triste y cansado y sin ganas de trabajar, se dejaba caer por ambos lugares, para recuperar la ilusión y las ganas de seguir adelante. Le gustaba mucho el olor del papel y de la tinta fresca, y la agitación que siempre había en la imprenta. En la librería, se pasaba el tiempo hojeando novedades o escuchando los comentarios que los clientes hacían sobre las obras que allí se encontraban, entre ellas el *Quijote,* si bien no siempre le agradaban, aunque fueran buenos, y ello le producía una sensación incómoda, que lo llevaba a abandonar la librería y regresar a casa. Y es que debía darse prisa y escribir otras obras, mucho más serias y ejemplares y de estilo más sublime, si quería asegurarse un sitio en el Parnaso y la inmortalidad.

Para no variar, a los pocos meses se trasladó a una casa que estaba detrás del colegio de Nuestra Señora de Loreto, y, al año siguiente, a la calle del León, muy cerca de donde vivía Lope, que no hacía mucho se había instalado en la vecina calle de los Francos. Con ello solía bromear Cervantes diciendo que ya ni siquiera era el mejor escritor del vecindario, pero que no le importaba, pues en España el primer puesto siempre se lo llevaba el favor o la importancia de la persona, mientras que el segundo lo alcanzaba, por lo general, la mera justicia. Después, cambió de domicilio varias veces, pero siempre por las mismas calles, para no alejarse de Lope, porque ya se sabe que la envidia o la rivalidad necesitan de la presencia del otro, sin el cual no pueden desarrollarse. No obstante, apenas se veían y, cuando esto sucedía, ni se miraban. Tampoco coincidían en las academias, que, tras la vuelta de la Corte a Madrid, se habían multiplicado, bajo la protección de algunos nobles, pues Cervantes tan solo asistía a una de ellas, debido a su carácter cada vez más retraído y huraño. Por entonces, llevaba una vida muy retirada y bastante rutinaria, que consistía en asistir a misa al romper el alba, trabajar después sin descanso hasta el mediodía, hora a la que salía para dar un pequeño paseo; luego venía la comida, algo de siesta y, de nuevo, la escritura hasta la hora de candiles.

Lo que sí frecuentaba Cervantes eran los mentideros, sobre todo el de las gradas del convento de San Felipe, junto a la puerta del Sol, al comienzo de la calle Mayor, donde se enteraba de las noticias y los cotilleos de toda índole, y el de la puerta de Guadalajara, pues ambos estaban cerca de la librería de Robles, en la que por cierto también se jugaba a las cartas. En ellos supo de la firma, en Amberes, del humillante tratado de paz con las Provincias Unidas de los Países Bajos el 9 de abril de 1609, justo el mismo día en que se dio a conocer la aprobación formal del decreto de expulsión de los moriscos, con la que, al parecer, se pretendía desviar la atención del otro asunto. De esta forma, los moriscos se convirtieron en verdaderos chivos expiatorios, como en su día lo fueron los judíos, de los errores políticos de unos gobernantes ineptos y corruptos. Según algunos rumores, la medida había sido reclamada, de manera insistente, por el duque de Lerma al propio rey, que al final no tuvo más remedio que ceder y ordenarle: «Hacedlo vos.»

La Corona española perdía así una parte de lo más valioso y granado de su población, justo cuando más la necesitaba. De vez en cuando, llegaban noticias de que muchos moriscos habían muerto en el viaje o al llegar a su destino, mientras que otros se habían hecho piratas en las costas berberiscas; o de cómo algunos prohombres cristianos se habían beneficiado del trasiego de bienes, propiedades y arrendamientos de los moriscos; o de ciertos lugares en los que algunos vecinos andaban por los montes con un arcabuz en la mano, a la caza de moriscos, y, en cuanto veían alguno desmandado, lo mataban allí mismo, sin encomendarse a Dios ni al diablo. Tales hechos y algunos más llenaron de tristeza a Cervantes, que veía con horror cómo la nación española cavaba, sin darse cuenta, su propia tumba, y, encima, él no podía contarlo, si no quería acabar como esas pobres gentes.

Asimismo, nuestro hombre solía pasarse por la tienda del librero Juan de Villarroel, quien acabará publicando sus dos últimos libros. Situada en la plazuela del Ángel, allí fue donde, según parece, le informaron de que Lope había sido nombrado familiar del Santo Oficio de la Inquisición, lo que hizo que aumentara el desprecio que sentía por él. Pero lo más curioso es que, a partir de esa fecha, se entabló entre ellos una absurda competición para ver quién se llevaba la palma en el espinoso camino hacia el perdón de Dios. De modo que, si Lope ingresaba en la recién creada Congregación de los Esclavos del Santísimo Sacramento, al poco tiempo lo hacía Cervantes, cada vez más preocupado por la salvación de su alma. Y, si luego este se integraba en una nueva cofradía religiosa, semanas después se incorporaba su rival, arrepentido de sus muchos pecados. Y así sucesivamente, como si fueran niños.

Por otra parte, hay que reconocer que esos fueron años de gran soledad y frustración para Cervantes. Rechazado por su esposa, que, llena de rencor, acababa de hacer testamento a favor de su hermano, Francisco de Palacios, mientras que a él le dejaba tan solo un triste majuelo; repudiado por su propia hija, que se sentía cada vez menos querida y más utilizada por su padre; con Andrea recién fallecida, Magdalena, de novicia en un convento —hasta su muerte, en 1611—, y Luisa, enclaustrada en el suyo, sin enviar noticias desde hacía años; peleado y endeudado, además, con mucha gente; despreciado y ninguneado por buena parte de sus compañeros de oficio, que, a pesar de sus triunfos, no le acababan de reconocer sus méritos, a Cervantes no le quedó más remedio que refugiarse de lleno en la escritura y trabajar como un galeote que remara en mares de tinta.

El resultado fue que, en los últimos seis o siete años de su existencia, llegó a escribir más que en todo el resto de su vida, tanto en cantidad como en calidad, a pesar de que este período no estuvo exento de sinsabores, como el fallecimiento de su nieta Isabel, a la que nuestro hombre apenas llegó a conocer. Esa terrible muerte no solo puso fin a su estirpe, sino que enredó todavía más el pleito que, desde hacía unos años, tenía con su hija, el marido de esta y don Juan de Urbina —el verdadero padre de la niña, como sin duda recordará Vuestra Merced— sobre la propiedad de una casa en la red de San Luis, comprada con dinero de este, lo que, al final, supuso la ruptura definitiva entre nuestro hombre y su única descendiente.

Otro suceso que le afectó mucho fue el hecho de no haber sido incluido en la legación de poetas y escritores propuesta por Lupercio Leonardo de Argensola para acompañar al conde de Lemos a la ciudad de Nápoles, adonde este iba destinado como nuevo virrey. Se trataba con ello de impulsar y sostener las academias literarias y las representaciones poéticas que don Pedro Fernández de Castro tenía pensado establecer en aquella Corte. Entre los elegidos por el secretario del conde estaban su hermano Bartolomé Leonardo de Argensola, su hijo

Gabriel Leonardo de Albión, de solo veintitrés años, Antonio Mira de Amescua y varios plumíferos más de muy poco fuste, dejando fuera a todos aquellos que pudieran hacerles sombra.

Enterado del rechazo, Cervantes se dirigió a toda prisa a Barcelona, donde la escuadra en la que viajaba el conde de Lemos con su nutrido séquito iba a hacer escala durante varios días, antes de poner rumbo a Nápoles. Al parecer, su intención no era otra que volver, a sus sesenta y tres años, a aquella ciudad en la que tan feliz había sido en su juventud, con el fin de reencontrarse con su amada Silena, que podría haber muerto ya o que, en el mejor de los casos, se habría convertido en una matrona venerable, y buscar las huellas de su hijo Promontorio, que, a esas alturas, rondaría la cuarentena. Pero eso poco importaba; al fin y al cabo, se trataba de una quimera. Y, además, llegó tarde. Ese barco ya había zarpado, nunca mejor dicho.

Durante cerca de una semana, estuvo vagando por las calles de la ciudad de Barcelona. De cuando en cuando, se dejaba caer por alguna de sus playas para contemplar el mar, que, con su oleaje continuo, contribuía a reavivar sus recuerdos. No en vano era el mismo mar que bañaba las costas de Nápoles, aquel en el que había combatido como soldado y el mismo en el que los corsarios lo habían hecho cautivo, precisamente frente a esas costas. Toda su vida había sido una sucesión de amores frustrados, guerras, prisiones, adversidades... Pero al final su esfuerzo había sido inútil. Igual daba el triunfo que el fracaso. Pensamientos, en fin, de un pobre anciano.

Una tarde, al caer el sol, se encaramó a unas rocas para asomarse al mar desde lo alto y sentir la atracción del abismo. No era la primera vez que lo hacía, pero en esta ocasión parecía dispuesto a arrojarse al agua; seguramente había llegado a la conclusión de que ese era el final más adecuado para una vida como la suya. Cuando de pronto apareció en la playa don Quijote, montado sobre Rocinante y vestido con su armadura y su baciyelmo, que, desde abajo, comenzó a llamarlo a grandes voces. No se trataba de una fea máscara ni de una vulgar caricatura, sino del propio personaje, que, según él mismo le contó, se había escapado del libro para acudir a salvarlo y pedirle que regresara de nuevo a Madrid, donde lo aguardaba una importante tarea. Esta no era otra que la de continuar el relato de las aventuras que a su famoso hidalgo, esto es, a ese que le hablaba le acontecieron en su tercera salida. Cervantes, mientras tanto, se había bajado de las rocas y se había ido acercando muy despacio a su personaje, con miedo a que, en cualquier momento, su imagen se desvaneciera. Pero no fue así.

—¿De verdad sois vos? —se atrevió a preguntar, frotándose los ojos.

—¿Acaso lo dudáis? Yo sé quién soy —respondió don Quijote, enigmático—. Y vos, ¿lo sabéis?

—Supongo que vuestro creador —contestó él, no muy convencido.

—¿Estáis seguro?

—Eso parece —declaró, sin demasiado entusiasmo.

—Entonces, ¿por qué no escribís de una vez la segunda parte de mi historia? —le reprochó don Quijote, de repente.

—Porque he perdido la fe en mis personajes —le explicó su creador—. No me siento capaz de aceptar aquello en lo que os habéis convertido.

—Y vos, ¿os habéis mirado? —replicó don Quijote—. Hace un momento, sin ir más lejos, queríais quitaros la vida. ¿Y qué me decís del hecho de haber venido a toda prisa a Barcelona, con más de sesenta años a las espaldas, para tomar un barco que hace ya casi cuarenta que partió? ¿Quién de los dos es más patético y ridículo?

—En algo sí que tenéis razón —admitió él—; no es con mi vida, desde luego, con la que debería acabar, sino con la vuestra.

—¡¿Con la mía?! —exclamó don Quijote—. ¡Eso es imposible! Vos ya no sois mi dueño ni mi señor, si es que alguna vez lo fuisteis, que lo dudo. Ahora lo son mis lectores.

—¡Los míos, querréis decir! —protestó Cervantes.

—Vos no sois más que un mero instrumento —puntualizó don Quijote—. La mano que empuña la pluma, nada más.

—¡¿Ah, sí?! ¿Y por qué no os apeáis y probáis la fuerza de mi puño? —lo amenazó Cervantes.

—Vos lo habéis querido —sentenció, por su parte, don Quijote, aceptando el reto—. Me batiré con vos en singular combate, aunque no seáis caballero, pues la ocasión lo requiere. Pero ha de ser con la espada, no con los puños, que eso es de gente vil, y con una condición. Si vos vencéis, yo desapareceré para siempre. Si lo hago yo, vos regresaréis a vuestra casa y escribiréis la segunda parte de mis aventuras, no sin antes rendir pleitesía a mi señora Dulcinea del Toboso, como es de rigor en estos casos. ¿Estáis de acuerdo?

—Lo estoy —aceptó Cervantes, de manera solemne.

—Tomad, pues, esta espada y mi propio escudo —le dijo, alargándoselos—, ya que no lleváis armadura.

Don Quijote se apeó, a continuación, de Rocinante y trocó la lanza por una espada que llevaba colgando de la montura. Después, se encomendó a Dulcinea y se dirigió hacia Cervantes. Este, que conocía de sobra el arrojo de su personaje, empuñó con fuerza su arma, dispuesto a repeler el ataque. A don Quijote le costaba mucho moverse sobre la arena de la playa, a causa de la armadura, pero sus estocadas eran firmes, y habrían sido certeras si su rival no hubiera sabido defenderse. Sin embargo, tras varios lances, las tornas cambiaron, y fue Cervantes el que comenzó a acometer a su personaje con rabia y ferocidad. Estaba claro, pues, que quería acabar con él y devolverlo al reino de las Musas, de donde nunca debería haber salido. Por fortuna, el caballero andante logró contener las embestidas con fortaleza y serenidad, hasta que vio que nuestro hombre empezaba a dar muestras de cansancio. Era, pues, el momento de contraatacar. De modo que aprovechó un error de Cervantes para hacerlo retroceder tan deprisa que no pudo evitar dar un traspié y caer al suelo de espaldas. Sin perder un instante, don Quijote le puso la punta de la espada en el pecho y, una vez que lo tuvo a su merced, le ordenó que se rindiera, cosa que el otro hizo con apenas un hilo de voz.

—Como vencedor, os conmino a cumplir todo lo pactado —exigió, entonces, don Quijote—. Si no lo hacéis así, lo pagaréis con creces, os lo aseguro —añadió, antes de subir de nuevo al caballo y perderse en las sombras del crepúsculo.

Cuando el ingenioso hidalgo desapareció, Cervantes se puso en pie con gran esfuerzo. Más que derrotado, parecía atónito por lo que allí había ocurrido, como si no acabara de creérselo, a pesar de estar dolorido y algo magullado. Pero yo puedo dar crédito de todo ello, pues también lo vi, o, mejor dicho, lo viví en primera persona, como un triunfo propio, aunque Cervantes no me reconociera bajo la figura y la armadura de su personaje, tan obnubilado estaba.

XXIII

Al día siguiente, nuestro hombre abandonó la posada y emprendió viaje hacia la Villa y Corte. Por el camino, no paraba de mirar atrás, como si temiera que su personaje lo estuviera persiguiendo para que fuera más deprisa. De modo que, cada dos por tres, espoleaba al caballo hasta agotarlo. En las ventas en las que paraba, se sentaba a comer frente a la puerta para poder ver quién entraba, o se iba directamente a su aposento para pasar inadvertido. Y, cuando por fin llegó a Madrid, se encerró en casa y se puso de inmediato a la tarea, tal y como se le había ordenado. Pero, pasado un tiempo, no sé por qué, volvió a atascarse; de repente, se quedaba en suspenso en medio de una frase, con el papel delante, la pluma en la oreja, el codo en el bufete y la mano en la mejilla, pensando lo que iba a decir... Y, como no se le ocurría nada, se quitaba los anteojos y se ponía a dar vueltas por su cámara, a grandes zancadas, hasta que caía rendido e iba a acostarse, fuera la hora que fuese, no sin antes cerrar bien las puertas y ventanas. «¿Qué le pasa? ¿Por qué no sigue? ¿Tan poco le importa su personaje?», me preguntaba yo con desesperación, desde mi escondite.

Hasta que un buen día se puso con otra tarea que en ese momento le resultaba más fácil o le atraía más, como era la de revisar las novelas ejemplares que ya tenía escritas y completar la serie con otras de nuevo cuño. Como ya dije, en este caso, no se trataba de un género nuevo, ya que este era de origen italiano, pero Cervantes podía presumir, como de hecho hizo en el prólogo, de ser el primero que lo había cultivado en lengua castellana, ya que las *novellas* que hasta entonces andaban impresas en ella eran traducciones, mientras que las suyas eran hijas de su ingenio y de su pluma, no imitadas ni hurtadas. Y si él las llamaba ejemplares era porque no había ninguna de la que no se pudiera sacar algo provechoso para el alma, amén de ser entretenidas y deleitosas.

Sin embargo, él seguía obstinándose en ser reconocido como poeta, y sacarse así la espina que tan profundamente llevaba clavada. De modo que, en lugar de volver sobre el *Quijote,* empleó varios meses en componer los numerosos versos de su *Viaje del Parnaso,* todo un alarde digno de mejor causa. Al parecer, fue escrito a imitación de la obra en italiano del mismo título de César Caporal Perusino y estaba motivado por el deseo de realizar, en la imaginación, el viaje a Nápoles que no pudo emprender con el conde Lemos por culpa de los hermanos Argensola. Con él pretendía desquitarse, además, de las muchas humillaciones recibidas por parte de sus colegas; de ahí que, en lugar de quejarse de su mala suerte o del ninguneo al que era sometido, él mismo se colocara entre los primeros en una ficticia reunión de los grandes ingenios de España, dando a entender con ello que era muy consciente del gran valor de su obra.

A poco de concluir el poema, ya en 1613, comenzaron a circular por Madrid y Sevilla algunas copias manuscritas del mismo sin el nombre de su autor, al tiempo que salían a la calle, en la librería de Francisco de Robles, las *Novelas ejemplares,* impresas, como el *Quijote,* en el taller de Juan de la Cuesta. Por ellas recibió Cervantes mil seiscientos reales y la acogida fue tan grande que muy pronto se tradujeron y publicaron en Bruselas y otros lugares, lo que venía a demostrar, una vez más, que lo suyo, aunque le pesara, era el relato en prosa. En el prólogo de las mismas, anunciaba a sus lectores que, «con brevedad», podría ver la luz la segunda parte de «las hazañas de don Quijote y donaires de Sancho Panza». Pero lo cierto era que esta seguía estancada, y sin visos de que fuera a continuarla, a pesar de lo bien que habían sido recibidas sus célebres novelas.

Él, sin embargo, no parecía muy satisfecho. De hecho, volvió a beber, con más afición, si cabe, y lo único que hacía era pasarse las tardes en un bodegón que había cerca de su casa, con una jarra de vino siempre delante, escuchando lo que decían los otros parroquianos, hasta el momento de regresar a casa. Había llegado, pues, la hora de tomar de nuevo cartas en el asunto. De modo que una noche, cuando volvía a casa ebrio bajo la lluvia, decidí darle un susto, disfrazado de don Quijote. Para ello, me escondí en un callejón y, en cuanto llegó a mi altura, le salí al paso.

—¡¿Qué de... de... monios hacéis aquí?! —tartajeó, asustado.

—He venido a recordaros vuestro compromiso —le dije yo con tono solemne.

—¡¿Qué com... compromiso?! Yo ya no ten... tengo nada que ver con vos —rechazó él.

—Os derroté en la playa de Barcelona, ¿no os acordáis?

—Todo aquello no fue más que un mal sueño —precisó él, sin tartamudear, pero arrastrando un poco las palabras—. Por mucho que os empeñéis, vos no existís, ¿me habéis entendido? No sois más que un delirio de mi ebria imaginación.

—Entonces, ¿por qué me habláis?

—Es conmigo con quien hablo en realidad —precisó con voz pastosa—, ¿no veis que estoy borracho?

—Aunque no creáis en mí, he venido a advertiros que me encuentro en una especie de limbo —le expliqué yo—, y que de allí no saldré, mientras no terminéis de contar el resto de mi historia.

—Eso no es de mi incumbencia —se justificó él.

—¿Tan poco os importan vuestros hijos literarios? —le reproché.

—¿Les importo yo acaso a ellos? —se quejó él con cierta amargura—. Creedme —añadió con un tono más calmado—, podréis arreglaros muy bien sin mí. A mi edad los padres no son más que una carga y un estorbo, o tal vez algo peor.

—¿Y si os dijera que he recibido un mensaje de vuestro propio padre para vos? —le mentí.

—¡Mi padre! ¡¿Qué pinta aquí mi padre?! —exclamó, enfurecido.

—Él me ha rogado que os pida que no os dejéis derrotar por nadie —improvisé—, que perseveréis en el intento.

—¡Qué sabrá él de esas cosas! Su vida fue un continuo descalabro, para él y para su familia.

—Por eso mismo —puntualicé yo—; él no quiere que os ocurra nada parecido.

—¡A buenas horas! —exclamó él—. Si no deseaba que eso sucediera, no debería haberme engendrado. Mucho me temo que, si soy así, es, sobre todo, por su causa. Es como una maldición familiar, como una mancha que no se quita por mucho que la restreguéis. Él era sordo y yo soy tartamudo, lo que explica que él viviera cada vez más aislado y yo sea tan retraído. Nuestro común destino ha sido errar de un lado para otro, de fracaso en fracaso, de revés en revés.

—Si fuera como decís, no deberíais tenerle miedo a una nueva derrota.

—No es la derrota lo que me asusta —puntualizó—, sino la muerte. Sabed que, desde hace algún tiempo —prosiguió de forma atropellada—, tengo la sensación de que, en cuanto termine de escribir la segunda parte de vuestras aventuras, que, como bien sabréis, acaba con vuestra propia derrota y posterior muerte, me moriré yo también.

—¿Y de dónde viene esa sensación?

—Al poco de volver de Barcelona, me crucé en la calle con mi hija, que, como de costumbre, no me saludó, pues estaba muy disgustada conmigo. Traté de seguirla, pero ella me esquivó. Después, me encontré con unos muchachos que estaban riñendo en la puerta de una casa, y de repente uno le dijo al otro: «No te canses, que no la has de ver en todos los días de tu vida.» Y eso, no sé por qué, me conmovió de tal manera que, enseguida, pensé que debía de tratarse de un mal augurio, de una mala señal.

—Seguro que se referían a otra cosa —apunté yo con la intención de tranquilizarlo.

—Es posible —reconoció—, lo que no quita para que, desde entonces, viva obsesionado con la idea de que mis días acabarán justo cuando termine de contar los vuestros, quiero decir la segunda parte de vuestras aventuras. Os parecerá una tontería —añadió—, pero, cada vez que intento ponerme a ello, no tardo en quedarme paralizado, como si algo dentro de mí me impidiera seguir adelante. Durante estos últimos años, he tratado de mantenerme distraído y ocupado escribiendo otros libros y pensando en nuevos proyectos, para no tener que enfrentarme a la tarea pendiente. El caso es que, después de escribir el *Viaje del Parnaso,* ya no sabía por cuál decidirme, y eso me desazonaba mucho, la verdad. Y no se me ocurrió otra cosa que refugiarme en el vino. Gracias a él, estoy todo el día embotado, nunca mejor dicho, y ya no siento ni padezco ni me hago ilusiones con respecto a mí mismo o a mis personajes.

—Pero eso es como quien se protege de la muerte enterrándose en vida —le reproché yo—, y vos siempre os habéis distinguido por la fortaleza de ánimo.

—Puede que fuera así en otro tiempo —puntualizó—. Ahora, sin embargo... De modo que os ruego que me dejéis en paz.

Dicho eso, trató de ponerse en marcha, pero resbaló en el lodo y fue a dar de bruces en un enorme charco que había en medio de la calle. Más bajo, desde luego, ya no podía caer. Enseguida, intentó levantarse, pero no fue capaz siquiera de ponerse de rodillas. De modo que lo ayudé a incorporarse y luego lo acompañé a su casa, si es que aquel lugar infecto en el que vivía podía llamarse así. En él apenas había muebles, el suelo estaba lleno de inmundicias y las paredes cubiertas de humedad. De una de ellas colgaba un retrato de nuestro hombre pintado por su amigo Juan de Jáuregui hacía algunos años, pero este se encontraba en tal mal estado que parecía que se había ido cuarteando y deteriorando conforme envejecía y enfermaba el original. De buena gana me lo habría llevado para restaurarlo, si no hubiera tenido cosas más urgentes que hacer.

Como pude, le quité la ropa, sucia de varias semanas, y lo arrojé sobre un jergón pringoso y maloliente. Aparte de eso, lo único que encontré fue una mesa y un arcón con algo de ropa y varios libros y cartapacios. Ni en la cárcel de Sevilla habría estado peor que en esa pocilga. Resultaba evidente, pues, que, si quería que nuestro hombre volviera a escribir, antes tenía que ayudarle a recobrar la dignidad perdida. Al día siguiente, contraté a una criada para que limpiara todo aquello y cuidara a Cervantes como era debido. También intenté, por cierto, que su hija fuera a visitarlo, pero ella se negó en redondo, sin querer darme ninguna explicación. Por último, con la ayuda de un médico de origen morisco, me encargué de alejarlo del vino durante una buena temporada. Conseguido esto, tenía que hacer algo que lo provocara y que picara su amor propio, para ver si así lo movía a terminar de una vez su obra. Y, mire Vuestra Merced por dónde, fue otro libro el que me inspiró.

Estaba yo una tarde leyendo una *novella* en la que una dama de cierta alcurnia se siente tan despreciada por su marido que decide dejarse cortejar por otro, para despertar así los celos de aquel y conseguir que vuelva a quererla como antes, cuando, de repente, me vino a la cabeza la solución. Si Cervantes se negaba a cultivar su propio huerto, por la razón que fuera, yo me encargaría de que alguien lo hiciera en su lugar, a ver si así su verdadero dueño se daba cuenta de lo que poseía y se decidía a labrarlo. La idea, pues, era escribir una segunda parte del *Quijote* apócrifa, algo que, por otro lado, era muy frecuente con los libros de renombre, por lo que no podía extrañar a nadie; ahí estaban, sin ir más lejos, *La Celesti-*

na, el *Lazarillo* o, más recientemente, el *Guzmán de Alfarache*.

Para llevar a cabo este propósito, necesitaba la ayuda de alguien de toda confianza que tuviera un buen motivo para hacerlo y que, a su vez, fuera un experto en la materia, y no se me ocurrió nadie mejor que Lope de Vega. Yo sabía, además, que este era un gran defensor de los libros de caballerías y que, por tanto, no le perdonaba a Cervantes que hubiera escrito una obra para combatirlos y burlarse de ellos, lo que, por cierto, demostraba que el propio Fénix de los Ingenios se había quedado en la superficie del *Quijote*, como tantos otros. No iba a ser, pues, muy difícil ganármelo para la causa. Lo único que necesitaba era suscitar en él un gran deseo de venganza. De modo que contraté a un *punteador* para que le diera un buen susto, una de esas noches en que volvía tarde a casa, después de haberse acostado con la amante de turno. Y él se aterrorizó tanto que enseguida fue contando por ahí que alguien había intentado matarlo. A los pocos días, me presenté en su casa. Por supuesto, él no sabía que yo estaba oficialmente muerto, por lo que se alegró mucho de verme después de tanto tiempo. Luego me preguntó que a qué se debía mi visita. Yo le dije que me había enterado de lo que le había ocurrido y que quería mostrarle mi apoyo, cosa que agradeció.

—Por otra parte —añadí, en un tono más confidencial—, me ha llegado el rumor de que es Miguel de Cervantes, supongo que movido por la envidia, el que está detrás de ese ataque.

—¡Lo sabía, lo sabía! —comenzó a gritar Lope como un energúmeno—. ¡El muy cobarde y malnacido! Pero eso se acabó. Ahora mismo voy a retarlo y esta madrugada me lo llevo por delante.

Yo, entonces, le pedí que se calmara, y, cuando por fin lo vi algo más sereno, le sugerí que la mejor manera de vengarse y castigar a Cervantes por lo que le había hecho no era matarlo, ya que al fin y al cabo era un viejo achacoso, sino acabar de una vez con su obra, y, para ello, lo más efectivo sería anticiparse a sus propósitos y escribir una continuación del *Quijote*. Esto le daría a él la oportunidad de enmendarle la plana al pobre manco en su propio terreno, y, de paso, hacerle daño allí donde más le dolía, privándolo así de la gloria y de las ganancias que le habrían correspondido por la segunda parte, pues estaba seguro de que, si alguien se le adelantaba, abandonaría para siempre su proyecto y comenzaría a echar pestes del *Quijote* y toda su parentela, con lo que su esfuerzo se iría al garete.

Mientras hablaba, yo ya había ido notando cómo a Lope le cambiaba la cara y se le iba iluminando con un gesto diabólico. De hecho, estaba tan entusiasmado con mi propuesta que quería ponerse a la tarea cuanto antes, siempre que yo lo ayudara. Para ello, me dijo que podríamos contar con la participación de varios colaboradores, que estarían dispuestos a hacer lo que él les mandara, pues sabían imitar cualquier estilo y escribir en toda clase de géneros y registros. Estos, además, habían leído el *Quijote*, lo que facilitaría mucho las cosas. A pesar de que él lo llevaba muy en secreto, yo ya sabía que, para escribir muchas de sus obras, Lope contaba con varios discípulos o aprendices que él mismo había adiestrado a su conveniencia y sobre los que recaía buena parte del trabajo. De modo que le dije que me parecía una idea excelente.

Sin perder un instante, Lope los mandó llamar y, después de reunirnos con ellos, nos pusimos manos a la obra. Entre el Fénix de los Ingenios y yo planeamos el libro, decidimos el argumento, el recorrido de esa tercera salida, que en parte ya había sido anunciado por el propio Cervantes al final del primer volumen, los nuevos personajes, el tono que queríamos que tuviera y, en fin, todos aquellos aspectos que consideramos relevantes. Y el resto ya era cosa de sus colaboradores, que trabajaban de sol a sol y sin pedir mucho a cambio, pues estaban muy orgullosos de servir a Lope, que, para ellos, era como un dios descendido del Olimpo y hecho carne para habitar entre nosotros. Por otro lado, yo contaba con la complicidad de la criada de Cervantes, que me contaba qué era lo que estaba escribiendo en cada momento, e, incluso, me hacía copia de algunas páginas, pues antes había trabajado para un canónigo, que, a cambio de ciertos favores, sobre los que no quiso entrar en detalles, le había enseñado a leer y a escribir. Por ella supe que Cervantes se había vuelto a poner con la escritura de la segunda parte, si bien la interrumpía, de cuando en cuando, para picotear en otros proyectos, lo que a mí me parecía muy preocupante.

Para colmo de males, Lope empezó a comportarse de un modo cada vez más extraño. Una tarde irrumpió en la cámara en la que escribían sus dos colaboradores, bajo mi supervisión, y nos dijo que teníamos que dejarlo, si no deseábamos que Dios se enojara con nosotros. Yo le pregunté que a qué venía eso. Y él me respondió que una cosa era ceder a las tentaciones de la carne y del amor humano, y otra muy distinta dejarse llevar por el odio y la envidia. De modo que no estaba dispuesto a seguir con esa maquinación tan absurda. Yo traté de contenerlo y hacer que entrara en razón. Incluso, le confesé que, en realidad, lo hacíamos por una buena causa, y no por lo que él creía. Pero eso lo disgustó todavía más. Y lo cierto es que se le veía muy arrepentido de sus malas acciones, hasta el punto de que, según me contó, no hacía más que rezar y disciplinarse. Cuando quise saber por qué lo hacía, él me respondió que estaba preparándose para ordenarse sacerdote en los próximos meses. Yo le dije con sinceridad que no era para tanto y que tratar de huir del mal haciéndose sacerdote era como pretender librarse de la peste haciéndose médico, a lo que él me replicó que no había vuelta atrás.

Según parece, este anhelo le venía de lejos. Por un lado, la muerte de varios seres muy queridos en los últimos años y, por otro, su deseo de alejarse de las mujeres, que eran su gran debilidad, le habían llevado a pensar cada vez más en Dios y en las cosas del espíritu y, por tanto, a buscar una salida por la vía de la religión, que, por diversos motivos, había ido demorando. Pero nuestro plan de venganza contra Cervantes le había hecho reflexionar mucho y eso lo había llevado a tomar, por fin, una decisión. Yo traté de calmarlo, a ese respecto, asegurándole que nuestro libro redundaría sin duda en beneficio de la supuesta víctima, por lo que no había ninguna razón para preocuparse por ello. No obstante, él me rogó que lo dejáramos al margen, a lo que yo accedí de buen grado, para evitar complicaciones. Al final, Lope se ordenó en Toledo a finales de mayo de 1614 y, desde entonces, no quiso saber nada de mí.

A pesar de este contratiempo, nuestra segunda parte avanzaba según lo previsto. Sin embargo, Cervantes no tardó en abandonar de nuevo la suya. Tan solo dos días después de redactar la carta de Sancho Panza a su mujer desde la ínsula Barataria, que figura en el capítulo XXXVI, esto es, hacia la mitad de la segunda parte, y que aparece fechada el 20 de julio de 1614, se puso a escribir la *Adjunta al Parnaso,* con la intención de publicarla como cierre del poema que había terminado el año anterior. Este libro, como cabía esperar, fue enseguida pasto de las burlas y las pullas de sus enemigos, y, sobre todo, de los seguidores de Lope, que por entonces asistía a una academia llamada precisamente El Parnaso, también conocida como Academia Selvaje o Salvaje; según parece, estos no entendieron que, en sus versos, Cervantes sangraba por todas sus heridas y se retrataba, con mucha ironía, como escritor. De todas formas, esa respuesta no debería haberle sorprendido, mas lo cierto es que le afectó tanto que lo dejó de nuevo en un estado de gran postración, hasta el punto de que no deseaba salir ni estar con nadie, ni siquiera con su esposa, que ya había vuelto de Esquivias y velaba día y noche para que nuestro hombre no volviera a recurrir al vino para poder soportar su fracaso. Pero lo peor de todo era que no quería saber nada de la segunda parte del *Quijote;* es más, por entonces comenzó a rondarle por la cabeza la idea de destruir lo que ya llevaba escrito. Y así lo habría hecho en más de una ocasión, si la sirvienta no le hubiera escondido astutamente los papeles, tal y como yo le había ordenado.

Así las cosas, no nos quedó más remedio que concluir nuestra versión deprisa y corriendo, sin apenas corregirla ni revisarla, con el fin de darla a la luz lo antes posible. De todas formas, tengo que decir que el resultado final no fue ni mucho menos desdeñable, sobre todo teniendo en cuenta que el objetivo no era alcanzar la gloria literaria ni, desde luego, emular la obra de Cervantes, sino empujar a este a que completara, de una vez por todas, la suya. El caso es que, después de varias deliberaciones, los colaboradores de Lope y yo decidimos publicarla bajo pseudónimo, algo que el Fénix de los Ingenios ya había hecho en alguna ocasión. El nombre de Alonso se lo pusimos por ser este el verdadero de don Quijote; Fernández, por ser un apellido muy corriente en España; y de Avellaneda, por aquel proverbio que dice: «Al villano, con la vara de avellano», que, como es bien sabido, es fuerte y flexible. A última hora, introdujimos también algunos rasgos del habla aragonesa en la escritura, con el fin de desviar las sospechas relativas a la autoría hacia Jerónimo de Pasamonte, que, además de ser aragonés y escritor, tenía motivos para atacar a Cervantes; de hecho, esta fue una de las principales atribuciones que enseguida surgieron aquí y allá.

El prólogo se ofrecieron a escribirlo los dos colaboradores, que no quisieron perder la oportunidad de humillar y escarnecer en él a Cervantes, a quien culpaban del estado en el que, por entonces, se encontraba su idolatrado señor. Y la verdad es que yo no pude negarme. Al fin y al cabo, era su libro, y, por otra parte, podía venir bien para mis verdaderas intenciones. De todas formas, cuando lo leí, no me lo podía creer. Destilaba tanta bilis que algunos se pensaron que lo había escrito el mismísimo Juan Blanco de Paz, el dominico que, siguiendo instrucciones mías, delató y calumnió a Cervantes durante los últimos años de su cautiverio en Argel. Por último, el libro se imprimió en Barcelona, a finales de septiembre de 1614, en los talleres de Sebastián Cormellas, conocido de Lope, pues ya había publicado algunas de sus comedias, si bien apareció con un pie de imprenta falso para desorientar al lector curioso.

Cervantes, mientras tanto, se había puesto con la escritura de *Los trabajos de Persiles y Sigismunda*, libro en el que, al parecer, había depositado todas sus ilusiones y esperanzas, hasta que un día llamaron a la puerta de su casa, en la calle de las Huertas. Cuando abrió, se encontró con un hombre con aspecto de mendigo, ya que iba cubierto de harapos. Este le entregó, entonces, un libro y le dijo que la persona que se lo enviaba esperaba respuesta. Cervantes lo tomó en sus manos, muy intrigado, y, tras calzarse los anteojos, vio que se trataba de un volumen en octavo en cuya portada se leía: *Segundo tomo del Ingenioso hidalgo Don Quijote de la Mancha, que contiene su tercera salida: y es la quinta parte de sus aventuras. Compuesto por el Licenciado Alonso Fernández de Avellaneda, natural de la Villa de Tordesillas. Al Alcalde, Regidores, y hidalgos de la noble villa de Argamasilla, patria feliz del hidalgo caballero don Quijote de la Mancha.* Según el pie de imprenta, el libro había sido dado a la luz en Tarragona, en casa de Felipe Roberto.

Después de hojearlo con creciente nerviosismo, Cervantes quiso preguntarle algo al supuesto mendigo, pero se había quedado sin habla. Cuando, por fin, la recuperó, comenzó a tartamudear, como en sus peores momentos. Estaba tan indignado y lleno de rabia que el otro pensó que, en cualquier momento, empezaría a subirse por las paredes y a darse de cabezazos contra ellas. De repente, nuestro hombre dejó de tartajear y se lanzó a proferir todo tipo de improperios, insultos y maldiciones, mientras el pordiosero lo contemplaba con una mezcla de miedo y asombro.

—Decidme: ¿quién os ha enviado? —le preguntó a este, todavía fuera de sí.

—De veras, no lo sé —le explicó el mendigo—. Él solo me dijo que aguardara hasta ver cómo reaccionabais y que le comunicara, después, cualquier tipo de respuesta que vos me dieseis.

Entonces, Cervantes lo agarró con fuerza de un hombro y le dijo que no saldría de allí si no lo llevaba enseguida junto a la persona que le había hecho el encargo. El pordiosero, sin decir palabra, lo condujo hasta una taberna próxima en la que, al parecer, habían quedado citados, pero cuando llegaron a ella resultó que el hombre ya no estaba. Cervantes interrogó al dueño, y este le contestó que no sabía de quién podía tratarse, que él tenía muchos clientes, todos tan honrados como el que más, y que tampoco había visto a ese mendigo en su vida. Mientras hablaba con el tabernero, el aludido desapareció sin despedirse. Cervantes se quedó, pues, con las ganas de averiguar quién le había enviado ese maldito engendro y, sobre todo, quién era el malnacido que lo había procreado, si es que no eran la misma persona.

XXIV

Como se trataba de un libro, nuestro hombre debió de pensar que lo mejor sería preguntarle a un experto. De modo que se acercó a la tienda de su amigo Francisco de Robles, en la que hacía mucho tiempo que no recalaba, entre otras cosas por falta de dinero, ya que este había dejado de fiarle. Allí se encontró con montones de ejemplares del falso *Quijote,* que acababan de llegar desde Barcelona; la mayoría estaban dispuestos en columnas, bien sobre una mesa, bien directamente en el suelo.

—¡Cómo habéis podido hacerme esto! —se lamentó Cervantes, dirigiéndose al dueño del negocio.

—¿Y qué queríais que hiciera? —replicó este—. Si no los vendiera yo, los vendería otro, y yo me precio de ser el mejor de Madrid; no en vano soy el librero del rey.

—¿Y puede saberse al menos quién es el autor de este atropello?

—Todo parece indicar que se trata de un nombre falso —le explicó Francisco de Robles, compungido—. Y, por lo que se ve, también el pie de imprenta lo es. Pero, creedme, yo sé tanto como vos.

—¡Y qué no es falso en esta historia! —se quejó Cervantes—. Empezando, desde luego, por los propios amigos.

—Me imagino cómo os debéis de sentir —se compadeció el librero—, y bien que lo lamento.

—Lo que no os impide lucraros con ello.

—¡¿Y por qué no iba a hacerlo?! —protestó él—. Llevo años diciéndoos que espabiléis y que acabéis de una vez la segunda parte del *Quijote*, no fuera a aprovecharse otro de lo que era vuestro —le recordó con cierta vehemencia—, como ha sucedido con tantas obras; y vos, nada, dándome largas, como si el asunto no os atañera o no os importara lo más mínimo. Y, ahora que alguien se os ha adelantado, venís a quejaros y a echarme a mí la bronca. ¿Os parece eso justo?

—Tal vez tengáis razón. Y, si es así, os ruego que me perdonéis.

—Claro que la tengo —insistió Robles—. Reconoced que, en esto, sois como el perro del hortelano, que ni come las berzas ni las deja comer.

—Y vos, para ser librero, habláis como una verdulera, nunca mejor dicho —replicó nuestro hombre, otra vez enfadado.

—Y vos os comportáis como un marido cornudo y celoso.

—¡¿Ah, sí?! —exclamó Cervantes, ofendido—. Pues sabed que para mí solo nació don Quijote, y yo para él; él supo obrar, y yo escribir; solos los dos somos para en uno. Y ese tal Avellaneda no es más que un ladrón y un bellaco, y vos sois su cómplice, por comerciar con mercancía robada —añadió, derribando con ira varias de las columnas de ejemplares del falso *Quijote*.

—Andad y marchad de aquí en buena hora —lo amenazó, entonces, el librero—, si no queréis que avise a mis hijos, para que sean ellos los que os echen con cajas destempladas, que cualquiera diría que os habéis contagiado de la soberbia y la cólera de vuestro personaje.

Cervantes regresó esa tarde a casa con el corazón encogido y tan abochornado que no volvió a salir de ella en varios días. Tampoco quería ver a nadie ni saber nada ni recibir a ninguno de sus supuestos amigos. Por otra parte, parecía que ya no le importaba averiguar quién estaba detrás del maldito libro, si bien tenía sus sospechas. Y es que le daba igual todo, incluidos el *Persiles* y *La Galatea* y el mismísimo padre que los había engendrado, tanto a los nacidos como a los por nacer. El caso es que la publicación del falso *Quijote* lo afligió tanto que hubo un momento en que llegué a pensar que esta vez sí que lo abandonaría todo, y la verdad es que no era para menos, pues al final iba a resultar que su primer gran triunfo no solo había llegado tarde y tras una vida llena de fracasos y adversidades, sino que, además, venía acompañado de un sinfín de desdichas y decepciones, como si, para él, la felicidad y la gloria no pudieran darse puras ni completas y encima hubiera que pagar un alto precio por ellas. Con razón solía decir su hermana Andrea que, cuando algo parece perfecto, es porque algún mal viene ya de camino a estropearlo. Y eso era lo que había ocurrido, desde el principio, con el *Quijote*.

Pero, pasado un tiempo, Cervantes debió de recapacitar y comenzó a tomarse la publicación del apócrifo con mucha paciencia y algo de resignación, como era habitual en él, hasta que un día, de repente, consiguió verle el lado bueno a la cosa, y eso lo llevó a darle la vuelta al asunto y a intentar convertir el mal en bien y el inconveniente, en ventaja. Al fin y al cabo, tenía que reconocer que, si le había salido un imitador, era porque el *Quijote* era un libro de gran renombre leído y admirado en medio mundo, y eso ocurría muy pocas veces. Sin duda, se trataba de una especie de robo o apropiación, pero también de un homenaje, tal vez el mayor que cabía hacerle a una obra ajena. De modo que, en lugar de ocultarlo o pasar por alto el hecho, decidió que lo mejor sería airearlo y aludir a él dentro del propio libro; de esta forma pondría bien en evidencia la veracidad del auténtico don Quijote y la falsedad del apócrifo y arremetería contra este, no en el mundo real, pues su autor había sabido acogerse a una práctica muy extendida y protegerse bajo el anonimato, sino en la ficción, que es donde un escritor tiene que demostrar su valía, y no en los tribunales de justicia o en los duelos a espada. Y la verdad es que esta reflexión no solo le dio plumas, sino también alas para proseguir con la segunda parte desde el punto en el que la había dejado, y cambiando lo que hubiera que cambiar, con la intención de acabarla lo antes posible.

Esto hizo que durante varios meses escribiera de una manera febril, sin concederse apenas ninguna pausa ni descanso, como si estuviera en estado de gracia. Y, para ser consecuente con el humilde origen de la primera parte, que, como ya vimos, se engendró en una cárcel y se continuó en ventas y mesones, esta se terminó de escribir en una «humilde choza» o «lóbrega posada», pues así era como él llamaba en su *Viaje del Parnaso* a la casa en la que entonces vivía —en la calle de las Huertas—, de la cual, por cierto, no tardarían en desalojarlo los alguaciles, debido a una orden de desahucio por no haber pagado la renta del último año.

La publicación corrió a cargo de nuevo de Francisco de Robles, con el que Cervantes ya se había congraciado, no sin antes exigirle al librero que le pidiera perdón por su deslealtad, lo cual este hizo de buen grado, pues intuía que esa nueva entrega iba a tener mucha más acogida, a pesar de que, en ese momento, la competencia era muy grande, pues parecía que a todo el mundo le había dado por escribir y publicar sus obras, por torpes y disparatadas que fueran; de modo que las imprentas no daban abasto y en las librerías apenas había sitio donde colocarlas.

La suya salió con el título de *Segunda parte del ingenioso caballero don Quijote de la Mancha* a mediados de noviembre de 1615; y puedo decir que, desde hacía varios meses, había gran expectación, no solo para conocer las nuevas aventuras de sus personajes, sino también para ver cuál era la reacción de Cervantes ante el *Quijote* apócrifo. Muchos, desde luego, pensaban que el héroe de Lepanto aprovecharía el prólogo para atacar con dureza al autor o autores de tamaño desaguisado, de lo cual él era muy consciente, como se puede ver: «¡Válame Dios, y con cuánta gana debes de estar esperando ahora, lector ilustre o quier plebeyo, este prólogo, creyendo hallar en él venganzas, riñas y vituperios del autor del segundo *Don Quijote*, digo, de aquel que dicen que se engendró en Tordesillas y nació en Tarragona!»

Pero enseguida estos se vieron decepcionados, ya que añadía a continuación: «Pues en verdad que no te he de dar este contento, que, puesto que los agravios despiertan la cólera en los más humildes pechos, en el mío ha de padecer excepción esta regla.» De hecho, de lo único de lo que él se quejaba era de que el autor falsario le reprochara que fuera viejo y manco, pues no estaba en su mano, nunca mejor dicho, detener el tiempo ni su herida tenía un origen vergonzante; o que envidiara a Lope, al que alude de forma precisa, aunque sin nombrarlo: «no tengo yo de perseguir a ningún sacerdote, y más si tiene por añadidura ser familiar del Santo Oficio; y si él lo dijo por quien parece que lo dijo, engañóse de todo en todo, que del tal añoro el ingenio, admiro las obras y la ocupación continua y virtuosa». De modo que, dejando al margen la ironía que pudiera haber en esas palabras, quedaba claro que Cervantes no tenía ningún empacho en reconocer que lo respetaba y sentía por él una envidia santa, noble y bienintencionada. Por lo demás, dejaba bien patente que él no se tenía por agraviado y que no le daba ninguna importancia a la amenaza del tal Avellaneda de quitarle la ganancia de su segunda parte.

Pero la verdadera genialidad de Cervantes, a este respecto, consistía en dejar que fuera don Quijote, el auténtico, el genuino, el que, en el transcurso de sus aventuras, le fuera enmendando la plana, punto por punto, al otro; para empezar, cambiando el destino de su viaje, pues, en lugar de ir a Zaragoza, se dirigirá a Barcelona, la ciudad en la que el falso *Quijote* había sido impreso y en la que a Cervantes se le había aparecido su personaje; y, para terminar, mostrándose consciente de su propia identidad y originalidad. La segunda parte apócrifa se convirtió así en la piedra de toque más efectiva y adecuada para conocer el valor, la grandeza y la calidad de la auténtica, algo que, en principio, no estaba entre mis previsiones. Pero de todo esto apenas se hablaba en las academias y en los mentideros literarios.

Por lo que a mí respecta, debo decir que la auténtica me pareció, incluso, mucho mejor que la primera, a pesar de eso que suele decirse de que segundas partes nunca fueron buenas. De entrada, era mucho más rica, profunda y compleja y, por otra parte, estaba mucho más trabada, pues ahora las historias intercaladas brotaban de manera natural de la acción principal y eran bastante más cortas, por lo que resultaban menos molestas e inoportunas. Esto permitía, además, que don Quijote y Sancho tuvieran mayor presencia y protagonismo. Y el hecho de encontrarse con personajes que habían leído ya la primera entrega y, por lo tanto, conocían bien su historia hace que cobren más relieve y se muestren conscientes de sí mismos.

Por lo demás, era evidente que ambos habían cambiado entre una parte y otra. El primero parecía menos loco, o al menos ya no volvía a tomar las ventas por castillos, los molinos por gigantes o los rebaños de ovejas por ejércitos, ni otras cosas por el estilo, mientras que el segundo ya no era tan egoísta ni mostrenco; de ahí que, durante su experiencia como gobernador de la ínsula Barataria, se mostrara siempre discreto y honrado, muy al contrario de lo que, por cierto, suele suceder con nuestros monarcas; todo un guiño, en fin, dirigido al rey y a su valido, que ellos, a buen seguro, no habrán querido entender, pues si de algo nos habla esta segunda parte es del fracaso de los ideales y del consiguiente desengaño en una España cada vez más injusta, corrupta y mentecata.

De todas formas, lo más importante es que, al final, don Quijote consigue una especie de arreglo o, si se prefiere, una componenda entre la realidad y los ideales, la historia y la poesía, lo que él es y lo que querría ser, si bien es cierto que, para ello, ha necesitado a otro, en este caso a Sancho, su fiel escudero, del mismo modo que este ha necesitado a su señor para lograr un apaño similar, lo que los hace inseparables. También, por cierto, Cervantes me necesitó a mí, para poder escribir su libro, aunque eso él no lo supiera ni se lo imaginara; de ahí que solo alguien como yo pudiera hacerse cargo del verdadero alcance y significado del *Quijote* en ese momento. Pero yo, por suerte o por desgracia, no existía, y no solo porque ya estuviera muerto, sino también porque nunca fui nadie en realidad, solo la sombra de otro.

Lope de Vega, sin embargo, siguió hablando desdeñosamente del *Quijote* y de Cervantes, incluso ahora que era sacerdote, aunque yo sabía que, en realidad, lo admiraba y, a veces, no dudaba en imitarlo. Y es que, por mucho que lo intentara, era tan incapaz de reconocer la superioridad en los otros como de resistirse a los encantos de una mujer bella. «No le faltó gracia y estilo», sería lo máximo que llegaría a reconocerle a su principal rival, lo cual, viniendo de alguien como él, podría interpretarse como un gran elogio. No en vano, para Lope, las cosas pequeñas, si propias, eran grandes; y las grandes, si ajenas, pequeñas, tal y como dice, más o menos, en latín una inscripción que él mismo mandó poner en el dintel de su casa de la calle de los Francos por esas fechas: *Parva propia magna, magna aliena parva.*

Los que no dijeron nada sobre el libro —que yo sepa— fueron el rey y su valido. Se ve que no les gustó mucho, y eso que Cervantes tuvo la delicadeza —a la fuerza ahorcan— de morderse la lengua al hablar de los moriscos y otras cuestiones. Lo cierto es que nuestro hombre nunca se llevó bien con los poderosos. Era demasiado libre y honrado para ellos. Por eso me parece muy relevante la anécdota que cuenta uno de los censores de esta segunda parte en la aprobación que aparece impresa al comienzo de la misma. En ella habla de unos caballeros franceses que, en cuanto oyeron hablar de Miguel de Cervantes en una recepción, comenzaron a encarecer sus obras y a preguntar por su persona. Y esto es lo que añade a continuación: «Halléme obligado a decir que era viejo, soldado, hidalgo y pobre, a lo que uno respondió estas formales palabras: "¿Pues a tal hombre no le tiene España muy rico y sustentado del erario público?" Acudió otro de aquellos caballeros con este pensamiento, y con mucha agudeza, y dijo: "Si necesidad le ha de obligar a escribir, plega a Dios que nunca tenga abundancia, para que con sus obras, siendo él pobre, haga rico a todo el mundo."»

Fuera o no movido por la necesidad —que, como ya se sabe, es la mejor maestra, pues sutiliza el ingenio—, estaba claro que, en la segunda parte del *Quijote*, Cervantes había logrado superarse a sí mismo, lo cual no había sido nada fácil, y menos aún cuando alguien se le había adelantado y le había robado los personajes. Y, aunque ya sabemos que era de esos autores que siempre son capaces de sobreponerse a los fracasos, pero nunca se sienten del todo satisfechos con los buenos resultados, puede decirse que esta vez sí que se le veía verdaderamente contento y hasta entusiasmado con lo que había conseguido.

No obstante, seguía teniendo una gran debilidad, una pequeña espina clavada hasta el fondo en el corazón, una deuda pendiente, en fin, con el teatro, que no le daba tregua ni le dejaba, vaya por Dios, disfrutar del todo de su gran triunfo y a mí me causaba una honda pena. Lo paradójico del caso era que, de vez en cuando, llegaban noticias al mentidero de los representantes de que en Londres se habían estrenado algunas obras inspiradas en la primera parte del *Quijote*, como la titulada *The Knight of the Burning Pestle,* de Francis Beaumont; *The Coscomb,* de John Fletcher; o la basada en la *Historia de Cardenio,* escrita por un tal William Shakespeare, en colaboración con el anterior, a partir de la traducción al inglés hecha por Thomas Shelton, que se había publicado en 1612, y con mucha notoriedad, al parecer.

En los corrales de comedias madrileños, sin embargo, seguía sin haber sitio para Cervantes, a pesar de que, un mes antes de la aparición de la segunda parte del *Quijote*, había dado a la luz un libro titulado *Ocho comedias y ocho entremeses nuevos, nunca representados*, algo insólito hasta ese momento, pues por entonces nadie entregaba a la imprenta sus obras hasta tiempo después de haberlas estrenado y haber alcanzado cierto reconocimiento; Lope, sin ir más lejos, había empezado a publicar las suyas después de tener escritas más de ciento treinta. Pero esa era la única forma que Cervantes tenía de dar a conocer su teatro, y ello a pesar del renombre obtenido con el *Quijote* y las *Novelas ejemplares*.

En el prólogo que las acompañaba, contaba nuestro hombre, con cierto resquemor, que un librero le había confesado que se las habría comprado, si un autor de título no le hubiera dicho que de su prosa se podía esperar mucho, pero que del verso, nada. Después, recordaba sus logros de otro tiempo, que, dicho sea de paso, tampoco fueron tantos, y eso que, por entonces, no tenía rival, hasta que llegó el gran Lope de Vega y «avasalló y puso debajo de su jurisdicción a todos los farsantes; llenó el mundo de comedias propias, felices y bien razonadas, y tantas, que pasan de diez mil pliegos los que tiene escritos, y todas, que es una de las mayores cosas que puede decirse, las he visto representar u oído decir, por lo menos, que se han representado...». De modo que a él no le quedó más remedio que retirarse. Más tarde, eso sí, volvió a componer algunas comedias, pero, al parecer, ya no halló pájaros en los nidos de antaño, quiero decir que no encontró ningún representante que se las pidiera, aunque sabían que las tenía. Él, naturalmente, lo achacaba a que las comedias se habían hecho mercaderías vendibles y los representantes no estaban dispuestos a comprar las que no fueran de capa y espada, enredos amorosos y maridos burlados, por lo que el autor que no procuraba acomodarse a lo que los empresarios le pedían no tenía nada que hacer. Así es que decidió arrinconarlas en un cofre, hasta que llegara su momento.

Pero este, ay, no llegaba. Ni siquiera cuando se hizo célebre como prosista pudo cumplir el sueño de ver representadas sus nuevas obras en los escenarios madrileños. Y es que ya hacía mucho tiempo que el público se había olvidado totalmente de él, suponiendo que alguna vez lo hubiera tenido en cuenta, pues la verdad es que este siempre encontró anticuados sus argumentos. Y ahora ya era demasiado tarde para regresar a las tablas. No obstante, sucedió algo que le devolvió la esperanza, aunque solo fuera por unos días.

XXV

El caso es que, poco después de haber publicado la segunda parte del *Quijote*, recibió una carta en la que un empresario al que no conocía de nada le ofrecía la posibilidad de representar, en el Corral del Príncipe, uno de sus entremeses, el titulado *El retablo de las maravillas,* por lo que le rogaba que, determinado día, asistiera a un ensayo, y, si este era de su agrado y daba su consentimiento, allí mismo recibiría el pago que estimase oportuno por la obra. Cervantes volvió a leer la carta, por si se había equivocado, y luego miró de cerca el papel, por un lado y por otro, así como la firma, con el fin de descubrir algún indicio que pudiera indicarle si se trataba o no de una broma. Y así estuvo un día y luego otro, hasta que llegó por fin la fecha señalada. Ese día se levantó de buen humor y, tras vencer los últimos recelos, decidió acercarse al Corral del Príncipe. Pero, al llegar allí, descubrió que no había nadie por ninguna parte ni aquello tenía aspecto de que, en cualquier momento, fuera a aparecer alguien. Y estaba ya a punto de irse, corrido y decepcionado, cuando oyó una voz que venía desde el fondo del escenario:

—Por favor, no os vayáis. Os ruego que os sentéis en esa silla que hay en medio del patio, pues el ensayo está a punto de comenzar.

—¿Podríais decirme qué significa todo esto? —preguntó Cervantes con impaciencia.

—Todo lo sabréis a su debido tiempo —anunció la voz—; ahora os ruego que os acomodéis.

—Está bien —accedió él, sin poder disimular su inquietud.

Al poco rato, salió un actor, el que hacía el papel de Chanfalla en el entremés. Este llevaba la cara cubierta con una máscara, y, sin más preámbulos, comenzó a decir:

—Yo, señores míos, soy Montiel, y aquí os traigo el Retablo de la maravillas. Hanme enviado a llamar de la Corte los señores cofrades de los hospitales, porque no hay autor de comedias en ella, y perecen los hospitales, y con mi retablo se remediará todo. Por las maravillosas cosas que en él se enseñan y muestran, viene a ser llamado Retablo de las maravillas; el cual fabricó y compuso el sabio Tontonelo debajo de tales paralelos, rumbos, astros y estrellas, con tales puntos, caracteres y observaciones, que ninguno puede ver las cosas que en él se muestran, que tenga alguna raza de confeso o no sea habido y procreado de sus padres de legítimo matrimonio; y el que fuere contagiado de estas dos tan usadas enfermedades, despídase de ver las cosas, jamás vistas ni oídas, de mi retablo. ¡Atención, señores, que comienzo! ¡Oh, tú, quienquiera que fuiste —continuó con otro tono—, que fabricaste este retablo con tan maravilloso artificio, que alcanzó renombre de las *Maravillas:* por la virtud que en él se encierra, te conjuro, apremio y mando que luego incontinenti muestres a estos señores algunas de las tus famosas maravillas, para que se regocijen y tomen placer sin escándalo alguno! Ea, que ya veo que has otorgado mi petición, pues por aquella parte asoma la figura del valentísimo Sansón...

—Un momento —interrumpió Cervantes, poniéndose en pie—, ¿qué clase de broma es esta? ¿Por qué no han salido los demás actores, los que contemplan el retablo desde el escenario?

—Porque, en este caso, el retablo es solo para vos —explicó el actor.

—¿Qué queréis decir?

—Que, en este ensayo —aclaró—, vos sois el único espectador de esta obra, dentro y fuera del escenario. Y ahora, ¿qué me decís? —cambiando de tono—. ¿Acaso no veis a Sansón, abrazado a las columnas del templo, para derribarlo por el suelo y tomar venganza de sus enemigos? ¡Tente —dirigiéndose al imaginario Sansón, sin dejar de gesticular—, valeroso caballero; tente, por la gracia de Dios Padre! ¡No hagas tal desaguisado, porque no cojas debajo y hagas tortilla tanta y tan noble gente como aquí se ha juntado! ¡Cuidado —a Cervantes—, apartaos, si no queréis morir aplastado!

—¡Basta ya, esto es intolerable! —protestó Cervantes con indignación.

—¡¿Por qué os ponéis así?!

—Porque no tiene ninguna gracia.

—Pero si fuisteis vos el que inventó este *retablo* —se justificó el actor—. ¿Qué pasa, que ahora ya no os parece gracioso?

—No, porque mi intención no era burlarme de los confesos ni de los hijos ilegítimos —puntualizó—, sino de aquellos que, obsesionados con la limpieza de sangre, los marginan y los condenan y les hacen la vida imposible.

—¿Y quién sois vos para decir qué es lo justo y qué lo injusto? —le reprochó el actor.

—¡Y eso qué importa ahora! —replicó Cervantes—. Yo, simplemente, he querido mostrar lo absurdo e infundado de ese prejuicio a través de una especie de engaño a los ojos, por medio del recurso del teatro dentro del teatro, y vos habéis destruido ese efecto, para reíros de mí y hacer lo contrario de lo que con mi obra pretendía. ¡Podéis estar orgulloso de ello!

—Pero ¿lo veis o no lo veis? —insistió el actor, señalando al retablo imaginario.

—Está visto que traéis el papel bien aprendido de casa.

—Es mi obligación como actor, ¿no creéis?

—Y yo, ¿qué se supone que debo hacer ahora?

—Seguirme la corriente.

—Pero ¡si soy el autor! —protestó Cervantes.

—Eso será ahí abajo —replicó el otro—. Encima del escenario, el único que manda soy yo.

—Entonces, ¿debo comportarme como si, en efecto, viera el retablo?

—¡Así es! —lo animó—. Es la magia del teatro. Y eso vos deberíais saberlo mucho mejor que yo.

—De acuerdo, allá voy —concedió Cervantes, mientras se encaramaba al escenario—. ¡Téngase, señor Sansón —exclamó, cambiando de registro, como si hablara con la imaginaria figura del retablo—, pese a mis males, que se lo ruegan buenos!

—Eso es, eso es —lo animó el actor.

—Al parecer —prosiguió nuestro hombre, como en un aparte—, todos ven lo que yo no veo; pero he tenido que decir que lo veo, por eso de la negra honrilla. Milagroso caso es este: así veo yo a Sansón ahora, como el Gran Turco; pues en verdad que me tengo por legítimo y cristiano viejo.

—¡Lo veis! No era tan difícil —concluyó el actor, volviendo a la realidad.

—Y vos, ¿estáis satisfecho? ¿Ya habéis demostrado lo que queríais?

—Eso deberíais preguntárselo a la persona que me ha pagado para que haga este papel. Yo soy un simple actor, como podéis comprobar.

—¿Y quién es esa persona? Decídmelo presto —le preguntó Cervantes, mientras lo zarandeaba.

—No lo sé, la verdad.

—¿Está aquí? —lo apremió.

—Yo, desde luego, no lo he visto. Y ahora, si me lo permitís, debo irme, pues me están esperando en otra comedia, donde tengo un pequeño papel.

—Entonces, marchaos de una vez, y no volváis a poner vuestras sucias manos en ninguna de mis obras —lo amenazó—, si no queréis que yo ponga las mías, es un decir, alrededor de vuestro cuello.

Después de agachar la cabeza en señal de acatamiento y despedida, el actor hizo mutis por el foro sin decir una palabra, dejando a Cervantes solo sobre el escenario. Con el semblante triste y pensativo, este comenzó a pasear de un lado a otro de las tablas. Pronto se haría de noche y las sombras lo ocuparían todo. De repente, se detuvo y alzó del suelo del escenario una especie de corona de laurel que algún actor se había dejado olvidada. Cervantes se la puso de forma solemne sobre la cabeza y empezó a monologar con cierto dramatismo:

—*Yo, que siempre trabajo y me desvelo*
por parecer que tengo de poeta
la gracia que no quiso darme el cielo,
quisiera despachar a la estafeta
mi alma, o por los aires, y ponella
sobre las cumbres del nombrado Oeta,
pues, descubriendo desde allí la bella
corriente de Aganipe, en un saltico
pudiera el labio remojar en ella,
y quedar del licor suave y rico
el pancho lleno, y ser de allí adelante
poeta ilustre, o al menos magnífico.

»—Y, en efecto, allá va —añadió luego, como en un aparte—: mi alma, digo. Escuchad lo que dice:

«Adiós», dije a la humilde choza mía;
«adiós, Madrid; adiós tu prado y fuentes,
que manan néctar, llueven ambrosía;
adiós, conversaciones suficientes
a entretener un pecho cuidadoso
y a dos mil desvalidos pretendientes;
adiós, sitio agradable y mentiroso,
do fueron dos gigantes abrasados
con el rayo de Júpiter fogoso;
adiós, teatros públicos, honrados
por la ignorancia que ensalzada veo
en cien mil disparates recitados...»

—¡Bravo, bravo, ha sido una magnífica escena! —exclamó alguien desde el fondo del escenario, al tiempo que aplaudía.

Se trataba de la figura de un embozado, tan negra y

espantosa que parecía emerger del reino de las sombras, por lo que Cervantes no pudo evitar dar un respingo.

—¿De verdad os ha gustado? —quiso saber Cervantes, tras recuperarse de la sorpresa.

—Mentiría si os dijera que vuestras palabras no me han conmovido y entusiasmado. Por otra parte, me parece una lástima que únicamente haya podido escucharlas yo. Os habrían aplaudido a rabiar. Si no ando equivocado —continuó—, creo haber leído esos versos en vuestro *Viaje del Parnaso*, pero, en un escenario, la verdad es que suenan mucho mejor. Deberíais utilizarlos en una próxima comedia.

—Me temo que ya no habrá más comedias.

—Eso dijisteis ya otras veces —le recordó el embozado.

—¿Y vos cómo lo sabéis? —preguntó Cervantes, sorprendido.

—Soy un humilde seguidor vuestro.

—En ese caso, os lo agradezco de veras. Pero ahora la cosa va en serio, y más después de lo que ha pasado esta tarde...

—¿Os referís al *Retablo de las maravillas*?

—¿Acaso estabais aquí?

—Así es.

—Entonces, ¿sois vos la persona que lo ha organizado todo?

—Y también el actor que hacía de Chanfalla.

—¡¿Ah, sí?! —exclamó Cervantes con asombro—. Pues os felicito por la actuación.

—La verdad es que ha sido solo un juego, una broma —explicó el otro, como para quitarle importancia—. Espero, pues, no haberos disgustado.

—Al contrario, creo que me habéis hecho cobrar conciencia de algo que no sabía —confesó Cervantes.

—¿A qué os referís?

—A que, para un autor, hay algo peor que no estrenar sus comedias, y es que estas se estrenen, pero no se entiendan o se tergiversen o se consideren como algo que solo causa risa, como ha pasado aquí esta noche. De modo que, a veces, vale más no intentarlo —concluyó.

—Eso me recuerda aquella fábula de la zorra y las uvas, ¿la recordáis?

—Pudiera ser —concedió—. Pero está claro que mis obras son demasiado sutiles y serias para un público acostumbrado a los enredos amorosos, a las intrigas de capa y espada y a los cambios continuos de apariencias. Algunos podrían creer, incluso, que mi retablo es un ataque contra Lope, al que parece que acuso de querer engañarlos y engatusarlos con sus naderías. Y, sin embargo, nada más lejos de mis intenciones, como si no tuviera yo otra cosa en la que pensar que en atacar a ese ídolo de barro —añadió con sorna—. Por eso, digo que es mejor dejar las cosas como están y no llevarse luego berrinches ni desengaños, como los de hace un momento.

—Eso es verdad. Teníais que haberos visto, parecíais el mismísimo don Quijote arremetiendo contra el retablo de Maese Pérez, o, peor aún, como el Quijote de Avellaneda haciendo lo propio contra uno de los personajes de la obra de Lope titulada *El testimonio vengado,* durante un ensayo en una venta; supongo que lo recordáis, está en el capítulo XXVII...

—Por favor, callad —lo interrumpió Cervantes con gesto de amenaza—, no me vengáis ahora con ese vulgar ladrón, que es ya lo último que me faltaba por oír esta noche, que yo soy un imitador del Quijote falso, cuyo autor, por lo demás, no es otro que el propio Lope de mis pecados, que Dios confunda, o alguno de sus amigos o seguidores.

—Yo lo único que quería apuntar —se justificó el embozado— es que, en este asunto, como en tantos muchos otros, la realidad imita al arte, aunque, para ser precisos, aquí más bien habría que decir que el autor imita a su personaje, ya sea este el auténtico o el apócrifo.

—No en vano suele afirmarse que uno es hijo de sus obras —concedió Cervantes, más calmado—, y con mayor razón cuando estas son literarias.

—Por cierto, ¿no os resulta llamativo que don Quijote interrumpa, precisamente, la comedia para retar a un personaje que acaba de acusar a la reina de cometer adulterio con un criado en ausencia de su esposo?

—La verdad es que no sé adónde queréis ir a parar con esa pregunta que se me antoja retórica —señaló él, perplejo—. Os recuerdo que yo no soy el autor de ese libro y menos aún de esa comedia.

—Pues cualquiera lo diría —repuso el embozado—, dado el argumento de esta o la seguridad con la que don Quijote defiende la inocencia y la castidad de la reina en el mencionado capítulo.

—Eso que insinuáis es una grandísima maldad y alevosía, amén de un falso testimonio, y, como tal, habrá de ser castigado —gritó Cervantes, lleno de ira.

—¡Lo veis! —indicó el embozado—. Habéis vuelto a imitar a vuestro personaje. Ya que no sois capaz de triunfar en el teatro como autor, podríais probar como cómico o representante; seguro que os saldría mejor.

—Supongo que os creéis muy gracioso —le reprochó Cervantes.

—Perdonadme, pero no he podido evitarlo —se disculpó el embozado—. Dejadme que os formule ahora una pregunta, y os ruego que me contestéis con sinceridad. ¿Qué seríais capaz de hacer para obtener un triunfo tan resonante como el de Lope?

—Me temo que no me habéis entendido o yo no he sabido explicarme; no es el triunfo en sí lo que me interesa, sino el reconocimiento de mi obra, de la mía, de la que yo he escrito de manera natural y espontánea y porque me ha dado la real gana.

—¡No iréis a decirme ahora que nunca habéis sentido envidia de Lope!

—Si acaso una envidia sana —precisó.

—¿Y no es precisamente la envidia la que no os deja disfrutar siquiera de vuestros propios triunfos? Sí, ya sé lo que habéis escrito en el prólogo a la segunda parte del *Quijote*. Pero ahora no estáis subido en un púlpito, sino en un pobre escenario, y el único espectador, además, soy yo, que, a fuerza de leeros y escucharos, casi me he convertido en la voz de vuestra conciencia. De modo que no os pongáis exquisito.

—De nuevo os equivocáis —rechazó—. No es la envidia lo que, últimamente, me hace sufrir, sino los logros a medias y los fracasos reiterados —precisó—, y, en ambos casos, tengo yo en parte la culpa; en uno, por ser demasiado exigente; y, en el otro, por obstinarme en querer triunfar una y otra vez en el teatro, donde está visto que ni me añoran ni me quieren.

—En todo caso, siempre os quedará la prosa —señaló el embozado.

—Pero es que la prosa no me consuela, cuando lo que quiero es ser un poeta —explicó Cervantes.

—¡Tanto que hasta cuando habláis os salen pareados! —exclamó el embozado, divertido.

—Pero bastante malos, lo confieso. Y ese es mi drama.

—Tal vez tengáis razón —concedió el embozado—. Yo, sin embargo, creo que el verso está excesivamente valorado en esta época. Sin duda, el futuro será de la prosa, ya lo veréis, y en buena parte por vuestra causa; del mismo modo que la fantasía cederá el paso a la realidad, y la búsqueda de la aventura, a la vida cotidiana, como sucede ya en el *Quijote*. Supongo que os habréis dado cuenta. Y es que, en este mundo, ya no hay nuevos reinos que conquistar, sino, en todo caso, que administrar. Se acabó el tiempo de los grandes héroes y de las grandes causas. Ha llegado el momento de los hombres de carne y hueso y de la lucha por cosas más elementales.

—¿Y vos quién sois para hablarme con tanto desparpajo, como si me conocierais de toda la vida, y de cosas, además, que ni os importan ni os atañen ni os interesan? —preguntó Cervantes, entre sorprendido y escamado.

—Un humilde admirador vuestro, ya os lo he dicho —insistió el embozado.

—¿Y qué se supone que hacéis aquí, darme la réplica en los diálogos?

—Mirad por dónde, habéis acertado.

—Ahora comprendo. No sois más que una criatura de mi imaginación, ¿no es verdad? Y, por tanto —añadió, acercándose a él—, puedo haceros desaparecer cuando quiera, porque para eso os he inventado, ¿no es así? ¡Respondedme! —gritó—. ¿Por qué no habláis? ¿Os ha comido la lengua el gato?

El otro, en efecto, se había quedado mudo por la impresión que le había producido el hecho de que Cervantes creyera estar hablando con un personaje inventado por él, algo que, por otra parte, debía de verse favorecido por el aspecto del propio embozado, la hora del día que era, entre dos luces, y la circunstancia de que ambos se encontraran sobre las tablas de un escenario. Y, por más que lo intentaba, no se le ocurría nada que decir para salir del paso. Mientras tanto, Cervantes seguía aproximándose a él con gesto cada vez más siniestro y amenazador. El embozado comenzó, entonces, a mirar hacia un lado y hacia otro, buscando el mejor camino para una posible huida. Y, justo cuando estaba a punto de salir corriendo, nuestro hombre sacó una espada de debajo de la capa, ante la mirada aterrada del otro, y se la clavó una y otra vez, hasta que el agredido cayó al suelo como un fardo.

—¡Bravo, bravo, ha sido una magnífica escena! —proclamó de pronto Cervantes, dirigiéndose al embozado, que apenas rebullía.

—¡Seréis hijo de puta! —se quejó este, poniéndose en pie con cierta dificultad—. ¡Habéis estado a punto de matarme de verdad! ¡Menudo susto que me he llevado!

—Calmaos, por favor. Era solo una espada de madera que encontré tirada por ahí —le explicó, arrojándola al suelo—. Recordad que estamos sobre un escenario.

—Y ahora me ha tocado a mí hacer de víctima de la chanza, ¿no es cierto?

—Ya se sabe que el que ríe el último...

—Reíd, reíd todo lo que podáis, que esta función aún no ha terminado.

—¿Qué queréis decir? —preguntó.

—Que aún falta el último acto de esta improvisada comedia, aquel en el que, después de muchos viajes, obstáculos e infortunios, se producirá, por fin, la anagnórisis o revelación y el protagonista descubrirá la verdadera identidad de su eterno enemigo y, de paso, la suya propia.

—No os comprendo —indicó Cervantes.

—Ahora lo entenderéis —aseguró el embozado, al tiempo que alzaba la espada del suelo.

—¿Y bien?

—Hace un instante, me habéis atacado con esta espada de mentira, ¿no os recuerda eso algo? —preguntó el embozado, blandiéndola con gesto amenazante.

—¿Quién sois? ¿Qué pretendéis? —quiso saber Cervantes, acariciándose la barbilla y frunciendo el entrecejo, como si de repente hubiera comenzado a intuir algo.

—¿Es que no os acordáis de mí? —preguntó, a su vez, el embozado.

—¿Acaso nos conocemos?

—¿No os dice nada esta situación? —inquirió el embozado, amenazándole con la espada de madera.

—¿Por qué habría de decirme algo? —quiso saber Cervantes.

—Es cierto que ocurrió hace ya mucho tiempo —reconoció el embozado—, pero estoy seguro de que lo recordaríais si os esforzarais un poco.

Mientras hablaba, no dejaba de dar vueltas lentamente en torno a Cervantes, sin dejar de apuntarle con la espada, como si en cualquier momento lo fuera a atacar.

—La verdad es que me han sucedido tantas cosas y he contemplado tantas mudanzas en este mundo que a veces pienso que he vivido más de una existencia —se justificó él—. ¿No podríais ser algo más preciso?

—Fue hace cuarenta y seis años y medio, más o menos —concreté yo—, en los terreros del Alcázar. Ese día estuvisteis a punto de matarme —revelé por fin, al tiempo que apartaba el embozo de mi rostro, haciendo visible la cicatriz que aún lo afeaba y, con ella, toda la rabia y la indignación que, sin poder evitarlo, me habían subido a la cara como una oleada de sangre, al recordar aquel suceso—. ¿Qué os parece la marca que entonces me dejasteis? Es muy desagradable, ¿verdad? Pues, si queréis, puedo mostraros las que adornan otras partes de mi cuerpo, sobre todo la pierna izquierda —añadí, señalando hacia ella, al tiempo que cojeaba un poco.

—¡Santo Cie... cielo, no es po... posible! —tartamudeó él—. ¡De mo... modo que sois vos, Anto... tonio de Se... segura! Pe... pero ¡si creía que habíais mu... muerto hace diez años! Inclu... cluso, hablé con vuestra viu... viuda del asunto.

—Sí, lo sé —corroboré yo.

—¡Cómo! ¡¿Esta... tabais allí?! —preguntó con asombro.

—No exactamente.

—¿Enton... tonces, sois un fan... fantasma? —quiso saber, muy en serio.

—Algo parecido.

—¿Y a qué habéis ve... venido, después de tan... tanto tiempo?

—¿Que a qué he venido, me preguntáis? En realidad, nunca me he ido —le revelé—. Aunque os parezca mentira, siempre he estado ahí, detrás de vos, como si fuera vuestra sombra, vigilando, acechando, aguardando el momento de pasar a la acción, con el fin de haceros la vida imposible.

—No, no puede ser —rechazó, sin tartamudear—. Seguro que seguís fingiendo o haciendo teatro, o a lo mejor soy yo, que estoy soñando —añadió—. En cualquier caso, esto tiene que ser mentira, como esa espada

—precisó, señalándola—, que parece de verdad, pero no corta ni hiere ni, por supuesto, mata.

—La espada es falsa, es cierto, pero no por ello deja de ser un objeto —repliqué yo, mientras le golpeaba con ella.

—¡¿Se puede saber qué hacéis?! Vais a hacerme daño —se revolvió.

—¡Lo veis! ¿Os dolería acaso si esto fuera solo un sueño o una comedia?

—Comprendido —concedió—. Y ahora decidme: ¿qué queréis demostrar? ¿Adónde queréis ir a parar con toda esta farsa?

—Quiero haceros una confesión —anuncié—. Pero antes os ruego que os pongáis cómodo.

Tras un momento de titubeo, él fue a sentarse al borde del tablado. Antes de hacer yo lo mismo, me deshice de la espada y me acerqué a buscar un pellejo de vino que los actores habían dejado al fondo del escenario, para que la cosa fuera más llevadera.

—Tomad —le dije alargándoselo—. Lo vais a necesitar. Y ahora —proseguí—, si me escucháis con atención, entenderéis mejor cuál ha sido la causa de muchos de los males que os han sucedido desde la última vez que nos encontramos frente a frente.

—¡No os entiendo! ¿Qué queréis decir? —preguntó él, cada vez más confuso.

—Que, dicho de una forma un tanto grandilocuente y teatral, yo he sido algo así como vuestra Némesis, la encarnación de la diosa de la venganza y de los celos, la misma a la que los romanos llamaban Envidia, y no por casualidad.

—¡No lo puedo creer! —exclamó Cervantes con gran asombro.

—Os doy mi palabra de honor.

—¡¿De honor, decís?!

—Está bien; mi palabra, sin más.

—Pero ¡¿por qué, por qué?!

—Por eso: por envidia, por celos, por venganza, por rencor, por odio —le expliqué yo—, o por una mezcla de todo ello, ¿os parece poco?

—De modo que ¡entonces era verdad que había alguien escondido en las sombras que se dedicaba a hacer fracasar todos mis trabajos y empresas! —dijo de pronto, como si acabara de caer en la cuenta.

—Es una forma de decirlo, sí.

—Pero ¿de qué manera? ¿Con qué intención? ¿A qué ton?

Entonces, le confesé todo lo que había sucedido, lo que a mí me había pasado y lo que yo le había hecho a él, desde que nos conocimos hasta nuestra famosa pelea, después de haber utilizado a su hermana. Le hablé del reconcomio continuo de la envidia y de los celos, que sumado al despecho y la frustración dan lugar al consiguiente odio, y este, al deseo de venganza y a la traición. Y, mientras lo hacía, notaba que él me miraba sorprendido y escandalizado, con los ojos bien abiertos, el ceño fruncido y los puños muy apretados, como si tuviera que hacer grandes esfuerzos para no golpearme en la cara con ellos. Pero luego comprobé que se iba sosegando poco a poco. De modo que le di cuenta de la persecución a la que lo había sometido, de la gente a la que había comprado o sobornado, para tenerlo siempre bajo control y causarle todo el mal posible; del tiempo, el dinero y la energía que había malgastado hasta ese día por culpa de mi devastadora pasión. Y, por último, le hice saber lo de mi falsa muerte y lo del *Quijote* apócrifo y, sobre todo, cómo fue cambiando mi actitud hacia él, esto es, cómo pasé de ser su ángel destructor a ser su ángel de la guarda.

—¿Lo entendéis ahora? —le pregunté, cuando concluí mi relato.

XXVI

Cervantes se había quedado cabizbajo, con la mirada perdida y la barbilla bien pegada al pecho, supongo que intentando digerir todo lo que yo le había contado o tratando de hacer que ello casara con sus propios recuerdos de los mismos hechos, lo cual no debía de ser fácil.

—La verdad es que no sé qué pensar —logró articular por fin—. Por una parte, debería mataros, por todo lo que me habéis hecho, pero, a estas alturas y dadas las circunstancias, ya no serviría de nada.

—En todo caso, quiero que sepáis que, si fuera ese vuestro deseo, yo no os lo reprocharía —admití yo.

—Tampoco puedo denunciaros ante la justicia, pues no creo en ella, dado que, por lo general, es lenta, injusta y arbitraria. Y, además, ¿de qué iba a acusaros?

—Pues a mí se me ocurren varios cargos: haber pertenecido a La Garduña, haber simulado mi muerte, haber matado a un matón y luego al tal Ezpeleta...

—De eso ya daréis cuentas a Dios —me interrumpió.

—Ya lo he hecho, no creáis que no.

—Por otra parte, es todo tan absurdo e increíble...

—Eso también es verdad.

—Y, sin embargo, debo reconocer que, conforme lo ibais contando, todo comenzó a tener sentido para mí —me explicó—. Recuerdo, a este respecto, que hubo una época en la que yo pensaba, no sé por qué, que lo que me ocurría formaba parte de una especie de maldición familiar y que, por tanto, a mí me sucedía lo mismo que a mi padre, que se pasó la vida yendo de fracaso en fracaso y de desgracia en desgracia, perseguido por las deudas y por la justicia, lo que hizo que, sin darme cuenta, lo llegara a despreciar. Luego, me dio por imaginar que era el *fatum* o el destino o, si lo preferís, algún malvado encantador el que la tenía tomada conmigo y se dedicaba a hacerme la vida imposible y a no dejar que saliera adelante, tal vez por algún error cometido en el pasado. Y, por último, llegué a creer que se trataba de la Divina Providencia, esa que, según dicen, dirige los acontecimientos humanos y cuyos caminos son con frecuencia inescrutables, la que me estaba castigando por mis grandes pecados; de hecho, muchas veces me he visto como el pobre Job, siempre puesto a prueba, hasta ser digno merecedor de la gloria. Pero ahora he visto que no, o tal vez sí —se corrigió, de pronto, asaltado por una nueva idea.

—¿Qué queréis decir?

—Que es muy posible que, sin saberlo ni pretenderlo, vos hayáis sido el instrumento de la Divina Providencia. Porque si no, decidme, ¿qué sentido tendría todo esto, cuál sería la razón de esta sinrazón? Por lo menos ahora las cosas encajan y todo resulta mucho más humano, tal vez demasiado humano —añadió con cierta ironía—, y, por lo tanto, más comprensible para alguien como yo, que alguna vez he creído percibir la llamada de lo eterno y lo trascendente y, a la vez, he conocido todas las debilidades terrenales.

—Entonces, ¿no vais a castigarme?

—¿Quién soy yo para castigar ni juzgar a nadie? Como os he dicho, ya lo hará Dios, cuando llegue vuestra hora. Por otra parte, imagino que no os faltarían motivos para obrar de esa forma, al menos al principio. Si os he de ser sincero, ahora pienso que hicisteis bien en traicionarnos el día en que intentamos liberar al príncipe. ¡Quién sabe lo que habría sucedido si no lo hubierais hecho! Es mejor ni pensarlo. Y, por lo que se refiere a mi hermana, de sobra sabía yo cómo era ella. Se divertía seduciendo a los hombres y no le importaba mucho lo que los demás dijeran. No era una cualquiera, eso os lo aseguro, más bien una mujer extraordinaria, distinta a todas. En todo caso, no debí heriros aquella noche. Tenía que haberos comprendido y perdonado, y, si ello hubiera sido posible, ayudado a superar vuestra envidia. Pero yo era joven y estaba lleno de ira, y, al final, lo tiré todo por la borda. Aunque no lo creáis, he pensado mucho en vos desde aquel día, con verdadero arrepentimiento y contrición, además, y no solo por lo que os hice, sino también por lo que dejé de hacer. De ello intenté dar cuenta en el *Viaje del Parnaso*, el único de mis libros en el que hablo directamente de mi vida, aquel en el que más me expongo, aunque a veces parezca que me refiero a otro. Allí hay un verso que da entender muy bien lo que quiero decir:

Corrió ciego hacia su desventura...

»Para luego añadir en consecuencia:

Vienen las malas suertes atrasadas
y toman de tan lejos la corriente
que son temidas, pero no expulsadas.

»Lo que explica que me haya pasado la vida huyendo, sin saberlo, de aquel pecado, de aquel hecho desgraciado con el que, para bien o para mal, cambió el rumbo de mi existencia:

Tú mismo te has formado tu ventura.

—Tal vez tengáis algo de razón —admití yo—, pero nada de eso habría sucedido si no hubiera sido por mi desaforada envidia.

—En cuanto a la envidia, no hace falta que os recuerde que yo también la he experimentado, y por eso sé que ese sentimiento puede ser letal para quien lo padece, mucho más que para el envidiado. Según Aristóteles —añadió, sin pedantería—, hay dos clases de envidia. Una es la sana, la que provoca el deseo de emular al otro o, al menos, de igualarlo en logros y excelencia, y, por lo tanto, de ser mejores. Es también el anhelo legítimo de disfrutar de las ventajas de las que disfrutan otras personas. Se trata, pues, de una envidia buena, que nace de la admiración, si bien no debemos confundirla con ella; es otra cosa, para la cual no tenemos palabra que la defina en nuestra lengua. Yo, por ejemplo, me he pasado media vida intentando imitar a Garcilaso, lo que explica también mi empeño en convertirme en servidor del rey. Pero ni Felipe II tenía nada que ver con su padre, el gran emperador Carlos, ni yo, desde luego, con Garcilaso. Así y todo, lo intenté, y eso me permitió superarme y llegar a escribir algunos poemas, muy pocos, de los que todavía hoy me siento orgulloso, valgan lo que valgan para los demás. ¿Me seguís?

—Naturalmente.

—La otra —continuó— es la que roe y corroe, consume y reconcome a quien la padece. No es buena para nadie ni resulta bonita para los demás ni, desde luego, suele salir barata, y menos aún para quien la padece, pues hay que reconocer que todos los vicios traen un no sé qué de deleite consigo, pero el de la envidia no provoca sino disgustos, rencores y rabias. Por eso es raíz de infinitos males y carcoma de las virtudes.

—¡Cuánta razón tenéis! —confirmé yo con gran pesadumbre.

—A diferencia de la sana —añadió—, no es un sentimiento noble ni, desde luego, razonable; no solo es un error, sino también un horror, hasta el punto de que no hay amistades ni parentescos ni calidades, ni grandezas que se opongan al rigor de la envidia. Yo, desde luego, también la he experimentado en algún momento, y por eso sé de lo que hablo. Hace ahora unos treinta años, cuando irrumpió Lope en mi vida, no pude evitar sentir su fatal mordedura. Por entonces, él era joven, tenía talento y estaba lleno de vida; yo, sin embargo, me sentía ya viejo y acabado. Es posible que sin él mis obras hubieran aguantado unos pocos años más en los escenarios. No lo sé. Pero lo cierto es que, cuando él apareció, yo me sentí enseguida desplazado. Era, pues, normal que lo envidiara. Lo que no me esperaba era que él también pudiera envidiarme a mí; se ve que algunas personas nunca tienen suficiente, lo quieren todo para ellas. De ahí que nos hayamos pasado una buena parte de nuestras vidas intentando perjudicarnos y hacernos la puñeta el uno al otro. Y eso habría sucedido aunque vos no os hubierais metido por medio. Ya habríamos encontrado nosotros solos la forma de causarnos daño. Pero lo importante es que, al final, logré superarla.

—¿Y cómo lo conseguisteis?

—No dejándome dominar por ella —señaló—, ni renunciando a mi deseo de mejorar y de sobreponerme al fracaso. Seguramente, fue eso lo que me llevó a descubrir mi camino, que no estaba, como muy bien decís, en la poesía ni en el teatro, sino en la prosa, la prosa de la vida y de lo humano. No en vano he sido siempre más versado en desdichas que en versos. Y es que, en el ejercicio de las letras, cada uno tiene que encontrar su género, aunque este sea, en principio, un género bajo y sin prestigio ni tradición, pues vale más dedicarse a enaltecer lo que, de entrada, está abajo que acabar rebajando lo sublime por falta de talento. Es muy posible que, como vos decís, el futuro sea de la prosa. Pero el presente sigue siendo de la poesía. No sé si habéis oído hablar de un poeta inglés llamado William Shakespeare, al que muchos en su país no dudan en calificar de excelso. Por lo que sé de él, me atrevo a aventurar que le ha cabido el honor de elevar el teatro a lo más alto, esto es, culminar algo que empezó hace más de dos mil años. A mí, sin embargo, me cabrá, si acaso, el de haber abierto nuevos caminos. Y esto es muy posible, además, que no lo hubiera hecho sin vos.

—Ojalá sea como decís —comenté, agradecido—. Por cierto, ¿sabíais que el tal Shakespeare ha escrito una obra inspirada en vuestro *Quijote*?

—Algo he oído, sí, y estoy muy orgulloso de ello —me confesó—. Por fortuna, no es vecino mío ni escribe en mi propia lengua; de modo que, en este caso, no puedo sentir envidia —bromeó.

—Ojos que no ven corazón que no siente —apunté

yo con un gesto cómplice—. Y si es verdad que, como decís, ya lo habéis superado, ¿a qué viene ese empecinamiento con el teatro? —le pregunté, de forma capciosa.

—Como ya os he dicho, eso no tiene que ver con la envidia —aclaró Cervantes—, ni con la sana ni con la enfermiza, sino con la soberbia y la vanidad, que son algo muy distinto, yo diría, incluso, que su reverso, pues aquí se trata de sentirse superior a los demás, mientras que la primera nace de un sentimiento de inferioridad; de ahí que sea tan humillante y dañina. La soberbia y la vanidad simplemente nos ciegan y nos llevan a cometer algunos errores, que, en todo caso, solo perjudican o ponen en ridículo a quien los perpetra. Y el hecho de haber publicado mis *Ocho comedias y ocho entremeses nuevos, nunca representados* puede considerarse un acto de ese tipo, como si con ello hubiera querido decir: aquí estoy yo, que no necesito la aprobación del público ni la bendición de los escenarios para ser un importante autor de teatro. Una pretensión absurda, en definitiva.

—E innecesaria —añadí yo—. Solo vuestro *Quijote* vale más que las cientos o miles de comedias que haya podido estrenar Lope hasta la fecha, incluidas, por cierto, todas aquellas que llevan su nombre pero que, en realidad, no ha escrito él —añadí con malicia—, pues habéis de saber que, como muchos pintores renombrados, tiene una especie de obrador en el que sus aprendices le preparan las comedias, le buscan argumentos y personajes y le escriben diálogos, siguiendo, para ello, las recetas que él mismo ha establecido y que tanto gustan al público; de tal manera que él nada más tiene que completarlas, retocarlas un poco y, por supuesto, poner la mano para cobrar los quinientos reales que, al parecer, suelen pagarle por cada pieza, a veces más.

—¿Queréis decir que nuestro famoso Fénix de los Ingenios tiene una especie de taller o fábrica de comedias? —inquirió él.

—Algo así.

—Me cuesta trabajo creerlo, la verdad.

—Pues deberíais saber que en esto no hablo de oídas —confirmé yo—; yo mismo lo he comprobado en estos últimos años.

—Así y todo... —insistió.

Estaba tan sorprendido con lo que acababa de contarle que no sabía ya qué decir ni qué pensar. Para él la escritura era una tarea épica, una lucha a brazo partido para conquistar territorios aún no explorados, para añadir algo nuevo al mundo, y no para repetir lo que ya había.

—¿Y qué creíais? Esa es la única forma de poder abastecer a un público ávido de sus obras —le expliqué yo—, y él apenas tiene tiempo para ello, con sus otras ocupaciones, ya me entendéis.

—En ese caso, me pregunto: ¿en qué se diferencia su trabajo del que realizan las mujeres del partido?

—No en vano, en ambos casos —ratifiqué yo—, se trata de darle gusto al cliente a cambio de un dinero.

—Para mí, sin embargo, el teatro debería servir para educar a las gentes e intentar hacerlas mejores de lo que son —proclamó él—; incluso, para denunciar lo que no es justo y exaltar aquello que sí lo es.

—Pero habéis de saber que la gente no quiere oír hablar ahora de esas cosas —le recordé—. Lo único que quieren es evadirse durante unas horas.

—Eso me temo, sí —reconoció con pesar.

—Entonces, ¿por qué os molestáis en llevarles la contraria? Por otra parte, no necesitáis su aplauso, pues ya sois un escritor de fama.

—Pero envidiado y despreciado, a partes iguales, por mis colegas, que, en el mejor de los casos, se divierten con mi obra, pero se burlan de mí y cuestionan mi talento. Leen el *Quijote* como algo meramente risible, como algo bajo, como una simple parodia de los libros de caballerías, como un triste remedo, en fin, del heroísmo, ese al que aspirábamos cuando éramos jóvenes. Mi intención, sin embargo, ha sido hacer compatible lo sublime con lo real, la belleza de la poesía con la llaneza y la naturalidad de la prosa, pero no con la idea de renunciar al valor ni a la grandeza ni a la virtud, sino de ajustarlos a nuestras verdaderas posibilidades. Se trata, en fin, de un heroísmo a escala humana, a la medida del hombre, encarnado por personajes verosímiles sacados de la vida misma, esto es, más o menos como cualquier hijo de vecino. Es cierto que, por lo general, somos débiles, egoístas y envidiosos. Sin embargo, en algunos momentos especialmente difíciles y complicados, somos capaces de situarnos muy por encima de nosotros mismos.

—Creo que sé de lo que habláis —confirmé yo.

—Y en otras, sin embargo, muy por debajo —añadió con cierta tristeza.

—¿Podréis perdonarme alguna vez por todo lo que os he hecho? —le pregunté, de pronto, conmovido por la gran humanidad de Cervantes.

—¡¿Perdonaros?! ¡Y cómo no iba a hacerlo! —exclamó él—. Es verdad que me habéis hecho la vida imposible, pero, si bien se mira, os debo mucho más de lo que me podéis haber quitado. Y, si no, decidme: ¿qué habría sido de mí sin vos? En el mejor de los casos, me habría convertido en un poeta cortesano más, un poeta como tantos otros, o en un autor de comedias mediocre y segundón, o en un vulgar epígono del relato pastoril, y poco más, eso seguro.

—Yo también me he preguntado muchas veces qué habría sido de los dos si nuestros destinos no se hubieran cruzado —le confesé—. Y lo que en verdad creo es que, cuando eso ocurrió, nuestras sombras, por así decirlo, se intercambiaron para siempre. Fue como si dos viajeros se encontraran en una venta del camino y, a la hora de la salida, cada uno se llevara, por error, la maleta del otro. Para bien o para mal, a partir de ese instante se verán obligados a cargar con el equipaje de un extraño, condenados a ser, en definitiva, la sombra de otro. Yo, de hecho, he dejado de existir para el mundo y me he convertido en vuestra sombra, la sombra de Cervantes, la sombra de otro que no soy yo, y vos os habéis convertido en la mía y, por lo tanto, en el meollo de mi existencia.

—El caso es que, gracias a vos, he escrito el *Quijote,* que es casi lo único que justifica la mía y espero que también la vuestra —añadió, emocionado.

—Pero los méritos son solo vuestros —puntualicé yo con sinceridad.

—Sí, ya sé que son los hombres los que hacen las obras, pero, en este caso —reconoció—, vos habéis hecho al hombre, vos sois, en cierto modo, mi creador.

—Si es así —comenté, complacido—, el esfuerzo habrá merecido la pena, pues ha servido para que vos pudierais llegar adonde habéis llegado. Lo cual resulta bastante irónico y paradójico, dado que me he pasado una buena parte de mi vida intentando destruiros.

—Es que la vida es muy irónica y está llena de paradojas —sentenció Cervantes—; de ahí que, por lo general, sean tus enemigos los que, a la larga, más te ayudan en la vida, ya que tus amigos quieren que sigas siendo como ellos te ven, mientras que tus contrarios lo que quieren es que dejes de ser lo que ellos creen que eres, y para ello no hacen más que ponerte pruebas, retos y obstáculos, que, si al final consigues superar, te hacen mucho mejor de lo que eras y de lo que tú mismo habías proyectado o imaginado ser. Sé que parece un trabalenguas, pero estoy seguro de que vos me entendéis.

—¿Quiere eso decir que tampoco me guardáis rencor?

—¡¿Rencor?! —exclamó él, sorprendido—. La verdad es que nunca lo he experimentado, y no voy a empezar a sentirlo ahora, a mi edad, casi a las puertas de la muerte. Y vos, ¿habéis superado ya vuestra envidia?

—Eso pienso —razoné yo—, pues no creo que pueda envidiar a alguien que, según vos, es, en cierto modo, obra mía. Sería como sentir celos de uno mismo.

—Así es —confirmó—. En cuanto a mis obras, debo confesaros que yo siempre he sentido que era padrastro más que padre de las mismas, sobre todo del *Quijote,* o si acaso padre ilegítimo, como lo soy también de mis dos únicos vástagos, Promontorio e Isabel. Como sin duda sabréis, al primero no he podido llegar a conocerlo, a pesar de haberlo intentado recientemente, mientras que a la segunda he tardado mucho en reconocerla, y al final me ha repudiado como padre. De modo que ahora lamento no haber concebido más hijos, y eso que me casé con Catalina con el único objeto de formar una familia como Dios manda, pero no fue posible. He aquí otra de mis grandes frustraciones. Aunque tal vez sea mejor así, pues, después de tantos vaivenes de fortuna, ahora no podría dejarles nada en herencia, salvo mis obras, que tampoco les darían de comer. De todas formas, es triste no tener descendencia, ¿no creéis?

—Más triste es haberla tenido y no haberse ocupado de ella —contesté yo, que sabía bien de lo que hablaba.

—Eso también es verdad. En este momento, tengo la sensación de que mi vida ha sido una continua huida, hasta llegar a encontrarme hoy con vos sobre las tablas de este escenario, en el último acto, justo cuando la función está a punto de terminar. Por otra parte, debo admitir que teníais razón en eso que dijisteis antes sobre la anagnórisis o revelación, pues, en efecto, hoy ha ocurrido como en una de esas tragedias griegas en las que, después de muchas vicisitudes, el protagonista se da cuenta de quién es y descubre, al fin, la trama de su vida, que, hasta entonces, era algo confuso, enrevesado y lleno de lagunas e inconsecuencias, y ahora comienza a tener sentido. Y lo irónico y lo paradójico es que seáis precisamente vos, mi enemigo más acérrimo, el que, al cabo de tantos años, haya venido a dar significado y argumento a mi desordenada vida. La única pena —añadió con el semblante ensombrecido— es que sea tan tarde y que, por tanto, no vaya a servir de mucho.

—Por favor, no digáis esas cosas —le rogué yo.

—De todas formas, os lo agradezco de verdad. Ojalá pudiera hacer yo algo por vos.

—Ya me habéis perdonado, ¿qué más cabe pedir?

—Y vos —quiso saber él—, ¿me habéis perdonado a mí por haber intentado mataros aquel día y por haberos estropeado la pierna?

—Sería un malnacido, si no lo hubiera hecho ya —me apresuré a decir.

—En ese caso, estamos en paz, pues el perdón redime no solo a aquel que lo recibe, sino también al que lo otorga.

—Sellémoslo, entonces, con un abrazo —sugerí, emocionado.

Tras un breve titubeo, nos estrechamos con fuerza, sin decir nada, pero con los ojos arrasados de lágrimas, palmeándonos de vez en cuando las espaldas, como dos viejos amigos o familiares que llevaran mucho tiempo sin verse. Y, en ese momento, comenzaron sonar a lo lejos unas campanadas.

—¿Las sentís? —le pregunté yo, señalando hacia lo alto.

—No sé de qué me habláis —me contestó él, encogiéndose de hombros.

—¡De las campanas! —contesté yo con impaciencia.

—¡Las campanas! ¿Qué campanas? —exclamó él, cada vez más confuso.

—No importa —lo tranquilicé yo—, debe de ser un eco de unas que me pareció oír en el pasado. Por cierto —le confesé—, hacía tanto tiempo que no me abrazaban que, si no fuera por mis muchos achaques y enfermedades, me habría olvidado ya de que tengo cuerpo y de que aún sigo en este mundo. Y ahora —añadí, alargándole el pellejo de vino— celebrémoslo con un buen trago.

—Lo estaba necesitando, tengo la boca seca —dijo él, antes de empinar la bota.

—Por nosotros —brindé yo, cuando me tocó.

—Y vos, ¿habéis seguido escribiendo poemas? —me preguntó de pronto.

—La verdad es que estuve mucho tiempo sin hacerlo, a causa de la envidia —le expliqué—. Pero hace unos años, volví a intentarlo; fue a raíz de mi caída del caballo o, por así decirlo, mi conversión, poco después de mi falsa muerte; de ahí que no los firme. Y ahora algunos andan por ahí, de boca en boca y de mano en mano, sin que nadie conozca el nombre de su autor.

—Creedme si os digo que eso es lo mejor que puede pasarle a un poeta, aunque eso no le guste nada a nuestra vanidad. ¿Y hay alguno que yo pueda conocer? —quiso saber.

—Hay uno que tal vez os suene —apunté—. Se trata de una especie de oración a un Cristo crucificado.

—¿No será aquel que comienza «No me mueve, mi Dios, para quererte...»?

—Entonces, ¡¿lo habéis leído?! —le pregunté con sorpresa.

—Me lo sé de corrido —afirmó él—. Sin duda, es uno de los mejores sonetos que se hayan escrito nunca en lengua castellana. ¡Y vos sois el que se ha pasado la vida envidiándome! Yo habría dado la única mano útil que me queda por haberlo escrito.

—¿De verdad pensáis eso?

—Y aún me quedo corto —puntualizó—. Y conste que no soy el único que opina algo parecido. Según he oído contar por ahí, Lope anda presumiendo de que el poema es suyo, y más ahora, que tanto le interesa la poesía sacra.

—¡No me digáis! —exclamé yo, asombrado—. ¡Menudo mangante! De todas formas, no me importa. Tampoco lo considero mío, aunque os aseguro que fui yo quien lo escribió.

—Pues deberíais estar orgulloso —me aseguró—. Vuestro poema parece escrito no solo por un gran poeta, sino también por un santo. Si todo el tiempo y el esfuerzo que habéis dedicado a perseguirme, lo hubierais dedicado a la poesía, ahora seríais uno de los autores más reconocidos del momento, incluso más que Lope, aunque menos prolífico, eso sí.

Conmovido por sus palabras, le conté las circunstancias en las que lo había compuesto, y eso hizo que el poema cobrara mucho más valor para él.

—Es una pena que nuestras vidas hayan tenido que ser tan intrincadas —comentó, de pronto, pensativo—. Pero bien está lo que bien acaba, ¿no creéis?

—¡Y quién ha dicho que esto se ha acabado! —protesté yo—. ¡Es que no veis que la vida nos está brindando una nueva oportunidad!

—No para mí —objetó él—. Me siento muy viejo y tan enfermo que bien podría decirse que soy ya vecino de la muerte.

—¿No me vendréis de nuevo con lo del maldito augurio supuestamente pronunciado por aquellos muchachos?

—¿Y vos cómo...? ¡Ah, ya! —exclamó, al darse cuenta de que yo lo sabía casi todo sobre él—. Pues sí, reconozco que no se me va del pensamiento.

—Pero ¡si habéis publicado ya la segunda parte del *Quijote* y no ha pasado nada!

—No obstante, creo que el hecho de que hoy nos hayamos encontrado, después de tanto tiempo, es una nueva señal de que mi muerte está próxima.

—Recordad que eso ha sido decisión mía —precisé.

—Eso no quita para que sea una señal y vos, un instrumento de la Divina Providencia —me replicó.

—¡Tonterías! —rechacé yo—. Aún estáis a tiempo de conseguir lo que os propongáis. ¿Por qué no concluís esa obra que os traéis entre manos?

—¿*Los trabajos de Persiles y Sigismunda?* ¡Imposible! —proclamó él—. Creo que ya me he resignado a dejarla como está.

—¿Sin intentarlo siquiera? —lo reté yo.

—Lo cierto es que aún me falta mucho —confesó.

—Lo sé. Pero os confieso que, si he aparecido ahora, ha sido, entre otras cosas, para moveros a terminar ese libro, pues sé que lo tenéis en gran estima.

—Demasiado tarde, me temo. Debéis conformaros con el *Quijote.*

—Os recuerdo que vos mismo habéis prometido a vuestros lectores que lo acabaríais.

—Reconozco que, últimamente, he prometido mucho, demasiado, para unas fuerzas tan escasas como las mías, pero ¿quién puede poner rienda a los deseos? Ahora la enfermedad ha venido para dejar las cosas en su sitio —añadió, resignado.

—¿Y no os parece un poco prematuro? A simple vista, nadie diría que estáis tan grave.

—Creedme, tengo los días contados.

—Eso solo lo sabe Dios. De modo que no se muera Vuestra Merced, señor mío —insistí yo con un guiño de complicidad, citando unas palabras del *Quijote*—, sino tome mi consejo y viva muchos años, porque la mayor locura que puede hacer un hombre en esta vida es dejarse morir sin más ni más, sin que nadie le mate ni otras manos le acaben que las de la melancolía. Mire no sea perezoso —añadí—, y concluya *Los trabajos de Persiles y Sigismunda,* que, mientras haya todavía algo que decir o que contar, a vos no os faltará el ánimo ni a mí las ganas de complaceros.

—Os agradezco mucho vuestras palabras, por el cariño que demuestran, pero ya apenas puedo concentrarme, y a duras penas puedo sostener la pluma —se lamentó.

—Eso no es problema —repliqué yo—. Si queréis, yo podría ayudaros, aunque solo sea como copista fiel de vuestras palabras.

Cervantes me miró entonces con sorpresa y gratitud, como si de repente se hubiera hecho la luz en su entendimiento.

—¿De veras haríais eso por mí? —preguntó conmovido.

—¡¿Aún lo dudáis?! Si por mí fuera, ofrecería mi vida a cambio de la vuestra para que pudierais terminarlo como es debido.

—Os lo agradezco —me dijo conmovido—, pero eso sería excesivo, y además no hace falta. Ningún libro vale la vida de otro hombre que no sea su autor.

—En ese caso, debo recordaros que, para bien o para mal, la mía está ligada a la vuestra, y, por lo tanto, deberían compartir una misma suerte.

—Si tanto os empeñáis —concedió él con ironía.

—Es lo menos que puedo hacer.

—Pongámonos, pues, manos a la obra. ¿Sabéis dónde vivo?

—Mejor que vos —le contesté—, que, con tantos cambios de domicilio, más de una vez os habéis equivocado de casa cuando volvíais borracho por la noche.

—Callad, por Dios, no me lo recordéis —me rogó, poniéndose colorado.

XXVII

Por entonces, Cervantes tenía su alojamiento en la calle del León, en esquina con la de los Francos, al lado mismo del mentidero de los actores o representantes y, como ya dije, muy cerca de la casa de Lope de Vega, para que así no pudiera olvidarse de su gran rival ni de su fracaso en el teatro. La vivienda en la que habitaba era del escribano real Gabriel Martínez, cuyo hijo era capellán del convento de las Trinitarias Descalzas. La familia del dueño ocupaba la primera planta y nuestro hombre y su esposa, la baja; su sobrina Constanza residía entonces en la calle del Baño. Cervantes y Catalina comían de lo que les enviaba a diario su nuevo protector, el cardenal de Toledo don Bernardo de Sandoval y Rojas —tío, como ya dije, del duque de Lerma, que aún seguía pretendiendo el capelo rojo—, y hacían frente a los demás gastos con el dinero que tuviera a bien entregarles el conde de Lemos, ya que los ingresos de los libros, cuando llegaban, duraban muy poco y apenas servían para pagar deudas contraídas hacía meses.

Los días posteriores a nuestro reencuentro, Miguel y yo trabajamos sin descanso, de manera febril. Desde la primera luz del día, nos encerrábamos en su cámara, con la desaprobación de su esposa, que no se molestaba nada en disimular la desconfianza que yo le infundía y el asco que le provocaba mi cicatriz. Por suerte, en esos momentos, esta no era capaz de contrariar la voluntad de su marido, pues tenía miedo de que cualquier disgusto apresurara su muerte, y más siendo alguien que siempre había hecho lo que le venía en gana. Así es que, de la mañana a la noche, salvo breves pausas para comer y descansar, yo me convertía en su amanuense. Por lo general, la prosa fluía de sus labios con cierta regularidad, pero a veces se estancaba y no sabía ya cómo seguir; en tales ocasiones, yo le echaba un cabo, como quien no quiere la cosa, con el fin de que pudiera salir del atolladero y retomar el hilo del discurso. Tantos años de envidia y de odio habían hecho que lo conociera mejor casi que a mí mismo; de modo que los dos estábamos muy concertados.

No obstante, el cansancio se fue haciendo evidente de día en día, como bien puede apreciarse en la extensión y la organización de cada uno de los libros o partes en que se divide la obra, ya que los tres primeros tienen algo más de veinte capítulos, mientras que el cuarto tan solo consta de catorce. Y eso que yo le ayudaba, con frecuencia, a completar las frases que dejaba en suspenso o le daba ideas para completar un diálogo o un párrafo, cuando él no sabía cómo continuar; de hecho, era tal la complicidad que había entre nosotros que yo seguía escribiendo si se quedaba dormido o sin palabras o traspuesto.

Por otra parte, cuanto más avanzábamos más me daba cuenta de que se trataba de un libro de despedida, una especie de testamento dirigido a la posteridad. Asimismo, se podría decir que en él su autor nos hablaba de su vida e, inevitablemente, también de la mía, en clave de libro de aventuras peregrinas, a la manera de *Teágenes y Cariclea*, de Heliodoro. No en vano el tema principal era la búsqueda de la purificación del alma a través del sufrimiento, de lo cual sabíamos mucho los dos; de ahí la abundancia de trabajos e infortunios a los que tenían que enfrentarse los protagonistas a lo largo de sus azacaneadas vidas, hasta su reencuentro final.

—Debería titularse *Los trabajos y los días de Antonio y Miguel*, ¿no creéis? —me dijo Cervantes una mañana con algo de ironía.

—Ese lo dejaremos para mi confesión —comenté yo, en tono de chanza.

—Fuera de bromas —puntualizó—, creo que vuestro nombre debería figurar, de alguna manera, en la cubierta del libro, cuando este se publique.

—¡¿Tanto valoráis mi ayuda?! —le pregunté yo, sorprendido.

—No es para menos —confirmó él—; sin vos ya hace tiempo que lo habría dejado.

Lo cierto es que la escritura de la parte que faltaba fue muy ardua y trabajosa para ambos, sobre todo en el último tramo, ya que los dos tuvimos que luchar a brazo partido contra la enfermedad galopante, hasta que por fin concluimos la primera redacción, que naturalmente yo tenía previsto revisar, a principios de marzo de 1616, cuando su mal había vuelto a agravarse de forma irremediable; de hecho, le faltaban ya las fuerzas físicas y las del espíritu se le habían debilitado de tal modo que ni siquiera era capaz de imaginar un epígrafe para cada capítulo; de ahí que muchos vayan sin él. Por fortuna, tan solo quedaba por escribir el prólogo y la dedicatoria.

Según el médico que por entonces lo trataba, Cervantes padecía de hidropesía, una enfermedad de humor acuoso que hinchaba todo el cuerpo y que, a la larga, resultaba devastadora para el organismo. Por eso estaba demacrado y seco, con el vientre hinchado, las piernas tirantes y los pies como botas. Su andar era muy torpe y, con frecuencia, tenía grandes dificultades para respirar. Pero lo más duro era la sed que se veía obligado a soportar, una sed insaciable e inextinguible, digna de un castigo bíblico o mitológico, ya que el hidrópico, por mucho que beba, nunca logra apagar su sed, y, para colmo, el exceso de agua le resulta muy perjudicial, un poco como sucede con aquel que ambiciona la fama, que nunca se ve satisfecho, y, además, ha de pagar un alto precio por ello.

Por si todo eso fuera poco, también comenzaron a rondarlo algunas sombras que, según me confesó, lo acosaban y le pedían cuentas de manera insistente por los errores que había cometido a lo largo de su vida; entre ellas, estaban la de su padre y la de su hermana Andrea. Pero lo que más lo obsesionaba, en ese momento, era el alejamiento de su hija Isabel, que seguía sin querer verlo ni perdonarlo ni mucho menos ayudarlo, a pesar de que, en los últimos años, había conseguido acumular mucho dinero y le iba muy bien. Y eso a Cervantes lo hacía sentirse cada vez más culpable, ya que, según decía, no se había comportado con ella como lo habría hecho un buen progenitor; de hecho, ni siquiera le había enseñado a leer y escribir. Y, para colmo, la había utilizado para saldar sus propias deudas, aunque fuera movido por la necesidad. Por otra parte, le daba mucho miedo pensar que, tras su muerte, no iba a haber nadie que lo recordara, dado que no se fiaba de que sus obras, ni siquiera las últimas, fueran a preservar su fama, aquella por la que tanto había luchado, como su don Quijote, y que ahora se le antojaba pura fantasía y quimera.

—Me temo que sois injusto —le repliqué yo—. Ahí tenéis a vuestra esposa y a vuestra sobrina y, si me lo permitís, a mí mismo, que, en el tiempo que me quede, pienso mantener viva vuestra memoria.

—Tal vez tengáis razón —reconoció— en lo que a ellas se refiere, al fin y al cabo son de mi familia y es lógico que me recuerden durante un tiempo. Pero ¿y vos, por qué habríais de recordarme?

—Porque la pervivencia de mi memoria depende de la vuestra. De hecho, he pensado escribir una confesión —le anuncié—, pues quiero que todo el mundo sepa la verdad sobre Miguel de Cervantes.

—Querréis decir vuestra verdad.

—Por supuesto, la mía —convine yo—. Pero habréis de reconocer que yo soy aquel que mejor os conoce, mejor, incluso, que vos mismo, si me permitís que lo diga así, ya que, según reconocisteis hace unos meses, en buena medida os he hecho yo.

—Eso es cierto —convino él—. ¿Y qué vais a contar? —quiso saber.

—Todo lo que sé, sin omitir ni una coma —le expliqué—, y lo que no sepa os lo preguntaré a vos.

—Pues ya podéis daros prisa, pero no ahora, pues antes debo atender otras cuestiones más perentorias —me advirtió.

El día 2 de abril de 1616, Sábado Santo, Cervantes decidió profesar en la Venerable Orden Tercera de San Francisco, a la que pertenecía como novicio desde julio de 1613 y en la que también habían ingresado, en su día, su esposa y sus hermanas. Formalmente, tuvo que hacerlo en su casa, por estar ya demasiado enfermo. En esta incorporación tan tardía, no hemos de ver un desesperado intento de congraciarse con Dios para alcanzar así la salvación eterna, después de una vida de irregularidades y pecados, sino algo mucho más práctico, ya que, por ser profeso, esta orden religiosa correría con los gastos del entierro cuando él falleciese, y con mayor motivo, en este caso, pues era pobre de solemnidad.

Apremiado por mí, intentó sobreponerse un poco a la enfermedad y dedicó algunos días a revisar el *Persiles*, con vistas a su inmediata publicación. Pero el 18 de abril empezó a sentirse peor. Por la tarde, fue a confesarlo el capellán de las Trinitarias. Luego le administró el santo óleo el licenciado Francisco López. Nuestro hombre aprovechó también para hacer testamento con sus últimas voluntades; entre otras cosas, dejó encargadas diez misas por el descanso de su alma y nombró albacea a su esposa. Fuera de sus escritos y algunas deudas, no dejaba mucho, la verdad.

Al día siguiente, me pidió que escribiéramos la dedicatoria del libro. Dirigida a su protector, don Pedro Fernández de Castro, conde de Lemos, comenzaba recordando unos versos antiguos, que yo mismo he querido poner al frente de esta confesión, por ser muy oportunos:

Puesto ya el pie en el estribo,
con las ansias de la muerte,
gran señor, esta te escribo.

Para luego añadir: «Ayer me dieron la Extremaunción y hoy escribo esta. El tiempo es breve, las ansias crecen, las esperanzas menguan, y, con todo esto, llevo la vida sobre el deseo que tengo de vivir, y quisiera yo ponerle coto hasta besar los pies de Vuestra Excelencia; que podría ser fuese tanto el contento de ver a Vuestra Excelencia bueno en España, que me volviese a dar la vida. Pero si está decretado que la haya de perder, cúmplase la voluntad de los cielos...» No obstante, aún tenía ánimos, o más bien fingía tenerlos, para desear que Dios le concediera tiempo, a fin de escribir o completar algunas obras: «Todavía me quedan en el alma ciertas reliquias y asomos de las *Semanas del jardín,* y del famoso *Bernardo.* Si a dicha, por buena ventura mía, que ya no sería ventura, sino milagro, me diese el cielo vida, las verá, y con ellas fin de *La Galatea,* de quien sé está aficionado Vuestra Excelencia.» A esas alturas, era mucho pedir.

El miércoles 20 de abril me dictó casi de un tirón el prólogo. En él cuenta un supuesto encuentro con un estudiante en el camino de Esquivias a Madrid; este, nada más reconocerlo, se apea de su cabalgadura y comienza a exclamar: «¡Este es el manco sano, el famoso todo, el escritor alegre y, finalmente, el regocijo de las Musas!» A lo que el aludido replica con sincera humildad: «Ese es un error donde han caído muchos aficionados ignorantes. Yo, señor, soy Cervantes, pero no el regocijo de las Musas, ni ninguna de las demás baratijas que ha dicho.» Durante el trayecto, platican sobre su enfermedad y, al llegar a Madrid, cada uno se marcha por su lado. Cervantes se muestra, entonces, consciente de que, como muy tarde, su vida se extinguirá el domingo próximo. Sin embargo, añade a continuación: «tiempo vendrá, quizá, donde, anudando este roto hilo, diga lo que a mí me falta y lo que sé convenía». ¿Se refería, quizás, al otro mundo o, más bien, estaba pensando en mi confesión?

Por último, se despedía con estas conmovedoras y enigmáticas palabras: «¡Adiós gracias; adiós donaires;

adiós regocijados amigos; que yo me voy muriendo, y deseando veros presto contentos en la otra vida!» ¿Estaba aludiendo realmente a sus amigos o apuntaba, tal vez, a sus enemigos, a quienes, en efecto, estaba deseando ver presto contentos en la otra vida, es decir, muertos? Confieso que, cuando las escuché de sus labios por primera vez, sentí que, de alguna forma, iban dirigidas a mí, y que, por tanto, me consideraba un nuevo amigo o al menos uno de esos enemigos benéficos de los que me había hablado hacía unos meses, aunque luego pensé que lo más probable era que se tratara de una ironía, con Cervantes nunca se sabía, y de nada serviría preguntarle, por lo que no lo intenté.

Lo que sí hice, el 21 por la mañana, fue conversar a solas con él. Ante mi insistencia, me permitió que le preguntara sobre su vida, con el fin de aclarar algunos puntos oscuros, resolver ciertas dudas y completar varias lagunas, con vistas a esta confesión. Para mi sorpresa, me contestó a casi todo con sinceridad y naturalidad. Pero, al cabo de unas horas, la enfermedad se fue adueñando de él y el resto del día apenas hablamos. Él no podía, aunque lo intentaba, como si se hubiera quedado mudo o una extrema tartamudez se lo impidiera o, simplemente, hubiera agotado ya su ración de palabras en este mundo, por lo que se quedaron muchas cosas en el tintero. Yo estaba anonadado y tampoco sabía ya qué decir; además, tenía la sensación de que una parte importante de mí se estaba desprendiendo de forma lenta y desgarradora de mi alma.

Falleció el viernes 22 de abril, tras una corta pero terrible agonía. Entonces, se hizo el silencio definitivo, tan solo roto por el llanto de su esposa, su sobrina y las mujeres que en ese momento las acompañaban. Entre Catalina y Constanza lo amortajaron con el burdo sayal franciscano, con el rostro y una parte de la pierna derecha descubiertos, como era preceptivo en la orden. Después, varios miembros de esta lo introdujeron en un tosco ataúd de los de caridad, por lo que era probable que ya hubiera sido utilizado por otro hermano, y que, en el futuro, lo usara alguno más. Esa noche Cervantes fue velado por las vecinas y las mujeres de la casa, que me miraban con creciente recelo y desconfianza, mientras yo lloraba, desconsolado, en un rincón. Por la mañana, aprovechando un descuido, intenté llevarme el manuscrito del *Persiles,* que alguien había depositado sobre una mesa, pero Catalina me descubrió y me pidió que se lo devolviera.

—Es también mío —le dije yo.

—¡¿Vuestro?! —exclamó ella con desprecio.

—Yo lo ayudé a terminarlo —le recordé—, y vos lo sabéis.

—Vos lo único que habéis hecho es incitarlo de continuo y meterle los perros en danza. Si hubiera guardado cama y reposo, como le dijo el médico que lo atendía, y se hubiera dejado cuidar por su sobrina y por mí, otro gallo le cantara, pues habría salido adelante y habría tenido tiempo de acabar su dichoso libro con calma y hasta habría llegado a cumplir los setenta años, como era su deseo. Pero tuvisteis que aparecer vos, venido de sabe Dios dónde, a estropearlo todo. Por vuestra culpa, su enfermedad se agravó más de lo que cabía esperar, para que lo sepáis. Y encima ahora queréis quedaros con su libro, que, como quien dice, es su última voluntad. ¡No se puede ser más ruin y miserable! —me escupió ella, agarrando con fuerza un extremo del manuscrito con la intención de quitármelo.

—Pero yo he sido, en parte, su colaborador e inspirador —insistí, tirando a mi vez del otro extremo—; por eso, él me prometió que pondría mi nombre en la cubierta, no por capricho ni veleidad, sino porque me lo había ganado.

—Sí, claro, en letras de oro —replicó ella con ironía.

—Fue idea suya —le grité—, yo no le pedí nada.

—¡Para qué pedir lo que, de todas formas, pensabais robar!

—No deberíais hablarme así —la amonesté muy seriamente—. Sabed que yo he sido quien lo ha convertido en lo que sin duda va a ser, el mayor ingenio español de su época, que es lo mismo que decir de todos los tiempos. Y yo, además, renuncié a todo por él —añadí con más vehemencia—. Sin mí no habría llegado a nada.

—¡Lo que me faltaba por oír! —exclamó ella, a punto de perder la paciencia—. ¿Y dónde habéis estado metido todos estos años, que nunca os vi el pelo ni oí hablar jamás de vos?

—Yo estaba detrás de él —le contesté con naturalidad—, yo era su sombra, la sombra de Miguel de Cervantes, sin la cual nada habría sido lo mismo, tenéis que creerme.

—Vos lo que sois es un loco de atar —concluyó ella, tirando con tal fuerza del manuscrito que al fin consiguió arrebatármelo—, y donde deberíais estar es encerrado en una cárcel o en una casa de locos.

—Vos sois la loca, en este caso —repliqué yo—, y pagaréis caro vuestro desatino.

Entonces, ella se enfadó tanto que, de repente, se puso hecha una furia y me echó a la calle a patadas, sin dejar de insultarme ni de injuriarme, a voz en grito, para que todo el mundo se enterara. Estaba claro, en fin, que la pobre viuda me consideraba culpable de la muerte de su marido, y que pensaba, además, que lo había hecho con la aviesa intención de apoderarme de su obra. Y la verdad era que, en cierto modo, no le faltaba razón.

El 23 tuvo lugar la ceremonia del entierro; en ella los hermanos terceros, puestos de rodillas y divididos en dos coros, rezaron las oraciones del Santo Sudario. Luego el cadáver fue conducido, en comitiva, por sus hermanos de hábito descubierto al cercano convento de las Trinitarias Descalzas —situado entre la calle de Cantarranas y la de las Huertas—, donde recibió cristiana sepultura entre el repicar de campanas, como mandaba el ritual de la orden. Cervantes fue inhumado en la humilde iglesia del convento, apenas un miserable portal, sin un triste epitafio ni una simple lápida, casi furtivamente, como había transcurrido, por lo demás, buena parte de su vida. No obstante, es muy posible que algún día los españoles se dediquen a buscar sus restos con veneración, como si se tratara de las reliquias de algún santo, para luego exhibirlos en una urna. Descanse en paz, allá donde esté, ya que la tierra no le fue propicia.

En el acto tan solo estuvieron presentes su hermana Luisa, su sobrina Constanza, su esposa y los dos hermanos de esta, venidos a toda prisa de Esquivias, pero no su hija, que, desgraciadamente, seguía disgustada y dolida con él. A los que se sumaron los hermanos de la Orden Tercera, unos pocos vecinos y la familia de su casero. Sin embargo, no acudieron sus amigos, si es que alguno le quedaba, ni sus colegas escritores, ni siquiera los más cercanos, ni el librero Francisco de Robles, que tanto dinero ganó con él, ni ningún representante de las academias literarias de Madrid ni, por supuesto, de la Corte ni de ninguna otra institución.

Yo asistí a todo ello en silencio y a distancia, escondido en las sombras —esas en las que siempre me he movido—, sin poder honrarlo ni llorarlo como se merecía. Después, salí a la calle, donde empecé a vagar sin rumbo, sumido en el delirio, desorientado y con la razón cada vez más perdida, sintiéndome responsable de su muerte y gritándolo a los cuatro vientos, hasta que unos alguaciles me detuvieron y me llevaron ante Vuestra Merced, que, tras interrogarme, decidió que me trajeran aquí, donde llevo ya nueve largos meses gestando, como si se tratara de un embarazo, esta confesión, con la que pretendo arrojar luz sobre unas vidas y unos hechos que muy pocos en verdad conocen, sin que, entre tanto, se me haya juzgado ni vuelto a interrogar, olvidado de todos, como si no existiera ya, algo que por otra parte no deja de ser cierto, como bien sabe Vuestra Merced. Desde entonces, he podido alimentarme, adquirir algunos libros y mantenerme a salvo en este calabozo, gracias al dinero que llevaba conmigo, que, como cabía esperar, me ha granjeado la amistad de algunos presos y guardias.

Hace apenas unas horas, uno de estos me ha hecho llegar un ejemplar de *Los trabajos de Persiles y Sigismunda* —que por fin se acaba de publicar, sin mi nombre, por supuesto—, que he adquirido con las pocas monedas que aún me quedaban. He leído de nuevo su prólogo con lágrimas en los ojos, pues ahora sé que, en buena medida, iba dirigido a mi persona, su enemigo más íntimo, y, a la postre, el más veraz y querido, o al menos eso es lo que yo espero. Después, he comenzado a leer el libro y ya no he podido dejar de devorarlo, como si me fuera la vida en ello, con la creciente angustia de no poder llegar hasta el final. Mientras lo hacía, he rememorado aquellos días en que el autor y yo éramos todavía jóvenes y, sin que nadie se lo esperara, tuvimos que separarnos de forma trágica durante casi medio siglo, hasta que por fin, después de múltiples obstáculos, peligros y vicisitudes, volvimos a reunirnos hace algo más de un año sobre las tablas de un escenario, para descubrir quiénes éramos realmente y cuál había sido nuestro destino.

De modo que ha llegado la hora de poner fin a este escrito y culminar así mi tarea y, con ella, mi vida, pues he llegado al convencimiento de que, en cuanto lo termine, concluirán mis días en este mundo. Hace un momento, he pensado que, antes de darlo por acabado, tal vez fuera bueno volver a leerlo, por si hubiera que hacer algún tipo de aclaración, matización o rectificación, pero luego he decidido que era mejor dejarlo como estaba, *quod scripsi scripsi*. De todas formas, soy muy consciente de que lo más probable es que esta confesión se pierda por el camino y no llegue nunca a manos de Vuestra Merced; o que, si por casualidad se la entregan, la mande quemar por no estar escrita en romance; o que, si decide que alguien la ponga en cristiano, y ahora mismo la está leyendo, no le conceda ningún crédito y, en consecuencia, no la haga pública; o, incluso, que le parezca convincente, pero opte por deshacerse de ella enseguida, ya sea por temor a alguna represalia, ya sea porque reciba algún soborno de parte de La Garduña o, simplemente, porque Vuestra Merced sea miembro de la misma, lo cual no sería extraño.

No me queda, pues, más remedio que confiar en el azar o en el destino o en la Divina Providencia y desear que estos papeles acaben en las manos adecuadas, para que algún día puedan ver la luz y todo el mundo sepa la verdad o, si se prefiere, mi verdad sobre este caso, pese a quien pese, y el lector saque de ello las conclusiones oportunas. Y sin más que decir me despido de Vuestra Merced, deseando que Dios lo ilumine y le dé salud y a mí me deje morir y descansar en paz por los siglos de los siglos. *Vale.*

Nueva anotación del libro de registro de la Cárcel Real de Madrid

A primera hora de hoy lunes 30 de enero de 1617, falleció, a los sesenta y nueve años de edad, en su aposento de esta Cárcel Real de Madrid el prisionero Antonio de Segura, tras recibir los santos sacramentos de manos del padre José Beltrán. Al parecer, el tal Segura se encontraba encerrado desde hacía nueve meses en espera de juicio, como sospechoso de ser responsable de la muerte de un tal Miguel de Cervantes, vecino de esta Villa y Corte, sin que hasta ese momento se hubiera realizado diligencia ni averiguación alguna en ese sentido, y sin que se sepa cómo ha podido subsistir durante todo ese tiempo. Sobre la mesa del recluso, fue hallado un ejemplar de un libro intitulado Los trabajos de Persiles y Sigismunda, *del que, según consta en la cubierta del mismo, es autor el mencionado Cervantes, así como un rimero de papeles, redactados en lo que parece ser lengua árabe por el propio Segura, durante el tiempo que ha permanecido aquí encerrado. El manuscrito ha sido enviado al juez, para que, tras su lectura, haga las apreciaciones y resoluciones oportunas. Al no tener conocimiento de ningún familiar o amigo del finado, el cadáver será enterrado maña-*

na martes en el cementerio de esta Cárcel Real, sin perjuicio de que más tarde alguien pudiera reclamarlo. Lo que hago constar, como escribano de las entradas que soy de esta institución, en Madrid, a 30 de enero de 1617.

El Licenciado Tomé Rodríguez.

Nota final del editor literario

Como ya sugerí al principio, los editores no han querido responsabilizarse de los contenidos de este libro ni comprometerse con algunos de los criterios seguidos en la edición del mismo; de ahí que, mientras no reaparezca el famoso manuscrito y este no sea convenientemente acreditado, prefieran considerarla una obra de ficción, y como tal han querido que se publique, pues, como suele decirse, *se non é vero, é ben trovato*. De modo que, si algún lector o lectora conoce alguna pista sobre el paradero del mismo, le ruego que me la comunique, con el fin de que pueda recuperarlo y respaldar con él lo aquí consignado. Naturalmente, el informante tendrá un lugar preferente en esta nota en futuras ediciones.

Por otra parte, quisiera expresar mi agradecimiento a Antonio Sánchez Zamarreño, Carmen Sayagués García, John Garrido Ardila, José Antonio Sánchez Paso y Mercedes Gómez Blesa, por sus generosas y atentas lecturas; a Javier San José Lera, Juan Antonio González Iglesias y Pedro Buendía, por sus sabias indicaciones; y a Lucía Luengo y todo el equipo de Ediciones B, por haber apostado por mí y haberse encariñado tanto, desde el principio, con esta novela. La firma de Antonio de Segura la hemos tomado de su testamento, conservado en el Archivo Histórico de Madrid. Al igual que Segura, aunque con mucho mayor motivo, yo también podría decir: *Quod potui feci, faciant meliora potentes*, o lo que es más o menos lo mismo: «Yo hice lo que pude, que lo hagan mejor los que tengan más capacidad.»

Asimismo, debo señalar mi deuda con los siguientes autores y especialistas: Alberto Sánchez, Alfredo Alvar Ezquerra, Alonso Zamora Vicente, Andrés Trapiello, Ángel Basanta, Antonio Domínguez Ortiz, Antonio Rey Hazas, Aurora Egido, Beatriz Sanz Alonso, Bruno Frank, Carlos Castilla del Pino, Catherine Wilkinson Zerner, César Hernández Alonso, Cristóbal Zaragoza, Daniel Eisenberg, Edward C. Riley, Emilio Sola, Felipe B. Pedraza Jiménez, Fernando Arrabal, Fernando Marías, Fernando Martínez Laínez, Florencio Sevilla, Francisco Núñez Roldán, Francisco Rico, Francisco Rodríguez Marín, Gregorio Mayans, Hipólito Sanchiz Álvarez de Toledo, Isabelle Touton, Jacques Heers, Javier Blasco, Javier Salazar Rincón, Jean Canavaggio, Joaquín Forradellas, José del Corral, José F. de la Peña, José Ignacio Ruiz Rodríguez, José María Paz Gago, Juan Antonio Morán Cabré, Juan Bautista Avalle-Arce, Juan Carlos Peinado, León Arsenal, Luis Astrana Marín, Manuel Fernández Álvarez, Manuel Lacarta, Manuel Rivero Rodríguez, Marcelin Defourneaux, Mari Carmen Marín Pina, María Antonia Garcés, María Dolores Delgado Pavón, Martín de Riquer, Mercedes García Arenal, Pedro Ruiz Pérez, Ramón Fernández Palmeral, Rosa Navarro Durán, Rosa Rossi y Sebastián de Covarrubias —que nos legó ese fabuloso *Tesoro de la lengua castellana o española* publicado en 1611—, entre muchos otros que ahora no soy capaz de recordar.

Índice

Prefacio imprescindible del editor literario   9

Anotación del libro de registro de la Cárcel Real
de Madrid 15

CONFESIÓN DE ANTONIO DE SEGURA

I 21
II 35
III 51
IV 63
V 77
VI 91
VII 103
VIII 115
IX 131
X 145
XI 153
XII 167
XIII 185

XIV 199
XV 213
XVI 221
XVII 235
XVIII. 245
XIX 257
XX 271
XXI 283
XXII 301
XXIII. 311
XXIV. 327
XXV 339
XXVI. 357
XXVII. 375

Nueva anotación del libro de registro de la Cárcel
    Real de Madrid 389

Nota final del editor literario. 391

A continuación, un fragmento
de las primeras páginas de
El manuscrito de piedra,
ya disponible en edición de bolsillo.

(...)

A esa hora, entre dos luces, Salamanca tenía algo de tenebroso y espectral, como un gran monstruo dormido que, en cualquier instante, podía despertarse con mal genio. Si aguzaba el oído, podía oírlo respirar y aun llegar a oler su fétido aliento. De repente, tuvo la sensación de que alguien lo seguía, emboscado en las sombras. Fray Tomás miraba a un lado y a otro, sin dejar de caminar. Tenía prisa. Necesitaba confesarse, como fuera, y liberarse de esa tremenda carga que amenazaba con volverlo loco. El canto de una lechuza lo llenó de aprensión. A la altura del Colegio Mayor de San Bartolomé, apretó el paso, pues creyó ver una sombra que se movía por las paredes del edificio, como si fuera un reptil. Aún le faltaba atravesar un último grupo de casas a su izquierda. Deliberadamente, hacía ruido al pisar para sentirse menos solo, pero el eco de sus pasos a sus espaldas no hacía más que acrecentar su temor. Por fin, tras un recodo, pudo ver, al otro lado de la plaza del Azogue Viejo, la imagen tranquilizadora de la Iglesia Mayor. Decidió probar suerte por la puerta del Azogue, pero estaba cerrada. De modo que tuvo que rodear la torre de campanas para dirigirse a la entrada principal. En su camino, estuvo a punto de caer en una zanja llena de agua y de tropezar con un sillar abandonado. Cuando al fin llegó al pórtico de la Penitencia, se detuvo un instante para recuperar el aliento. Respiraba con gran dificultad. Entre sus jadeos, creyó oír el ruido de unos pasos un poco más allá. Demasiado tarde para escapar; de las espesas sombras que envolvían la entrada, surgió de pronto una más negra que lo embistió hasta derribarlo. Desde el suelo, pudo ver con claridad cómo su agresor sacaba un arma de debajo de la capa y, sin mediar palabra, se la clavaba una y otra vez en el vientre, en el pecho y en los costados. Paralizado por el horror, no fue capaz de pedir auxilio. Mientras se desangraba, aún tuvo tiempo de pensar, con consternación, en lo que le estaba sucediendo. No le importaba tanto morir acuchillado a la entrada de la catedral como expirar sin haberse confesado, lastrado por una culpa y un secreto de los que ya no podría librarse por los siglos de los siglos.

—¡Confesión! —llegó a decir con el último suspiro.